WASHINGTON D.C.
MARYLAND • VIRGINIA

DUMONT REISE-TASCHENBUCH

Axel Pinck

WASHINGTON D.C.
MARYLAND • VIRGINIA

LAND & LEUTE

UNTERWEGS
IN WASHINGTON UND DER CAPITAL REGION

Inhalt

Inhalt

REISEINFOS VON A-Z

ATLAS

LAND & LEUTE

»Verzichte auf bescheidene Entwürfe, sie haben nicht die Kraft, die Leidenschaft der Menschen zu erwecken.«
Daniel H. Burnham, Architekt der Union Station in Washington, 1909

In der
Capital Region

Herbst im Shenandoah National Park

METROPOLE DER MACHT ZWISCHEN BERGEN UND BUCHT

Als ›Capital Region‹ werden die Landschaften und Städte um die Bundeshauptstadt Washington D.C. sowie ihre Trabantenstädte bezeichnet. In diesem Gebiet am James River gründeten Siedler die erste dauerhafte englische Kolonie in Nordamerika. Ihre Nachkommen lehnten sich gegen die Herrschaft des fernen Königs auf und schrieben noch vor der französischen Revolution bürgerliche Grundrechte in ihre demokratische Verfassung. Washington, die Hauptstadt der jungen amerikanischen Republik am Ufer des Potomac River, ist nach ihrem ersten Präsidenten benannt. Die Wiege der Demokratie – eine auf dem Reißbrett konzipierte Stadt, die mehr Marmor für Monumente verbaut hat als das alte Rom – hat sich zum politischen Machtzentrum der Welt entwickelt, von vielen bewundert, von anderen gehasst.

Die öde Atmosphäre einer reinen Verwaltungsmetropole hat Washington längst abgestreift. Es zeigt sich mit Licht- und Schattenseiten wie andere Großstädte. Zwei Drittel ihrer Bewohner sind Schwarze. Viele wohnen unter dürftigen Bedingungen, vor allem in den östlichen Stadtteilen, in die sich Besucher nur selten verirren.

Naturwissenschaftliche und Kunstmuseen von Weltruf, eine inzwischen spannende Theaterszene, munteres Straßenleben um den Dupont Circle und in verschiedenen anderen Stadtrevieren, Einblicke in den Mechanismus einer Politikmaschine, die sich immer wieder imposant in Szene setzt, dazu geballte amerikanische Geschichte, auch in den angrenzenden Bundesstaaten Maryland und Virginia, machen Washington D.C. und die Capital Region zu einem der beliebtesten Reiseziele in den USA. Hinzu kommen die verzweigten Buchten der benachbarten Chesapeake Bay, ein phantastisches Segelrevier mit der eindrucksvollen Hafenstadt Baltimore, pittoresken Fischerdörfern und hervorragenden Restaurants, die Strände des nahen Atlantiks, ideal zum Baden oder zum Spazierengehen, die Plantagenvillen in Virginia mit dem Charme des alten Südens, die bewaldeten grünen Bergketten des Appalachengebirges, Natur pur – und das alles in Ausflugsweite von der Hauptstadt entfernt.

Im Frühjahr erblühen 20 000 Kirschbäume rund um das Tidal Basin beim Jefferson Memorial, im Sommer steigt zum Nationalfeiertag am 4. Juli auf der Mall eine Riesenfete mit Feuerwerk. Zu herbstlichen Weinfesten am Piedmont Plateau am Fuße der Appalachen kommen Besucher aus Washington oder Baltimore in großer Zahl, um die guten Tropfen der vielen Weingüter zu verkosten und die heimischen Vorräte zu ergänzen. Im Mittelgebirge der Appalachen verfärbt sich dann das Laub zu bunter Blätterpracht, bevor bald darauf in den höheren Lagen sogar Wintersportler auf ihre Kosten kommen.

STECKBRIEF CAPITAL REGION

Lage: An der Ostküste der USA zwischen dem 37. und 39. Breitengrad, also ungefähr auf der Höhe von Andalusien oder Sizilien.

Fläche: Washington D.C. 174 km^2, Delaware 5328 km^2, Maryland 27 394 km^2, Virginia 105 716 km^2; zusammen fast 140 000 km^2.

Städte: Washington D.C. (600 000 Einw.); Delaware: Dover (Hauptstadt/28 000), Wilmington (71 500); Maryland: Annapolis (Hauptstadt/33 000), Baltimore (675 000), Bethesda (63 000), Rockville (45 000), Silverspring (76 000); Virginia: Richmond (Hauptstadt/199 000), Alexandria (111 200), Arlington (171 000), Charlottesville (40 300), Region Hampton Roads mit Chesapeake (152 000), Hampton (134 000), Newport News (170 000), Norfolk (261 000), Portsmouth (104 000) und Virginia Beach (393 000).

Bevölkerung: Washington D.C. etwa 600 000 Einw., davon mehr als zwei Drittel Schwarze, Delaware 732 000, Maryland 5,1 Mio., Virginia 6,7 Mio. Einw.

Religion: ca. 85 % Christen, meist Protestanten (Baptisten, Methodisten, Presbyterianer); in Maryland ca. 33 % Katholiken, ca. 2 % Juden, ca. 1,5 % Muslime, ca. 8 % ohne Glaubenszugehörigkeit.

Namen: Washington D.C. leitet sich von George Washington ab, dem ersten US-Präsidenten; der Zusatz ›District of Columbia‹ erinnert an Christoph Columbus. Die ›jungfräuliche‹ englische Königin Elisabeth I. stand Pate bei der Taufe der ersten britischen Kolonie Virginia. Maryland führt seinen Namen auf Henrietta Maria, die spanische Gemahlin des englischen Königs Karls I., zurück. Delaware leitet sich von Lord de la Warr ab, einem der ersten Gouverneure Virginias.

Staatsform: Republik mit direkt gewähltem Präsidenten, Zwei-Kammer-Parlament mit Repräsentantenhaus (435 Abgeordnete) und Senat (100 Mitglieder, 2 je Bundesstaat), direkt nach Mehrheitsrecht gewählt; in den 50 Bundesstaaten eigene Zwei-Kammer-Parlamente mit eigener Verfassung und direkt gewähltem Gouverneur.

Wirtschaft: Regierungsbehörden und Verwaltungsinstitutionen, chemische Industrie und Elektronik, Dienstleistungssektor (Tourismus von wachsender Bedeutung), aber auch Landwirtschaft und Fischfang.

Zeit: Eastern Standard Time EST (MEZ minus 6 Stunden).

LANDSCHAFTEN UND NATURRAUM

Rund um die Chesapeake Bay

Die Bundesstaaten Maryland, Delaware und Virginia sowie der Hauptstadtbezirk Washington D.C. erstrecken sich über eine Gesamtfläche von etwa 140 000 km². Das entspricht etwa der gemeinsamen Ausdehnung von Bayern, Baden-Württemberg, Hessen, Thüringen und Sachsen.

Die Städte

Zur Capital Region gehören Hafenmetropolen wie Baltimore in Maryland, Richmond, die Hauptstadt von Virginia, und das Konglomerat von Städten im Mündungsgebiet des James River. Neben den urbanen Ballungsräumen behaupten sich kleinere Städte, wie Annapolis, die Kapitale von Maryland, das überschaubare Frederick, Charlottesville, der Sitz der Staatsuniversität von Virginia, das historische Fredricksburg oder Staunton, der bedeutendste Ort im Tal des Shenandoah River.

Gebirge und Nationalparks

Im Westen verlaufen in Nord-Süd-Richtung die Gebirgsketten der Appalachen. Sie erodierten in mehr als 250 Mio. Jahren durch Wind und Wetter von einem schroffen Hochgebirge zu einem dicht bewaldeten Mittelgebirge. Die Blue Ridge Mountains mit dem Shenandoah National Park westlich von Washington oder die State Parks der Catoctin Mountains im Nordwesten von Baltimore locken vor allem im Sommer sowie zur Laubfärbung im Herbst.

Das heutige Bild der Appalachen mit verschachtelten, sich im fernen Dunst verlierenden, bewaldeten Hügelketten ist überwiegend das Ergebnis einer Wiederaufforstung mit Eichen, Ahorn, Birken und verschiedenen Nadelhölzern, die in den 30er Jahren des 20. Jh. als Arbeitsbeschaffungsmaßnahme während der Weltwirtschaftskrise begonnen wurde. Auch wenn die Wälder der Appalachen von Ackerflächen und Siedlungen teilweise verdrängt wurden, sind viele Tiere inzwischen wieder heimisch geworden. Waldhörnchen flitzen die Baumstämme hinauf, bei Wanderungen im Shenandoah National Park trifft man immer wieder auf Rehe und Weißwedelhirsche. Neben Dutzenden von Sing- und Raubvogelarten sowie Schmetterlingen sind auch Waschbären und sogar einige Schwarzbären in den Wäldern zu Hause, die gelegentlich auf Campingplätzen nach schlecht verstauten Lebensmitteln stöbern.

Flüsse im Piedmont Plateau

Zahlreiche Flüsse und Bäche entspringen im Gebirge und plätschern der Chesapeake Bay entgegen. Der Potomac River schlängelt sich von seinem Ursprung in West Virgina über 616 km nach Osten. Seine beiden Quellflüsse vereinigen sich bei Cumberland im westlichen Maryland. Bei Harper's Ferry mündet der Shenandoah River in

Blick vom Blue Ridge Parkway in den Appalachen

den Potomac, der hier ein tief einge-schnittenes, bewaldetes Flusstal he-rausgebildet hat. Von dort bis zur Mün-dung in die Chesapeake Bay bildet er gleichzeitig die Grenze zwischen Virgi-nia und Maryland bzw. Washington D.C.

Die Flüsse und Bäche stürzen auf ihrem Weg nach Osten vom leicht wel-ligen Piedmont Plateau mit seinem Felsuntergrund über Stromschnellen und Wasserfälle hinunter in die Küs-tenebene. Als die ersten weißen Kolo-nisten die Mündung der Chesapeake Bay entdeckten, dann den James Ri-ver und den Potomac heraufsegelten, war die Küstenebene und das an-schließende Piedmont Plateau üppig bewaldet. Eichen, Kiefern, Hickory-eichen, auch Gummibäume wuchsen dicht an dicht. Die heutigen Wälder

zwischen den ausgedehnten Äckern und Weiden sind später neu ange-pflanzt worden und dienen überwie-gend als Anbauflächen für die kom-merzielle Forstwirtschaft.

Die Chesapeake Bay

Tidewater nennt man die Marschen nicht weit von der verzweigten Chesa-peake Bay, der 312 km tief einge-schnittenen und zwischen 6,5 und 40 km breiten Meeresbucht. Hier münden Sus-quehanna, Potomac, Rappahannock, York, James und Choptank River sowie ein Dutzend kleinerer Flüsse, die ein Territorium von mehr als 160 000 km^2 entwässern. Die Bay war noch zu En-de der letzten Eiszeit vor 10 000 bis 12 000 Jahren ein breites Flusstal des Susquehanna River. Als die Eispanzer

DIE CHESAPEAKE BAY – IM STROM DER GEZEITEN

Die Küstenebene rund um die Chesapeake Bay ist von Flüssen und Bächen wie von Leben spendenden Arterien durchzogen. Wasser und Land ringen hier seit Jahrtausenden um die Oberhand. Noch vor etwa 15 000 Jahren, während der letzten Eiszeit, lag der Meeresspiegel der Ozeane noch etwa 100 m tiefer als heute, weil große Wassermengen in den Eispanzern der Nordhalbkugel gebunden waren. Zu jener Zeit war die weitverzweigte Bucht ein breites Tal, durch das der mächtige Susquehanna von Norden dem Atlantischen Ozean entgegenströmte. Längst ausgestorbene Tiere, wie Mammuts, Mastodons und mit scharfen Hauern bewehrte Pekari-Wildschweine, streiften am Fluss entlang. Als sich die Erde wieder erwärmte, die Eismassen abschmolzen und das Niveau der Ozeane langsam anstieg, füllte sich auch das Tal mit Wasser, und in mehreren tausend Jahren entstand eine tief eingeschnittene Meeresbucht mit einer Wasseroberfläche von 12 000 km^2.

Ein System von vielen hundert Bächen sowie mehr als drei Dutzend Flüsse bringen einen unaufhörlichen Strom von Süßwasser in den 311 km langen und mehr als 40 km breiten Meereseinschnitt. Die wasserreichsten kommen – neben dem Susquehanna aus dem Norden – von den Hängen der Appalachen und dem Piedmont Plateau im Westen: Patuxent, Potomac, Rappahannock, York und James River. Weite Strecken des Ufers bilden als Steilküste gleichzeitig die Falllinie vom höher gelegenen Piedmont Plateau zur Küstenebene. Nahe dem Westufer liegen die größten Städte und Häfen – Baltimore, Annapolis, Washington D.C. sowie der urbane Knotenpunkt um die Hampton Roads. Entlang der zerklüfteten Ostküste gibt es nur kleinere Orte, Fischerdörfer oder schmucke Kleinstädte, in deren Marinas hunderte Jachten sowie Fischerboote schaukeln. Hier auf der angrenzenden Delmarva-Halbinsel breiten sich vor allem ausgedehnte Marschlandschaften, Sumpfgebiete, Wälder und Weiden aus. Sie werden durchschnitten von mäandrierenden Bächen und Flüssen, wie dem Sassafras, Chester, Choptank und Nanticoke River.

Die Gezeitenmarschen, die regelmäßig von der Flut überschwemmt werden und von Salzwasser resistenten Gräsern bewachsen sind, bieten Nahrung und Schutz für zahlreiche Vogelarten, Säugetiere, Fische und Reptilien. Ohne diese nährstoffreichen Feuchtgebiete wären zudem Flundern, Barsche, Austern oder andere Wasserbewohner zum Untergang verurteilt. Erst in jüngerer Zeit erkennt man die fundamentale Bedeutung dieser Naturflächen für das ökologische Gleichgewicht der Bucht und ihrer Nahrungskette. Der je nach Wetterbedingungen, Jahreszeit und Gezeiten wechselnde Salzgehalt des Gewässers ist eine weitere Bedingung für den Artenreichtum. Die Flut drückt das salzige Meerwasser des Atlantiks nahe dem Grund der Bucht nach Norden, während das Süßwasser in den oberen Schichten in Richtung Süden zum Ozean fließt.

Weite Teile der Bucht sind lediglich zwischen zwei und sechs Meter tief und stellen damit eine ständige Herausforderung für die Fischer und Freizeitkapitäne dar. Hier müssen sie nämlich neben dem Segeln und Navigieren auch lernen, wie sie ihr Schiff wieder frei bekommen, wenn es einmal auf Grund gelaufen ist. Aus biologischer Sicht ist jedoch das Faktum viel wichtiger, dass die Sonne an vielen Stellen bis auf den Grund des seichten Gewässers scheinen kann und damit das Wachstum von Seegras und Plankton begünstigt, welches wiederum die Hauptnahrungsquelle von Jungfischen und Schalentieren darstellt. Die Chesapeake Bay gilt als ideale Kinderstube für viele Fische, z. B. Streifenbarsche, Alsen oder Elritzen, sowie für Krebse und Austern. Etwa 2500 verschiedene Pflanzen- und Tierarten, darunter allein 250 verschiedene Arten von Fischen, Krusten- und Schalentieren, profitieren von den Lebensbedingungen im nährstoffreichen Brackwasser. Klar, dass auch die zahlreichen heimischen und dazu hunderttausende Zugvögel, Seeadler, Blaureiher oder kanadische Wildgänse die flachen Buchten als hervorragenden Futter- sowie Rastplatz für einen Zwischenstopp auf ihrem Weg in die Karibik schätzen.

Schon die Indianer vom Stamm der Powhatan und der Nanticoke, die vor dem Eintreffen der Weißen um die Bucht herum lebten, nannten sie treffend ›Chesepiooc‹, was soviel heißt wie ›Mächtiger Fluss, reich an Fischen mit harter Schale‹. Der Journalist und Essayist H. L. Mencken aus Baltimore beschrieb zu Beginn des 20. Jh. die Bucht als natürliche Proteinfabrik. Die köstlich schmeckenden Austern (Crassostrea virginica) waren in dieser Zeit so zahlreich, dass Austernbänke in der Bay als gefährliche Hindernisse auf Seekarten verzeichnet waren. Auf dem Höhepunkt des Austernfangs gegen Ende des 19. Jh. fischten 7000 watermen nach Fischen, Krebsen und den beliebten Muscheltieren. Diese Zeiten sind vorbei. Schadstoffe aus den großen Städten, den Industriegebieten und überdüngten Feldern, die über die Flüsse des weiten Einzugsgebietes sogar aus Pennsylvania, New York und West Virginia herangeschwemmt werden, die Überfischung und die Trockenlegung vieler Feuchtgebiete haben der Bucht stark zugesetzt. Trotz punktueller Erfolge im Umweltschutz sind Fisch- und Krebsfang sowie die Austernzucht drastisch zurückgegangen. Offensichtlich hat hier auch das Chesapeake Bay Agreement zur Rettung der Bucht, das die Anrainerstaaten 1987 unterzeichneten, noch keine große Wirkung gezeigt.

Besucher der Bucht sind jedoch nach wie vor vom Zauber der maritimen Landschaft aus Wasserarmen, Landzungen, Marschen, Inseln und einsamen Buchten fasziniert, deren zerklüftete Uferlinie ausgestreckt länger wäre als die Distanz zwischen Washington und Los Angeles am fernen Pazifik. Schon für John Smith, der die Bucht 1608 als erster Weißer erkundete, war sie ein magischer Ort, ein »Siedlungsplatz für Menschen, auf den sich Himmel und Erde noch nie besser geeinigt« hätten.

17

der nördlichen Erdhalbkugel aufgrund der Erwärmung der Atmosphäre weiter abschmolzen und der Meeresspiegel anstieg, wurde das Tal überflutet, und die ausgedehnte Bucht entstand.

Die Chesapeake Bay bietet vielen Vögeln einen Rast- oder Nistplatz – und vor allem genügend Nahrung. Etwa 300 verschiedene Arten von Fischen und Schalentieren sind in dem nährstoffreichen Brackwasser gezählt worden, darunter die delikaten Austern und Blue Crabs. Von den Tieren ernähren sich verschiedene Reiherarten, Störche, auch Möven und der Fischadler Osprey, der im schnellen Flug ins Wasser stößt, um mit einem Fisch im Schnabel wieder hochzufliegen. Weiße Tundraschwäne oder kanadische Schneegänse, die im Herbst mit Hunderttausenden anderer Zugvögel entlang der Ostküste von Kanada oder dem Norden der USA in die wärmeren Süden ziehen, legen gerne eine Pause auf der Bay ein oder nutzen die flachen Buchten und Feuchtgebiete zum Überwintern. An den Ufern der Bay wächst Riedgras und, besonders üppig im Mündungsgebiet des Patuxent River, wilder Reis.

Die Delmarva-Halbinsel

Die landwirtschaftlich intensiv genutzte Delmarva-Halbinsel (Abkürzung von **Del**aware, **Mar**yland und **V**irginia) wird von der Delaware Bay im Norden, vom Atlantik im Osten und der Chesapeake Bay im Westen begrenzt. Die ertragreiche Landschaft von sandigen Ebenen und Marschen ist wie die Schere eines Krebses geformt – nicht unpassend,

werden doch in den Küstengewässern große Mengen schmackhafter Schalentiere gefangen. Auch die Halbinsel ist von Flüssen durchzogen, die nach nur kurzem Lauf in die Chesapeake Bay oder in den Atlantik münden.

Anders als viele Strände und Dünen weiter im Norden verdankt die Linie feinsandiger Atlantikstrände zwischen Lewes in Delaware und Virginia Beach an der Grenze zu North Carolina ihre Entstehung nicht den Ablagerungen von Eiszeitgletschern, sondern der langsamen Erosion des Appalachengebirges. Die Flüsse haben das zu Sand zermahlene Gestein im Laufe der Jahrmillionen zum Meer transportiert. Wasser und Wind bewegen das feine Granulat seitdem beständig hin und her, direkt entlang der Küste des Festlandes oder auf vorgelagerten, schmalen Barriere-Inseln, die typisch für die gesamte Ostküste der USA sind.

Entlang der Atlantikküste wechseln Küstenwälder, in denen verschiedene Kiefernarten überwiegen, und Dünen, die mit Strandhafer und anderen Gräsern bewachsen sind. Hier leben Krebse, Strandläufer und Wasservögel. Wo Hotels und Strandhäuser mit Meerblick Städtern Erholung bieten, sind die Dünen mit Pflanzen und Promenaden befestigt. An langen naturbelassenen Küstenabschnitten, wie entlang der Assateague National Seashore, galoppieren Wildpferde über ungeharkte Strände. Sie sollen Nachfahren von Überlebenden eines Schiffbruchs spanischer Galeonen aus dem 16. Jh. sein, sind aber wohl eher verwilderte Abkömmlinge von Pferden, die frühe Siedler zum Grasen auf die Inseln brachten.

WIRTSCHAFT UND UMWELT

Im Einzugsbereich von Washington D.C., dem politischen Machtzentrum der USA, hat sich gleichzeitig eine bedeutende Wirtschaftsregion entwickelt. Die Achse zwischen Washington und dem wenig mehr als 60 km entfernten Baltimore gehört nach der Bevölkerungszahl und der ökonomischen Potenz zu den wichtigsten Ballungsräumen an der Ostküste der USA. Ein weiterer industrieller Schwerpunkt hat sich um Richmond, der Hauptstadt von Virginia, sowie um die Schiffbau-, Hafenwirtschaft- und Marinezentren in den Städten an der Mündung des James River herausgebildet.

Hightech, Verwaltung und Militär als Jobmaschine

Elektronik und Biotechnologie haben in Richmond und Baltimore die traditionellen Industrie- und Wirtschaftszweige ergänzt oder ersetzt. Das John Hopkins Medical Center von Baltimore gehört nicht nur zu den renommiertesten Kliniken des Landes, sondern gleichfalls zu den Pionieren auf dem Gebiet der Biotechnologie. Der in Delaware ansässige Chemiegigant E. I. DuPont de Nemours ist über seine Tochter Conoco nicht nur eng mit der Erdölindustrie verflochten, das Unternehmen ist gleichzeitig einer der größten Zulieferer für die Elektronikindustrie des Landes, eine der führenden Biotechnologiefirmen und als Pharmakonzern mit der Entwicklung verschiedener Medikamente auch am Kampf gegen AIDS beteiligt.

Mit vielen zehntausend Regierungsangestellten bilden die verschiedenen Ministerien der Bundeshauptstadt den größten Arbeitgeber der Region. Allein in den Büroräumen der endlosen Korridore des Pentagons arbeiten 23 000 militärische und zivile Angestellte des US-Verteidigungsministeriums. Staatliche Regulierung und Kontrolle des Handels und der Industrie haben dazu geführt, dass Washington D.C. sich gleichermaßen zu einer der wirtschaftspolitisch wichtigsten Städte Nordamerikas entwickelt hat.

Auch die Weltbank sowie der Internationale Weltwährungsfond haben in der US-Regierungsmetropole ihren Sitz ebenso wie nahezu alle Handels- und Unternehmensverbände der USA. Die Unternehmenszentralen vieler Firmen, nicht zuletzt aus der Rüstungs- und Telekommunikationsbranche, suchen die Nähe zu den politischen Entscheidungsträgern und haben inzwischen auch Produktionsbetriebe in die Nähe der Hauptstadt verlagert.

Neben Regierungsbehörden, internationalen Institutionen und Technologiekonzernen hat in den letzten 20 Jahren vor allem der Dienstleistungssektor an Bedeutung zugelegt und die Zahl seiner Beschäftigten im Einzugsbereich der Regierungsmetropole auf eine knappe Million verdoppelt. Washington ist eine Stadt mit einem überproportionalen Anteil an Anwälten und

BERUF ›POWERBROKER‹

Da Parteien in den USA weit weniger Gewicht besitzen als in Europa und die Abgeordneten nicht über deren Listen, sondern direkt von der Öffentlichkeit gewählt werden, haben Parteipolitik und Parteidisziplin gegenüber der Verpflichtung zum eigenen Wahlkreis eine geringere Bedeutung. Abgeordnete, vor allem die nur für die kurze Periode von zwei Jahren gewählten Mitglieder des Repräsentantenhauses, sehen sich vor der Notwendigkeit, schon frühzeitig ihre Wiederwahl zu betreiben. Das gibt unterschiedlichsten Interessengruppen, *pressure groups,* aller Art die notwendigen Ansatzpunkte für ihre Arbeit. Rund 90 000 Lobbyisten sind in der Hauptstadt registriert. Hinzu kommen etwa 60 000 Rechtsanwälte, von denen ein nicht unerheblicher Teil ebenfalls im Politikgeschäft aktiv ist.

Große Verbände mit politischen Interessen, unterhalten große Büros mit vielen Mitarbeitern, z. B. die National Rifle Association, die sich gegen Einschränkungen beim Waffenbesitz wendet, oder die National Association of Manufacturers, die sich um industriefreundliche Gesetze bemüht. Großunternehmen, aber auch Gewerkschaften, Verbraucherschutzverbände, wie Ralph Naders ›Public Citizen‹, und Umweltorganisationen, wie der einflussreiche ›Sierra Club‹, betreiben in Washington D.C. eigene Geschäftsstellen, die den Kontakt mit den Abgeordneten in der Hauptstadt suchen.

Wahlkampfspenden sowie mögliche Vorteile für den vertretenen Bundesstaat oder Wahlkreis sind häufig die Schlüssel der Lobbyisten zu den Parlamentariern. Viele kleinere Interessengruppen, die angesichts einer für sie undurchschaubaren Bürokratie nicht die richtigen Ansprechpartner für ihr Anliegen kennen, sichern sich die Dienste freiberuflicher Lobbyisten, die gewohnt sind, auf der Klaviatur der Macht und Einflussnahme zu spielen.

Bürokraten. Der Begriff des Lobbyisten, eines Repräsentanten privater Interessen in der politischen Arena, ist nicht zufällig in der Lobby des zwischen Weißem Haus und Kongress gelegenen Willard Hotels entstanden.

Schon während des Bürgerkrieges im 19. Jh. hat das Militär mit der nach Zehntausenden zählenden Army of the Potomac in der Region um Washington eine wichtige Rolle gespielt. Das hat sich bis heute nicht geändert. Neben dem Pentagon und seinem Heer von Bediensteten sind mit der Andrews Air Force Base, auf der auch die Präsidentenmaschine ›Air Force One‹ gewartet wird, mit Fort George Meade, auf dessen Gelände auch der Supergeheimdienst NSA seine Aktivitäten koordiniert, dem ausgedehnten Trainingsquartier Quantico des US Marine Corps am Potomac River, der Naval Base von Norfolk, Heimat von mehr als 100 Kriegsschiffen, der Marineakademie von Annapolis, in der über 4000 Offiziersanwärter ausgebildet werden, sowie weit mehr als einem Dutzend weiterer Übungsgelände, Arsenale und Kasernenkomplexe nahebei und in weiterer Entfernung um die Hauptstadt militärisches Personal und Infrastruktur in hoher Dichte konzentriert.

Landwirtschaft, Fischfang und die Folgen der Umweltbelastung

Trotz führender Unternehmen der Spitzentechnologie und der Konzentration von militärischen Einrichtungen und Verwaltungen spielt die Landwirtschaft in weiten Bereichen der Capital Region nach wie vor eine wichtige Rolle. Die Fischerei in der Bay und im Atlantik, der Fang und die Verarbeitung von Krebsen und Muscheln sind in den letzten Jahren drastisch zurückgegangen. Schuld daran ist nicht etwa eine sinkende Nachfrage, sondern die geringere Ausbeute durch Überfischung und die negativen Folgen aufgrund stark belasteter Abwässer aus Städten und Fabriken sowie die Verunreinigung durch den ungehemmten Einsatz von Pestiziden in der Landwirtschaft. Erst seit kurzem scheint sich die Situation nach gemeinsamen Anstrengungen der Bay-Anrainer zumindest zu stabilisieren.

Tabakanbau und -verarbeitung spielen im Süden von Maryland zwischen Potomac River und der Chesapeake Bay traditionell eine wichtige Rolle. Die bedeutendste Tabakanbauregion in Virginia reicht südlich von Richmond bis über die Grenze nach North Carolina. Der Anbau von Sojabohnen, Mais- und Weizen dominiert in weiten Teilen des Piedmont Plateaus von Virginia und Maryland. Auf der Delmarva-Halbinsel wird Geflügel gezüchtet, bauen Farmer Gemüse und Früchte an. Die Apfel- und Pfirsichplantagen von Loudon County rund um Leesburg im Norden von Virginia finden im Frederick County von Maryland ihre Fortsetzung.

In den östlichen Ausläufern der Appalachen rund um Charlottesville, zwischen Leesburg und Front Royal im Norden Virginias sowie in den *rolling hills* westlich von Baltimore gibt es mehr als zwei Dutzend Weingüter. Sie werden oft von Nachkommen eingewanderter italienischer und französischer Winzer geführt, die respektable Weiß- und Rotweine herstellen. Cabernet, Pinot Gris, Merlot oder Chardonnay können meist in Ausschankstuben probiert werden.

Tourismus

Von den mehr als 20 Mio. jährlichen Gästen der Hauptstadtregion verbinden viele ihre beruflichen Termine mit einem touristischen Kurzaufenthalt. Etwa eine Viertelmillion der Besucher stammt aus Deutschland, Österreich und der Schweiz. Die jährlichen touristischen Ausgaben von mehr als 3 Mrd. $ allein in der Hauptstadt Washington D.C. dokumentieren nicht nur die Anziehungskraft, sondern gleichzeitig die wachsende wirtschaftliche Bedeutung des Fremdenverkehrs für die Capitol Region.

21

GESCHICHTE IM ÜBERBLICK

Indianische Besiedlung (30 000 v. Chr. – 1600 n. Chr.)

Ca. 30 000 –10 000 v. Chr.	Nomaden folgen während der letzten Eiszeit ihrem Jagdwild über eine zeitweilige Landbrücke bei der heutigen Beringstraße von Asien nach Alaska und breiten sich langsam über den amerikanischen Kontinent aus.
1000 v. Chr.	Die Kultur der Waldland-Indianer entwickelt sich vom Ohio River aus nach Süden und Osten.
700–1600 n. Chr.	Im Mündungsgebiet von Ohio und Missouri in den Mississippi entsteht die Kultur der Mississippi-Indianer mit entwickelter Landwirtschaft und neuartigen Jagd- und Kriegswaffen, wie Pfeil und Bogen. Einzelne Niederlassungen dieser Kultur gibt es auch um die Chesapeake Bay.

Die Europäer kommen (1570 – 1770)

1570	Spanische Jesuiten gründen eine Missionsstation am Unterlauf des York.
1607	Die Engländer gründen Jamestown am Ufer des James River. Es ist die erste dauerhafte Kolonie Virginia in Nordamerika.
1609	Henry Hudson erklärt das Territorium des heutigen Bundesstaates Delaware zu holländischem Besitz.
1619	Die ersten afrikanischen Sklaven für Nordamerika werden von einem holländischen Handelsschiff in Jamestown verkauft.
1624	Virginia wird der Verwaltung der London Companie entzogen und zur britischen Kronkolonie.
1632	Der englische König Karl I. gewährt George Calvert, 1. Lord of Baltimore, einen Freibrief für das Gebiet nördlich des Potomac. Sein Sohn Cecil gründet hier die Kolonie Maryland.
1638	Schwedische Kolonisten gründen beim heutigen Wilmington in Delaware das Fort Christina und die Kolonie Neu-Schweden, die schon 1655 von den Holländern übernommen wird.
1649	In Maryland sichert der Toleration Act unterschiedlichen christlichen Glaubensrichtungen religiöse Freiheit.
1664	Delaware kommt unter britische Kontrolle.
1682	Der Herzog von York schlägt das Gebiet von Delaware dem Großgrundbesitzer William Penn und seiner Kolonie Pennsylvania zu.
1689	Maryland wird britische Kronkolonie.
1699	Gründung von Williamsburg. Im Jahr 1718 wird es das benachbarte Jamestown als Hauptstadt der britischen Kolonie Virginia ablösen. Maryland zählt 25 000 Einwohner.

1704   William Penn gewährt den Bürgern von Delaware das Recht auf eine eigene Verfassung.

1729   Die Stadt Baltimore in Maryland wird gegründet.

1764–1770   Die Regierung in London beschließt neue Steuern für die Kolonien. Nach massiven Protesten werden, mit Ausnahme der Gebühr auf Teeimporte, die meisten Abgaben wieder aufgehoben.

Eine neue Nation entsteht (1770 – 1860)

1774   Der Erste Kontinentalkongress von 56 Vertretern aus den nordamerikanischen Kolonien tritt zusammen.

1775–1783   Im Amerikanischen Unabhängigkeitskrieg lehnen sich die 13 jungen Staaten gegen ihr Mutterland England auf.

1776   Der amerikanische Kongress verabschiedet am 4. Juli die vom Virginier Thomas Jefferson verfasste Unabhängigkeitserklärung. Die Engländer versuchen, die 13 abtrünnigen amerikanischen Kolonien militärisch wieder unter ihre Botmäßigkeit zu zwingen. George Washington aus Virginia wird Oberbefehlshaber der revolutionären Streitkräfte.

1781   In der Schlacht von Yorktown erringen die Amerikaner mit Hilfe französischer Truppen den Sieg über die Briten.

1783   Großbritannien erkennt die Unabhängigkeit der USA an. Annapolis, die Hauptstadt von Maryland, wird kurzfristig zur US-Bundeshaupt-

Die Unterzeichnung der Unabhängigkeitserklärung

	stadt. George Washington erklärt vor dem Kongress seinen Rücktritt als Oberbefehlshaber.
1787	Delaware ratifiziert als erster Bundesstaat die Verfassung der USA.
1789	George Washington wird erster Präsidenten der USA. Der Kongress verabschiedet 10 Gesetze, die als unveräußerliche Grundrechte, Bill of Rights, Bestandteil der US-Verfassung werden.
1791	Nach Aufforderung durch den Kongress bestimmt Washington den Ort für die zukünftige Hauptstadt der USA.
1793	Grundsteinlegung für den Bau des Kapitols im Hauptstadtbezirk.
1802	Washington zählt 3000 Einwohner.
1812–1814	Während des erneuten Krieges mit England brennen dessen Truppen u. a. den Amtssitz des Präsidenten und das Kapitol nieder. Vor Fort McHenry bei Baltimore wird die britische Flotte zurückgeschlagen.
1822	Washington ist auf 33 000 Einwohner angewachsen.
1830	Präsident Andrew Jackson setzt mit dem Removal Act die Vertreibung aller östlich des Mississippi lebenden Indianer in das Territorium von Oklahoma durch.
1835	Eine Bahnstrecke verbindet Washington mit Baltimore.
1845–1848	Die Landfläche der USA dehnt sich bis zum Pazifik aus und erreicht die Größe der heutigen 48 zusammenhängenden Staaten.
1846	Das Hauptstadtterritorium südlich des Potomac River wird an Virginia zurückgegeben, da sich Washington nur schleppend entwickelt.

Der Amerikanische Bürgerkrieg und seine Folgen (1860 – 1900)

1861–1865	Nach dem Austritt von 11 südlichen Bundesstaaten aus der Union beginnt der Amerikanische Bürgerkrieg um die nationale Einheit der USA, der in eine Auseinandersetzung um die Abschaffung der Sklaverei mündet. Maryland, Delaware und die Bundeshauptstadt Washington stehen mehrheitlich zur Union. Virginia gehört zu den konföderierten Staaten. Virginias Hauptstadt Richmond wird nach einer Übergangszeit gleichzeitig zur Hauptstadt des Südstaatenbundes. Die meisten Bürgerkriegsschlachten werden in Virginia geschlagen.
1862	Auf dem Schlachtfeld von Antietam im Nordwesten von Maryland kommt es zur blutigsten Schlacht des Bürgerkrieges mit 23 000 Toten und Verwundeten in drei Tagen.
1865	Bei Appomattox kapituliert die Südstaatenarmee von General Robert E. Lee vor den Truppen des Unionsgenerals Ulysses S. Grant. Auf beiden Seiten sind 400 000 Tote und 300 000 Verletzte zu beklagen. Fünf Tage nach dem Sieg der Union fällt Präsident Abraham Lincoln in Washington einem Attentat zum Opfer.

STARS AND STRIPES FOREVER

Sie flattert in tausenden amerikanischer Vorgärten, von den kuppelförmigen Kapitolen der Bundesstaaten und vor vielen Banken und Handelsketten. Ein Ring von 50 Flaggen umkreist das Washington Monument in der Bundeshauptstadt. Es gibt detailliert ausgearbeitete Flaggenzeremonien und Grußordnungen, und in den Highschools wird wochenlang ihr korrektes Hissen und Zusammenfalten sowie der Stolz auf das nationale Symbol eingeübt. Selbst auf dem Mond zeigt ein einsames Sternenbanner, wo amerikanische Füße zuerst den Staub berührten.

Die US-Nationalflagge besteht aus 13 Querstreifen, 7 roten und 6 weißen, die die 13 Gründungsstaaten der USA symbolisieren. Im dunkelblauen Rechteck nahe dem Flaggenmast repräsentieren 50 fünfzackige weiße Sterne die 50 Bundesstaaten. Der Kontinentalkongress der jungen USA legte 1777 in einer Resolution den Aufbau der Flagge fest. Die weiße Farbe stand für Klarheit und Unschuld, Blau für Gerechtigkeit, Ausdauer und Wachsamkeit, Rot für Heldenmut und Zähigkeit.

›Star-Spangled Banner‹, Sternenbanner, oder ›Stars and Stripes‹ nennt sie der Volksmund, doch eigentlich müsste die Nationalflagge ›Bars and Mullets‹, ›Balken und Sporen‹, heißen. Schließlich diente das englische Familienwappen der Washingtons als Vorbild: zwei rote Querbalken auf weißem Feld unter drei fünfzackigen roten Sternen, die sich ursprünglich auf die spitzen Sporen von Reitern bezogen. Sie finden sich offiziell seit 1938 auch auf der Flagge von Washington D.C. sowie als Emblem auf städtischen Fahrzeugen.

Die Farbkombination Blau-Weiß-Rot, die schon den britischen Union Jack des 17. und 18. Jh. kennzeichnete, symbolisierte auf frühen kolonialen Fahnen die Verbundenheit zum Mutterland. Auf späteren Flaggen der nun rebellischen Kolonien züngelten zusätzlich Klapperschlangen oder warnten Sprüche, wie »Don't tread on me«, »Trample nicht auf mir herum«. Der Kontinentalkongress der amerikanischen Kolonien beauftragte 1775 Benjamin Franklin aus Pennsylvania, Benjamin Harrison aus Virginia und Thomas Lynch aus South Carolina, die sich intensiv mit George Washington und anderen Revolutionären berieten, ein Banner vorzuschlagen, das dem gemeinsamen Anliegen der 13 Kolonien entsprechen sollte. Eine Flagge mit 13 waagerechten roten und weißen Streifen, mit dem Union Jack im linken, oberen Feld, die später auch als ›Grand Union‹ oder ›Continental Colors‹ bezeichnet wurde, sollte sowohl die Interessen der 13 amerikanischen Kolonien, als auch die von ihnen nach wie vor angestrebte Union mit Großbritannien symbolisieren. Erst zwei Jahre später, nach dem Bruch mit der Kolonialmacht, entschied die Volksvertretung, den britischen Union Jack durch die Sterne der Mitgliedsstaaten zu ersetzen. 1818 beschloss der Kongress, für jeden neuen Bundesstaat einen Stern hinzuzufügen. Seitdem hat die US-Nationalflagge die Expansion der USA kontinuierlich begleitet. Die letzten beiden Sterne wurden 1959 ergänzt, nach dem Beitritt von Alaska und Hawaii als 49. und 50. US-Bundesstaat.

1865–1869	Die Zusatzartikel 13–15 zur Verfassung schaffen die Sklaverei ab und garantieren der schwarzen Bevölkerung die Bürgerrechte.
1871	Der Kongress verfügt, dass der District of Columbia (D.C.) eine Stadtregierung erhält. Washington D.C. zählt 130 000, Maryland 780 000 Einwohner.

Die aufstrebende Weltmacht (1900 – 1960)

1900	Die Einwohnerzahl von Washington D.C. übersteigt die Marke von 300 000.
1908	Die ersten Züge laufen in die Union Station in Washington D.C., dem größten Bahnhof der USA, ein.
1917	Die USA treten an der Seite von Großbritannien in den Ersten Weltkrieg ein und entsenden 2 Mio. Soldaten nach Europa. Gegen Ende des Krieges zählt Washington D.C. 440 000 Einwohner.
1919–1933	Der Kongress stellt Herstellung, Verkauf und Genuss von alkoholischen Getränken unter Strafe. Maryland weigert sich, die Prohibition konsequent durchzusetzen und erhält den Ruf eines ›Free State‹.
1928	In Washington nimmt der erste Fernsehsender der Welt einen zunächst provisorischen Dienst auf. Die Weltwirtschaftskrise macht allein in den USA 13 Mio. Menschen arbeitslos.
1933	Franklin D. Roosevelt gewinnt durch sein Programm des New Deal, das umfangreiche Sozialausgaben und öffentliche Investitionen vorsieht, die Präsidentenwahl.
1941	Nach dem japanischen Luftangriff auf Pearl Harbor erklären die USA den Verbündeten Japan, Deutschland und Italien den Krieg.
1950	Senator Joseph McCarthy startet seine antikommunistische Kampagne gegen Linke und Liberale in öffentlichen Verwaltungen, in der Kultur und den Medien.
1950–1953	Während des Koreakrieges erreicht Washington D.C. mit 800 000 Bürgern die bislang höchste Bevölkerungszahl.
1960	Die Einwohnerzahl von Washington D.C. sinkt auf 764 000. Viele gut situierte weiße Bürger ziehen in Trabantensiedlungen der Hauptstadt in Virginia und Maryland.

Die schwarze Bürgerrechtsbewegung (1960 – 1990)

1963	250 000 meist schwarze Bürgerrechtler demonstrieren in Washington D.C. Vor dem Lincoln Memorial hält Martin Luther King jr. seine berühmte Rede »I have a dream«. Am 22. November fällt Präsident John F. Kennedy einem Mordanschlag zum Opfer.
1964	Der Chesapeake Bay Bridge-Tunnel verbindet den ländlichen Süden der Delmarva-Halbinsel mit der wirtschaftlich entwickelten Region um die Hampton Roads.

1968	Attentäter töten in Memphis den schwarzen Bürgerrechtler Martin Luther King jr. und in Los Angeles Robert F. Kennedy.
1970	Zehntausende von Gegnern des Vietnamkrieges demonstrieren auf der Mall von Washington D.C. gegen die Ausweitung des Krieges in Südostasien.
1974	Präsident Richard Nixon kommt mit einem Rücktritt einer Amtsenthebung wegen seiner Verstrickung in die Abhöraffäre des Watergate-Skandals zuvor.
1987	Washington D.C., Maryland, Virginia und Pennsylvania unterzeichnen das Chesapeake Bay Agreement zur Rettung der von Abwässern stark belasteten Bucht.
1989	L. Douglas Wilder wird in Virginia als erster Afroamerikaner zum Gouverneur eines US-Bundesstaates gewählt.

Die jüngere Vergangenheit (seit 1991)

1991	Die Einwohnerzahl von Washington D.C. sinkt auf 600 000. Am 20. Januar erringt Sharon Pratt Dixon als erste Frau das Bürgermeisteramt von Washington D.C.
1993	Eröffnung des Holocaust Memorial Museum in Washington D.C.
1998	Präsident Bill Clinton muss sich wegen verschiedener Affären vor dem Repräsentantenhaus verantworten. Der Senat weist nach langer Diskussion das Verlangen nach Clintons Amtsenthebung mehrheitlich zurück.
1999	Die Einwohner von Washington D.C. wählen den schwarzen Demokraten Antony Williams zu ihrem Bürgermeister.
2001	Der Republikaner George Bush jr. gewinnt nach einer Auszählungsfarce mit knappem Vorsprung die Wahl zum 43. Präsidenten der USA und wird auf den Stufen des Kapitols vereidigt.
	Am 11. September zerstören islamistische Terroristen mit gekidnappten Flugzeugen das World Trade Center in New York und Teile des Westflügels vom Pentagon in Washington D.C. Die USA greifen Afghanistan an, um das Taliban-Regime zur Herausgabe des mutmaßlichen Verantwortlichen, Osama Bin Laden, zu zwingen.
2002	Washington D.C. feiert den 200. Jahrestag seiner offiziellen Stadtgründung.

Kultur und Leben

Am Dupont Circle in Washington D.C.

AMERICAN WAY OF LIFE IN DER CAPITAL REGION

Bevölkerung – Pocahontas lebt hier nicht mehr

In Washington D.C., Maryland, Delaware und Virginia leben zusammen etwas mehr als 13 Mio. Menschen. In den Hafenstädtchen entlang der Bay gibt es nur noch wenige tausend *watermen*, Fischer, die einst mit *skipjacks*, den traditionellen Segelbooten, Muscheln, Krebse und Fische aus dem flachen Wasser der Bucht holten. Ihre Zahl wird inzwischen weit übertroffen von Pendlern, die zwar nahe am Wasser leben, aber in den urbanen Zentren arbeiten. Der Korridor zwischen Baltimore und Washington, in dem mehr als die Hälfte aller Bewohner der Capital Region leben, gehört zu den bedeutenden Ballungszentren in den USA. Die Achse zwischen Richmond und dem Konglomerat von Städten an beiden Ufern der Hampton Roads bei der Mündung des James River markiert einen zweiten Siedlungsschwerpunkt.

Die Bevölkerungszahl in den Grenzen des Hauptstadtdistrikts von Columbia ist seit 1953 von 800 000 auf 530 000 zurückgegangen. Viele Beschäftigte wohnen heute in den direkt

Indianer bei einem Pow Wow in Roanoke, Virginia

angrenzenden Bezirken von Maryland und Virginia. Zum Einzugsbereich der Hauptstadt, der Greater Metropolitan Area, gehören etwa 4,5 Mio. Menschen. Von den etwa 700 000 Bewohnern der Hafenstadt Baltimore, dem zweiten großen Ballungsgebiet der Region, arbeiten viele in Unternehmen des Dienstleistungssektors oder in Wissenschaft und Forschung. Im Einzugsbereich der Wirtschaftsmetropole leben heute 2,5 Mio. Menschen.

Im Gebiet der Capital Region machen die weißen, europäischstämmigen Einwohner etwa zwei Drittel der Bevölkerung aus, ein knappes Drittel sind Afroamerikaner. Im Stadtgebiet von Washington D.C. sieht es genau umgekehrt aus. Hier ist der Anteil der schwarzen Bevölkerung auf fast zwei Drittel angestiegen. Die meisten von ihnen sind Nachfahren von Sklaven, die sich während des Bürgerkrieges aus dem Süden der USA hierher geflüchtet hatten oder nach Aufhebung der Sklaverei von den Plantagen in den Norden geströmt waren.

Die Indianer, die vor Ankunft der Europäer entlang der Küste und in den Wäldern des Landesinneren lebten, sind heute auf wenige Tausend dezimiert. In zwei kleinen Reservationen von Virginia leben Mattaponi und Pamunkey. Einige weitere Gruppen siedeln auf ihnen vom Bundesstaat garantiertem Grund. Maryland hat keine Reservationen; einige hundert Pocomoke, Assateague und Piscataways leben nahe der beiden Ufer im Süden der Chesapeake Bay. Eine kleine, aktive Gemeinde von Nanticoke ist an der Indian River Bay südwestlich von Rehoboth Beach sesshaft.

Washington D.C. – Die politische Machtzentrale

Der Amtssitz des Präsidenten, die Ministerien und wichtigsten Bundesbehörden machen Washington D.C. zum Zentrum der politischen Macht in den USA. Das Staatssystem basiert auf der mehr als 200 Jahre alten Verfassung, die inzwischen durch 26 Zusatzartikeln ergänzt wurde, und ihrer ›Bill of Rights‹ genannten Sammlung von bürgerlichen Grundrechten. Schon die 1776 verfasste Unabhängigkeitserklärung des Nationalkongresses stellte die Prinzipien der Aufklärung, die Idee der Volkssouveränität und der Gleichheit aller Menschen in den Mittelpunkt.

Die Rahmenbedingungen für das individuelle und gemeinschaftliche Streben nach irdischem Glück sowie die Grundrechte des Volkes zu sichern wurde als wichtigste Aufgabe der Regierung angesehen. Diese sollte vom Volk abgerufen werden können, wenn sich ihre Arbeit als unzureichend oder schädlich erweisen würde.

Das politische System ist zweifach aufgeteilt: einmal nach dem klassischen Prinzip der Gewaltenteilung in gesetzgebende, rechtssprechende und ausführende Gewalt, zum anderen in den föderativen Staat mit 50 Bundesstaaten sowie dem District of Columbia als besonderem Regierungsbezirk. In den Bundesstaaten beschließt ein Zwei-Kammer-Parlament aus Repräsentantenhaus und Senat die Gesetze. Als Regierungschef wird alle vier Jahre ein Gouverneur gewählt, der ebenso wie die Abgeordneten von

CHICKAHOMINY, PAMUNKEY UND MATTAPONI – BEVOR DIE EUROPÄER KAMEN

Wer kennt nicht das rührselige Märchen von Pocahontas, der Tochter des mächtigen Häuptlings Powhatan: Sie rettete John Smith, dem Anführer der britischen Kolonie in Jamestown, das Leben, verliebte sich später in den Kolonisten John Rolfe, heiratete diesen und verstarb als getaufte Rebecca Rolfe 21-jährig in England an Windpocken. Seit dem 1995 weltweit erfolgreichen, rührseligen Disney-Zeichentrickfilm ›Pocahontas‹ ist vielen zwar bekannt, dass in Virginia schon vor Ankunft der Engländer ›stolze Indianer‹ lebten, von der indianischen Zivilisation, ihrer Geschichte und ihrem Untergang erfährt man jedoch nur Klischees.

Im 16. und frühen 17. Jh., als die europäischen Eroberer den Nordosten des amerikanischen Kontinents erreichten, lebten zwischen den Großen Seen bis zur Atlantikküste und südlich bis zum heutigen North Carolina verschiedene Stämme und Konföderationen aus der Sprachfamilie der Algonkin. Sie bauten Mais, Tabak, Sonnenblumen, Bohnen und Kürbisse auf den fruchtbaren Schwemmländern der Flusstäler an, jagten in den Wäldern nach Rotwild, fingen Fische und Schalentiere, die in Flüssen und Seen überreichlich vorhanden waren. Die Indianer konnten sich so sicher sein, auch im Winter ausreichend Fische zu fangen, dass sie nicht daran dachten, einen Vorrat für schlechtere Zeiten zu räuchern. Ihre Häuser, in denen meist eine Großfamilie Platz fand, bauten sie aus einem Gerippe von Stämmen und Ästen, die Baumrinde und gewebte Bastmatten vor Regen und Wind schützten. Kunstvolle Schnitzereien aus Knochen und Muscheln dienten als Schmuckstücke ebenso wie Ornamente aus Kupfer, das auf Handelswegen von weit entfernten Fundstätten an den Großen Seen bis an die Chesapeake Bay gelangt war.

Abstammung und Familie waren nach dem matrilinearen System bestimmt. Die Frau stand im Zentrum der Familie. Die Macht und der Rang eines Häuptlings gingen daher auch nicht auf seinen Sohn, sondern auf den Sohn seiner Schwester über. Das Glaubenssystem kreiste um den Großen Geist, einen Begriff, der sowohl die Erschaffung der Welt als auch die Behausung mit vielen Seelen für die gesamte Natur umfasste. Für die Indianer der Chesapeake Region waren diese Geister überall, in Tieren und Pflanzen, auch in unbelebten Dingen. Sie behüteten und berieten die Menschen; man konnte sie anrufen, für eine gute Jagd, das Wetter oder den Kriegspfad.

Der Stamm der Lenni Lenape, der von den Weißen später Delaware genannt wurde, zählte etwa 12 000 Angehörige. Sie lebten in einem breiten Landstreifen im Norden der Chesapeake Bay. Südlich von ihnen, an den Ufern der Bucht, war der etwa gleichgroße Stamm der Nanticoke ansässig. Die mehr als 13 000 Mitglieder der Powhatan-Konföderation, die in einem mehr als 15 000 km² großen Territorium in der östlichen Hälfte des heutigen Virginia siedelten, nannten dies ›Tsenacommaco‹, dicht besiedeltes Land. Ihr Häuptling Powhatan, dessen eigentlicher Name Wahunsenacawh lautete, hatte aus etwa 30 Stämmen eine mächtige Konföderation geformt, die zunächst von den Spaniern, dann von den Engländern heimgesucht wurde.

Spanische Interessen, z. B. die Route ihrer Schatzschiffe aus Mittelamerika und der Karibik abzusichern, führten zunächst zu Auseinandersetzungen mit anderen europäischen Kolonialisten. So machten die Spanier bereits eine französische Siedlung im Norden Floridas, die ihnen bedrohlich erschien, dem Erdboden gleich. Im Gebiet der Powhatan-Konföderation, am York River nahe der Chesapeake Bay, errichteten sie 1570 eine Jesuitenstation, die aber schon nach wenigen Monaten von den indianischen Kriegern überrannt wurde. Ein Jahr darauf kamen die Spanier noch einmal kurz zurück an die riesige, von ihnen Bahía de Santa María genannte Bucht, doch nur für einen Rachefeldzug, um möglichst viele Indianer zu töten und deren Dörfer zu zerstören.

Die Engländer gründeten 1607 am Unterlauf des James River die erste dauerhafte britische Siedlung in Nordamerika – Jamestown. Zu dieser Zeit waren Powhatan und seine Krieger noch so stark, dass sie die Eindringlinge hätten vertreiben können. Doch im Bewusstsein ihrer Überlegenheit und der ursprünglichen Vermutung, die Neuankömmlinge würden nach einem längeren Besuch wieder abreisen, halfen die Powhatan den von Krankheiten und Hunger bedrohten weißen Siedlern die Winter zu überstehen. 1610 waren von den ursprünglich 900 Pionieren noch 150 am Leben. Zu spät merkten die Indianer, dass die Engländer jedoch planten, sich dauerhaft auf ihrem Territorium anzusiedeln. Selbst der Aufstand von 1644, der 500 Briten das Leben kostete, konnte die inzwischen 8000 Personen starke Kolonie nicht mehr gefährden. Im Gegenteil, Vergeltungsfeldzüge und Attacken gegen verschiedene Stämme der Powhatan, wie die Pamunkey, Monocan oder Saponi, zerschlugen die Macht der einst mächtigen Häuptlinge in wenigen Jahren. Schon 1677 existierten nur noch kleinere Gruppen in einigen Reservaten.

Heute lebt etwa ein Drittel der mehr als 10 000 Bürger Virginias mit indianischer Abstammung um die winzigen Reservatsgebiete der Pamunkey und Mattaponi an den beiden Quellflüssen des York River östlich von Richmond sowie im Terrain der Chickahominy am gleichnamigen Zufluss des James River. Einige Museen erzählen von der Geschichte der Stämme; lokale Kulturzentren versuchen Kunsthandwerk und einige alte Bräuche in die Gegenwart zu retten. Auch der Bundesstaat Virginia hat seit einigen Jahren seine indianische Vergangenheit neu entdeckt und publiziert Vorschläge für Touren zu historischen Stätten sowie die Termine von Pow Wows der verschiedenen Stämme.

Umfangreiche Informationen über die acht indianischen Stämme von Virginia erhält man beim: Virginia Council on Indians, 1915 d Hopkins Rd., Richmond, VA 23224, Tel. 804/786-7765, Fax 804/371-6984, www.indians.vipnet.org.

der Bevölkerung in direkter Wahl bestimmt wird.

Sonderrolle für den ›District of Columbia‹

Als Hauptstadtdistrikt ist Washington D.C. weder ein eigenständiger Bundesstaat noch Teil eines solchen. Erst seit 1971 kann die Stadt einen Vertreter in das Repräsentantenhaus schicken, der dort allerdings kein Stimmrecht hat. Senatoren für den District of Columbia gibt es nicht. Nach Verabschiedung des Home Rule Charter im Jahr 1973 bekam Washington zum ersten Mal einen gewählten Bürgermeister, der seitdem immer der schwarzen Bevölkerungsmehrheit angehörte, sowie einen 13-köpfigen Stadtrat. Die Stadtregierung verfügt nur über begrenzte Autonomie. Alle lokalen Gesetze sowie der städtische Haushalt müssen vom Kongress genehmigt werden. Der Präsident ernennt alle örtlichen Richter, Kriminalfälle in der Stadt werden vom Justizministerium bearbeitet.

Nach den Erfahrungen mit dem Washingtoner Bürgermeister Marion Bradley – er wurde 1990 vom FBI beim Drogenkonsum gefilmt und nach seiner Haftstrafe für eine zweite Amtsperiode gewählt; während seiner Amtszeit erreichten Kriminalität und Misswirtschaft Rekordmarken – hatte das Repräsentantenhaus ein eigenes Kontrollkomitee eingesetzt, das die Stadtregierung und die Verwaltung des Haushaltsbudgets in bessere Bahnen lenken sollte. Seit 1999 wurde mit energischen Maßnahmen die öffentliche Infrastruktur, die Sicherheit auf den Straßen, das Erziehungswesen und die Situation auch in ärmeren Wohnvierteln verbessert, um die Hauptstadt nicht erneut in negative Schlagzeilen zu bringen.

Die Wahl von Präsident und Kongress

Der US-Präsident ist gleichzeitig Staatsoberhaupt und Kanzler des Kabinetts. Er repräsentiert die USA nach außen und innen. Zusammen mit seinem Stellvertreter wird er durch eine bundesweite Wahl bestimmt. Die Bürger stimmen nicht direkt über die Kandidaten, sondern über Wahlmänner ab, die sich auf einen Kandidaten festgelegt haben. Die Anzahl der Wahlmänner in den Bundesstaaten richtet sich nach deren Einwohnerzahl, so dass die acht bevölkerungsreichsten Bundesstaaten etwa drei Viertel der Wahlmänner stellen.

Gleichzeitig mit der Wahl zum Präsidenten bewerben sich alle *congressmen*, die 435 Mitglieder des Repräsentantenhauses, um ein zwei Jahre währendes Mandat. Die Bevölkerungszahl der einzelnen Bundesstaaten bestimmt die Anzahl von Abgeordnetensitzen im Repräsentantenhaus. Die Senatoren, jeder Bundesstaat stellt zwei, werden für sechs Jahre gewählt. Alle zwei Jahre, und damit auch am Tag der Präsidentenwahl, steht ein Drittel von ihnen zur Neuwahl an. Bei der Wahl der Abgeordneten geht es gleichfalls um viele Arbeitsplätze, denn in den 535 Abgeordnetenbüros und Stäben der verschiedenen Kongressausschüsse arbeiten etwa 20 000 festangestellte Mitarbeiter.

ARCHITEKTUR, BILDENDE UND DARSTELLENDE KUNST

Antike statt Wolkenkratzer

Hochhäuser prägen die Zentren fast aller auch nur mittelgroßen amerikanischen Städte – nicht so in Washington. Schon George Washington und Thomas Jefferson legten gemeinsam eine erste Höchstgrenze von 40 Fuß (12,20 m) für Gebäude fest. Der Building Heights Act von 1899 und der Height Limitation Act von 1910 erlauben maximal 130 Fuß (39,65 m) hohe Gebäude nur an bestimmten Straßen der Stadt. So zählt kaum ein Bürokomplex oder Hotel mehr als 10 Etagen. Erst vom westlichen Ufer des Potomac grüßen einige moderate Wolkenkratzer aus Arlington über den Fluss.

Fernsehmoderatoren schätzen das Weiße Haus und das Kapitol als Hintergrundkulisse für ihre Kommentare. So sind die antiken Tempeln nachempfundenen Bauten die am bekanntesten der Metropole. Thomas Jefferson, der das von korinthischen Säulen geschmückte Kapitol in Virginias Hauptstadt Richmond nach dem römischen Maison Carrée im südfranzösischen Nîmes entworfen und damit einer ganzen Generation repräsentativer Parlamentsgebäude in den USA das Modell

Der Antike nachempfunden – Giebel an den National Archives, Washington D.C.

35

HAUPTSTADT NACH PLAN – DIE VISIONEN DES PIERRE-CHARLES L'ENFANT

Es gehörte schon eine gehörige Portion visionäre Vorstellungskraft und kühner Optimismus dazu, für einen fast bankrotten, gerade unabhängigen kleinen Staat mit instabilen Verwaltungsstrukturen und nur dürftigen Ansätzen einer Zentralregierung eine Hauptstadt für fast eine Million Bewohner auf dem morastigen Boden am Potomac River zu erträumen und dafür exakte Baupläne zu entwickeln.

Schon ein Jahr bevor der Kongress 1790 beschlossen hatte, eine Federal City als ständige Hauptstadt der jungen USA errichten zu lassen, bot der junge französischstämmige Mitstreiter in George Washingtons Armee, der Ingenieur Pierre-Charles l'Enfant an, einen Plan zu entwerfen, der »prächtig genug wäre, eine große Nation zu zieren«. Präsident George Washington mochte den ehemaligen Major seiner Revolutionstruppen, der sich nach dem Krieg als Architekt und Designer einen Namen erworben hatte. Vor allem aber konnte sich l'Enfant als Organisator der Feierlichkeiten zur Amtseinführung des ersten Präsidenten der USA in New York im April 1789 des persönlichen Vertrauens von George Washington sicher sein.

Seine künstlerische Ausbildung hatte er an der königlichen Akademie für Malerei und Bildhauerei in Paris erhalten, an der auch sein Vater lehrte. Als 22-jähriger war er 1776 voll revolutionärer Begeisterung in die Neue Welt gesegelt und hatte sich der Armee von George Washington angeschlossen. Gleich nach Übernahme des großen Auftrages machte l'Enfant sich an die Arbeit und erkundete das Terrain. Bereits sechs Monate später legte er den Grundriss für die künftige Hauptstadt vor. Der Entwurf war weder bescheiden noch an die minimalen finanziellen Möglichkeiten des jungen Staates angepasst. Das Raster von rechtwinklig angelegten Straßen, mit diagonalen, 50 m breiten, baumbestandenen Achsen, mit Parks und Plätzen an den großen Kreuzungen, geschmückt mit Statuen und Brunnen, erinnert in seiner Struktur an eine barocke Gartenanlage wie die von Versailles. Die breiten Avenuen trugen die Namen der damals beigetretenen 15 Bundesstaaten. Erst später, als die Stadt und die Union weiter wuchsen, erhielten auch die inzwischen beigetretenen 35 Staaten einen Straßennamen in der Hauptstadt.

Die großzügige Planung mit einer 130 m breiten und einer Meile langen Grand Avenue, der heutigen Mall, an der sich Botschaften ausländischer Staaten und kulturelle Einrichtungen aneinander reihen sollten, mit prächtigen marmornen Regierungs- und Parlamentsgebäuden, römischen und griechischen Tempelbauten ähnlich, entsprach nicht dem bescheidenen Ansatz eines neuen Jerusalem, von dem die puritanischen Pilgerväter aus Massachusetts träumten. Sie erweckte vielmehr die Größe des republikanischen Rom, das Ideal der Pflanzer von Virgina, zu neuem Leben. Eine ganze Nation sollte ihren Schwerpunkt in der neuen Hauptstadt finden. Die 2,5 km lange Pennsylvania Avenue zwischen dem Congress House auf dem Kapitolshügel, der damals noch Jenkins Hill hieß, und dem später Weißes Haus genannten Executive Mansion des Präsidenten macht die Dramaturgie der Stadtarchitektur noch heute deutlich: Sie trennte Exekutive und Legislative räumlich, stellte sie aber gleichzeitig in Blickkontakt zueinander.

Der kühne Plan des Pierre-Charles l'Enfant hatte von seiner Veröffentlichung an mit Schwierigkeiten und Widersachern zu kämpfen. Finanzierungsprobleme und gleichzeitige Budgetüberschreitung behinderten die Arbeiten. L'Enfant galt zudem als hartnäckig bis zur Starrköpfigkeit beim Durchsetzen seiner Vorstellungen. Er legte sich schnell und konsequent mit wichtigen Politikern, Bürokraten sowie Grundbesitzern an, die sich von ihm bei der Entschädigung für zur Verfügung gestelltes Bauland übertölpelt fühlten und ihn bald nur noch ›l'enfant terrible‹ schimpften. George Washington war schon 1792 gezwungen, seinen ersten Stadtbaumeister zu entlassen und beauftragte dessen Assistenten, den städtischen Landvermesser Andrew Ellicott, sowie den Astronomen und Mathematiker Benjamin Banneker, einen schwarzen Bürger, mit der weiteren Bauleitung. Trotzdem blieb die zügige Entwicklung der Kapitale lange ein Traum.

Als Regierung und Parlament im November 1800 von Philadelphia an den Potomac umzogen, waren viele Gebäude nicht fertig, die Straßen entworfen, aber wie die morastige Pennsylvania Avenue nicht gepflastert. L'Enfant hat die Verwirklichung seiner visionären Pläne nicht mehr erlebt. Er starb 1825, verbittert und verarmt im benachbarten Maryland. Die angebotene Abfindung von 2500 $ für seine Arbeit hatte er zurückgewiesen. Eine von ihm stattdessen an die Regierung gestellte Rechnung in Höhe von 95 000 $ wurde nie beglichen. Erst um die Wende des 19. zum 20. Jh. erfuhr der Stadtarchitekt von Washington eine späte Rehabilitierung. Eine Parlamentskommission unter James McMillan, einem Senator aus Michigan, bemühte sich energisch, die fast vergessenen Pläne aufzuarbeiten, den veränderten Bedingungen entsprechend umzusetzen und Bausünden zu beseitigen.

Im Jahre 1909 wurden die Überreste von l'Enfant auf den Ehrenfriedhof von Arlington überführt. Er ruht seitdem in einer Grabstätte auf der Rasenfläche zu Füßen des Arlington House. Heute wacht eine National Capital Planning Commission darüber, dass nicht gegen den Rahmenplan von l'Enfant verstoßen wird und dass kein Gebäude den 1910 verabschiedeten Height Limitation Act verletzt, der Gebäude über 130 Fuß (39,65 m) Höhe verbietet. Die zwischen D Street und Southwest Freeway eingequetschte l'Enfant Plaza, eingeschlossen von einem massigen Gebäudekomplex mit Büros, einem Businesshotel sowie unterirdischem Einkaufszentrum, ist eher ein Anschlag auf den Namen des legendären Baumeisters als eine Ehrung. Dafür ist schon eher die Freedom Plaza geeignet, die nahe dem Weißen Haus von der Pennsylvania Avenue umrahmt wird. Auf ihrem Boden ist das Frontispiz seines Entwurfs mit der Topographie des Stadtzentrums eingraviert. Hier herrscht immer Betrieb, Fußgänger spazieren über den von l'Enfant entworfenen Plan, bei gutem Wetter bleibt zuweilen einer stehen und erkennt bewundernd den historischen Grundriss der Metropole.

National Gallery of Art – moderne Architektur umhüllt wertvollste Kunstwerke

geliefert hatte, setzte zunächst auch in Washington Maßstäbe. Selbst das 1922 errichtete Lincoln Memorial, das 1943 eingeweihte Jefferson Memorial oder der von den römischen Diokletianbädern inspirierte Hauptbahnhof Union Station ähneln antiken Bauwerken und folgen damit der Idee von Washington als dem Rom der Neuzeit. Viele der im 20. Jh. entstandenen Regierungsgebäude verkörpern jedoch trotz Marmorprunk eher die Macht von Behördenbürokratien als architektonische Eleganz.

Zu den modernen Gebäuden von Qualität zählen das vielkopierte, beschwingte Abfertigungsgebäude des Dulles International Airport von Eero Saarinen aus dem Jahr 1962, die eigenwillige Konstruktion des Ostflügels der National Gallery of Art, der 1978 nach Plänen von Ieoh Ming Pei errichtet wurde, oder die 1994 eingeweihte finnische Botschaft an der Massachusetts Avenue.

Kunststadt Washington – Museen und Galerien

Allein die zahlreichen Museen von hohem Rang und zu vielen verschiedenen Wissensgebieten lohnen eine Reise in die Hauptstadt. Ein Dutzend dieser Einrichtungen – z. B. die National Gallery of Art, die National Portrait Gallery, die Arthur M. Sackler Gallery, die Freer Gallery of Art, die Renwick Gallery, das Hirshhorn Museum and Sculpure Garden, das National Museum of American History und das National Air and Space Museum – gehören zur Smithsonian Institution, einer einzigartigen privaten Stiftung (s. S. 80). Zusätzlich gibt es im Stadtviertel Georgetown und vor allem um den Dupont Circle etwa zwei Dutzend private Galerien, die vorwiegend zeitgenössische Kunst präsentieren.

Die ehemalige Torpedofabrik in der historischen Innenstadt von Alexandria hat sich zu einem Zentrum für bildende Kunst im Norden von Virginia entwickelt. In Maryland überragt das Werk des 1741 in Queen Annes County geborenen Malers Charles Willson Peale und seiner Familie die Zeitgenossen. Sowohl sein jüngerer Bruder James, seine Söhne Raphaelle, Titian und Rembrandt als auch sein Neffe James Peale Polk und seine Nichten Sarah, Anna und Margaretta wurden ausgezeichnete Maler. Charles schloss sich den Revolutionären im Unabhängigkeitskrieg gegen England an. Seine Porträts der ersten fünf Präsidenten und vieler prominenter Politiker der jungen USA wurden vielfach nachgeahmt und kopiert.

Theater

Das erste Theater Amerikas wurde 1716 in Williamsburg, der einstigen Hauptstadt der britischen Kronkolonie Virginia, gegründet. Später erlangte das Ford's Theater in Washington traurige Berühmtheit, als der aus Maryland stammende Schauspieler John Wilkes Booth – bei Zeitgenossen populär aufgrund seiner überzeugenden Darstellung von Shakespeare-Helden – den Präsidenten Abraham Lincoln am 14. April 1865 während einer Vorstellung erschoss. Ende des 19. Jh. bis Mitte des 20. Jh. wurden Washington und die Capital Region eher als langweilige Kulturprovinz geschmäht. Doch diese Zeiten sind vorbei.

Zwar präsentiert die Szene in New York oder Los Angeles sicher schrägere Kunsterlebnisse und konzentriert die Avantgarde bildender und darstellender Künste. Innovative und Alternativkultur gehören in der Hauptstadt noch immer zu den interessanten Randerscheinungen. Aber mit einigen

Dutzend Sprechtheatern, darunter die renommierte Arena Stage mit drei Bühnen und die avantgardistische Woolly Mammouth Theatre Company, liegt die Metropolitan Area von Washington im Verhältnis zur Einwohnerzahl bereits an der Spitze aller US-Metropolen. Sicherlich haben auch international bekannte Tanztruppen wie die Liz Lerman Dance Exchange, die Kankouran West African Dance Company und die Latinotänzer der Maru Montero Company zur kulturellen Ausstrahlung der Stadt beigetragen.

Musik –
Von Oper bis Jazz

Zwei Opernhäuser, die Capitol City Opera mit wechselnden Aufführungsorten und die Washington Opera unter Placido Domingo, der populäre Choral Arts Society Chor, die volkstümliche Washington Chamber Symphony mit ihren beliebten Konzerten für Kinder und das National Symphony Orchestra, das überwiegend im Kennedy Center auftritt, stehen für das hochklassige Niveau der vielen Orchester der Stadt.

Das 1857 vom reichen Bankier George Peabody gestiftete Musikkonservatorium in Baltimore gehört ebenso wie das städtische Opernhaus seit langem zu den hochgerühmten Klangkörpern von Maryland. Der Bundesstaat hat eine lange Tradition populärer Musiker. Francis Scott Key komponierte 1814 während der Schlacht um Baltimore gegen die englische Flotte die Nationalhymne ›Star Spangled Banner‹. Am bekanntesten sind neben dem 1940 in Baltimore geborenen und 1993 verstorbenen innovativen und provokativen Musiker Frank Zappa vor allem die Jazz- und Bluesinterpreten des Bundesstaates, wie Ella Fitzgerald, Billie Holiday, Eubie Blake und Cab Calloway. Washington D.C. kann ebenfalls einen der Großen des Jazz aufweisen: Edward Kennedy ›Duke‹ Ellington, der unglaublich produktive Jazzpianist und Big Band Leader, wurde im Shaw District der Stadt geboren.

Die Capital Region
im Film

Washington und Baltimore sind Schauplätze etlicher Hollywood-Filme, u. a. die geniale Satire zum Kalten Krieg von

Konzertpavillon im Inner Harbor von Baltimore

Stanley Kubrick ›Dr. Seltsam oder wie ich lernte, die Bombe zu lieben‹ mit einer Dreifachrolle für Peter Sellers, ›Die Unbestechlichen‹ mit Dustin Huffman und Robert Redford als Reporter der Washington Post und Enthüllungsjournalisten des Watergate-Skandals, Robert Altmanns ›Die geheime Ehre des Präsidenten‹ über Richard Nixon, ›Nixon‹ von Oliver Stone mit einem grandiosen Anthony Hopkins in der Titelrolle, ›No way out/Es gibt kein zurück‹ mit Kevin Kostner und Gene Hackmann über einen KGB-Spion im Pentagon, ›JFK – Tatort Dallas‹ von Oliver Stone, ›Eine Frage der Ehre‹ mit Tom Cruise, Jack Nickolson und Demi Moore, ›In the Line of Fire/Die zweite Chance‹ von Wolfgang Petersen mit Clint Eastwood als Präsidentenleibwächter oder der

Thriller ›Die Akte‹ nach dem Roman von John Grisham mit Denzel Washington und Julia Roberts.

Seit der achtjährigen Amtszeit von Präsident Bill Clinton hat die Zahl qualitativ allerdings recht unterschiedlicher Filme drastisch zugenommen, in denen ein US-Präsident selbst im Mittelpunkt der Handlung steht, darunter ›Dave‹ von Ivan Reitmann mit Kevin Kline, ›Hello Mr. President‹ von Rob Reiner mit Michael Douglas, ›Independence Day‹ von Roland Emmerich mit Bill Pullman, ›Air Force One‹ von Wolfgang Petersen mit Harrison Ford oder ›Mit aller Macht‹ von Mike Nichols mit John Travolta.

Der prominenteste Drehbuchautor und Regisseur der Capital Region ist Barry Levinson. Er führte Regie in dem mit vier Oscars preisgekrönten ›Rain Man‹ sowie bei der in Washington spielenden Politkomödie ›Wag the Dog‹. Seiner Heimatstadt Baltimore hat er ein filmisches Denkmal gesetzt im Filmzyklus ›Diner‹, ›Avalon‹, ›Tin Men‹ und ›Liberty Heights‹. Weniger bekannt ist der inzwischen vierfache Oscar-Preisträger Charles Guggenheim aus Washingtons Stadtviertel Georgetown, der für seine herausragenden Dokumentarfilme ausgezeichnet wurde. Auch bekannte Hollywood-Schauspieler, wie Robert Mitchum, Susan Sarandon, Goldie Hawn, Warren Beatty und seine Schwester Shirley McLaine, Sandra Bullock oder Sissy Spacek, sind in der Region aufgewachsen oder haben hier ihr Handwerk erlernt.

ESSEN UND TRINKEN

Kulinarische Leistungsschau

Einst war Washington berüchtigt für seine etwas einseitig ausgerichteten ›Steaks mit Kartoffeln‹-Restaurants, heute zeigen die Chefköche der Stadt im April beim alljährlichen Kochfest ›Taste of the Nation‹ in den prunkvollen Sälen der Union Station ihre kulinarischen Meisterstücke. Bei der Wohltätigkeitsgala mit Eintrittspreisen von 65–75 $ genießen die Wohlhabenden die leckeren Speisen zum Wohle der Armen, die sich derlei nicht leisten können, aber deren Suppenküchen der Erlös aus jener Veranstaltung zu Gute kommt.

Am Wochenende des Columbus Day im Oktober steigt die zweite karitative, kulinarische Leistungsschau ›Taste of D.C.‹, ein Open-Air-Spektakel entlang der Pennsylvania Avenue mit Ständen Dutzender Restaurants, mit Musikbands und Spielangeboten für Kinder. Dass gutes Essen in der Stadt eine zunehmend wichtige Rolle spielt, zeigt auf Appetit anregende Weise auch der Kriminalroman ›The Butter Did It‹ von Phyllis Richman, Restaurantkritikerin der Washington Post, der allein um Nobelrestaurants, Chefköche und raffinierte Gerichte kreist.

Blue Crabs geben ihr köstliches Inneres nicht freiwillig preis

Ethnische Küche und regionale Tradition

Schon lange gilt Washington als vorzügliche Adresse für ethnische Küche. Neben hervorragenden französischen, italienischen und chinesischen Restaurants ist es kein Problem, selbst senegalesische, äthiopische oder burmesische Speisehäuser zu finden. Innovative Chefköche, wie Jeff und Barbara Black, Ann Cashion, James Beard oder Nora Pouillon in Washington, John Shields in Baltimore oder Jimmy Sneed in Richmond greifen örtliche Kochtraditionen und Rezepte auf und entwickeln daraus mit frischen Zutaten eine leichtere, neue amerikanische Küche mit regionalem Akzent. Das sieht im Landesinneren von Virginia mit seinen herzhaften Südstaatengerichten anders aus als rund um die Chesapeake Bay, wo fangfrische Muscheln, Krebse und Fische seit jeher die Hauptrolle auf den Speisekarten spielen. In den Restaurants der größeren Städte, wie Baltimore, Washington oder Richmond, haben sich vielfach *raw bars* durchgesetzt, an denen man sich die Köstlichkeiten aus dem Atlantik und der Bucht selbst zu einem Gericht kombinieren kann.

Weingüter

Bei den amerikanischen Weinen sollte man neben den exzellenten Tropfen der kaliforischen Westküste nicht vergessen, dass auch in Maryland und Virginia respektable Weine gezogen werden. Begünstigt durch Klima und Boden, außerdem nicht selten befördert durch die Tradition europäischer Einwanderer haben sich westlich von Baltimore sowie östlich der Appalachen, rund um Charlottesville, eine Reihe vorzüglicher Weingüter etabliert, die Merlot, Cabernet, Chardonnay und Riesling produzieren. Einen Überblick geben die Websites www.virginiawines. org und www.marylandwine.com. Im folgenden einige ausgewählte Weingüter.

In Maryland:
Elk Run Vineyards, 15113 Liberty Rd., Mount Airy, 20 km östl. von Frederick, www.elkrun.com, Weinprobe Di–Sa 10–17, So 13–17 Uhr. Eine der besten Winzereien der Ostküste, Weiß- und Rotweine, Champagner, hoch gelobter Pinot Noir.

Catoctin Winery, 805 Greenbridge Rd., Brookeville, 30 km nördl. von Washington, Weinprobe Sa/So 12–17 Uhr. Cabernet Sauvignon, Chardonnay.

Basignani Winery, Sparks, 20 km nördl. von Baltimore, www.basignani-winery.com. Weiß- und Rotweine.

In Virginia:
Jefferson Vineyards, 1353 Th. Jefferson Pkwy., Charlottesville, bei Monticello, www.jeffersonvineyards.com, 11–17 Uhr. Preisgekrönter Chardonnay.

Château Morrisette, Rt. 726, unweit vom Blue Ridge Pkwy., Meadows of Dan, 60 km südwestl. von Roanoke, www.chateaumorrisette.com, Mo–Do 10–17, Fr/Sa 10–18, So 11–17 Uhr. Chardonnay, Riesling, Dog Blue, Cabernet Sauvignon, Pinot Noir, Black Dog.

43

MARYLAND CRAB IMPERIAL – LECKERES AUS DER CHESAPEAKE BAY

Blue Crabs finden sich auf den Speisekarten aller Fischrestaurants rund um die Chesapeake Bay: als Crab Soup, als Crab Cake, als gedämpfte Hardshell Crab, als delikate Softshell Crab oder als Crab Imperial. Dabei sind die Crabs keine Krabben, sondern Krebse, die ihren Namen einem dekorativen blauen Farbhauch auf ihren Scheren verdanken. Ihr wissenschaftlicher Name *Callinectes sapides,* wunderschöne Schwimmer, deutet darauf hin, dass sich die Krustentiere mit Hilfe von zwei wie Paddel ausgestalteten Beinen etwas flotter durch das Wasser bewegen können als ihre Artgenossen.

Die Tiere laichen im Mündungsgebiet der Bay, die im Rhythmus von Ebbe und Flut mit frischem Seewasser versorgt wird. Am Unterkörper der weiblichen, *sooks* genannten Tiere wachsen zur Laichzeit einige tausend winzige Eier, die nur in Japan, aber nicht an der Bay als Delikatesse gelten. Zwei Wochen nach der Befruchtung durch die männlichen *jimmies* schlüpfen winzige Krebse, die noch kurze Zeit fest am schützenden Körper des Muttertieres geklammert mit herumgetragen werden.

Watermen, wie die Fischer an der Bay heißen, fangen die Krebse mit Reusen. Sie werden im Brackwasser der Marschküste und in den Mündungsbuchten der zahlreichen Flüsse, die in die Chesapeake Bay fließen, ausgelegt. Noch vor 50 Jahren konnten einige tausend *watermen* vom Fang der Fische, Austern und Venusmuscheln leben. Damals waren die vielen Austernbänke als Untiefen auf den Seekarten verzeichnet. Heute ist die Zahl der Berufsfischer drastisch zusammengeschrumpft. Crisfield, ein Fischerstädtchen an der Chesapeake Bay von Maryland, nennt sich wie einige andere Orte entlang der Ostküste der USA auch ›Seafood Capital of the World‹. Hier sind von einst mehr als einem Dutzend Verarbeitungsbetrieben gerade zwei Unternehmen übrig geblieben. Je nach Saison werden fangfrische Blue Crabs oder Austern gespült, sortiert, verarbeitet und in Kisten mit Stroh und Eiswürfeln verpackt, damit sie noch frisch am gleichen Tag die Feinschmecker in Chicago oder New York oder spätestens am nächsten Tag in Tokio erfreuen.

Clams, wie die Venusmuscheln genannt werden, gibt es als kleinere Softshell oder als größere Hardshell Clams, die auch Quahogs genannt werden. Die schmackhaften kleineren werden fast immer in würzigem Sud gekocht in der Schale serviert, die größeren findet man meist als wichtigsten Bestandteil in der delikaten Clam Chowder, einer hell gebundenen Muschelsuppe.

In vielen Restaurants rund um die Bay isst man die Köstlichkeiten aus der Bucht auf traditionelle Weise. Die Gäste sitzen auf Bänken an Tischen mit braunen Papiertischdecken und essen mit Hammer, Zange und Gabel – ohne eine Spur leerer Vornehmheit. Nach kurzer Zeit sieht der Tisch aus wie ein Schlachtfeld, es werden Schalen und Scheren geknackt, geräuschvoll Beine ausgelutscht. Die Krebse werfen während ihres Wachstums regelmäßig ihren Panzer ab und sind kurze Zeit kaum geschützt. Diese dann Softshell Crabs genannten Blue Crabs lassen sich mit wenig Anstrengung und Handwerkszeug verspeisen, ihre weiche Schale wird einfach mitgegessen. Wer sich bereits zu Hause einen Vorgeschmack verschaffen will, könnte es mit folgenden Rezepten versuchen:

Gedünstete Blue Crabs

Sie sind einfach zuzubereiten, schwieriger ist es, die schmackhaften Krebse in Europa zu bekommen. Wer Glück (und genug Geld) hat oder im Urlaub an der Bay ein Dutzend Blue Crabs ersteht, benötigt vor allem einen großen Topf, am besten mit einem Dämpfeinsatz. Zunächst Wasser mit etwas Weißweinessig, Salz, Pfeffer und ein wenig Cayennepfeffer zum Kochen bringen. Dann die lebenden Krebse auf den Dämpfeinsatz platzieren und den Deckel schließen. Nach 20–25 Minuten sind die Krebse fertig, ihre Panzer haben sich rot verfärbt. Nun die Krebse mit kaltem Wasser gut abspülen und abtrocknen. Man kann sie warm oder kalt essen, mit Zitronenbutter schmecken sie besonders gut. Dafür Butter langsam erhitzen, weißen Schaum abschöpfen und die klare, geschmolzene Butter vorsichtig in einen anderen Topf umgießen ohne die am Boden abgesetzten Sedimente. Jetzt Zitronensaft hinzufügen und gut durchrühren.

Um an das köstliche Krebsfleisch zu gelangen, muss man zuerst den Schwanzzipfel abknicken, dann die Oberschale des Körpers abheben, die feinen Kiemen und Magenreste entfernen. Das nun gut zugängliche Fleisch lässt sich mit einer Gabel herausheben. Scheren und Beine vom Körper abdrehen und mit Nussknacker oder Hammer zerbrechen. Eine Cocktailgabel kann gute Dienste leisten, um das Fleisch herauszulösen, ansonsten sind die Finger und Zähne die wichtigsten Werkzeuge. Ein Schälchen mit warmem Zitronenwasser hilft, die Hände nach dem opulenten Krebsmahl wieder in einen passablen Zustand zu versetzen.

Crab Imperial

Für eine klassische Crab Imperial als Vorspeise für 4 Personen benötigt man 1 Pfund Krebsfleisch, je eine halbe grüne und rote Paprika, 2 Stangensellerie, 2 Esslöffel Butter (oder Margarine), 1 Bund Petersilie, 1 Teelöffel mittelscharfen Senf, 3 Esslöffel Mayonnaise, 1 Teelöffel Gewürzsalz, einige Spritzer Tabasco-Sauce (o. ä.), 1 Ei. Die klein geschnittenen grünen Paprika und den Stangensellerie mit Butter in einer großen Pfanne etwa 5 Min. bei mittlerer Hitze glasieren, dabei rühren. Klein geschnittene rote Paprika sowie gehackte Petersilie, Senf, Tabasco und Gewürzsalz hinzugeben. Ei und Mayonnaise vermengen und in die Pfanne einrühren, dann das Krebsfleisch darunter mischen. Nun alles in eine Backform oder 4 feuerfeste Portionsschalen füllen und bei 200° Celsius 15 Minuten backen, die letzten 3 Minuten den Grill dazuschalten – fertig.

45

Tipps für Ihren Urlaub

Natural Bridge in den Appalachen

DIE CAPITAL REGION ALS REISEZIEL

Tipps für Washington D.C.

Wer mit dem Zug in der Union Station ankommt, kann die Pracht des restaurierten Bahnhofes bestaunen. Ein Spaziergang über die Mall, die sich quer durchs Zentrum zieht, das muntere Treiben um den Dupont Circle, der Wochenendbummel über den Eastern Market hinter dem Capitol Hill oder die abendliche Stimmung in Georgetown mit seinen Geschäften, Restaurants und Bars gehören zu den besonderen Erlebnissen eines Hauptstadtbesuches. Bei verschiedenen Monumenten, die wie das Lincoln und das Jefferson Memorial oder das Washington Monument nach Einbruch der Dunkelheit angestrahlt werden, lohnt es sich abends noch einmal wiederzukommen.

Alles gratis – 16 Highlights ›for free‹

Mehr als 60 Attraktionen, Museen und Kunstgalerien in Washington verlangen keinen Eintritt. Die kostenlose Besichtigung der folgenden Sehenswürdigkeiten sollte man nicht auslassen.

Ehrenfriedhof der Streitkräfte, Arlington: Die letzten Ruhestätten der Kennedys, das Iwo Jima-Denkmal der Marineinfanterie und das Museum der Frauen in der US-Armee machen den National Cemetery zu einer der meistbesuchten Sehenswürdigkeiten der Stadt (s. S. 100).

Explorers Hall, National Geographic Society, D.C.: Ein riesiger Globus, Karten, Dokumentationen über Entdecker und Exponate zu Geographie, Fauna und Flora der Welt faszinieren die vielen Besucher (s. S. 94).

Franklin D. Roosevelt Memorial, D.C.: Besucher wandern durch vier, von bedeutenden Bildhauern gestaltete Freilufträume, die Stationen der Biographie des bedeutendsten US-Präsidenten des 20. Jh. verkörpern (s. S. 99).

George Washington Masonic National Memorial, Alexandria: Der 333 Fuß hohe Turm zu Ehren des Vorsitzenden der Freimaurerloge von Alexandria erinnert an den Leuchtturm von Alexandria im alten Ägypten (s. S. 168).

Hirshhorn Museum mit Skulpturengarten, D.C.: Die Exponate in dem zylindrischen Bau an der Mall umfassen Kunst des 19. und 20. Jh., darunter Jackson Pollock, Georgia O'Keefe und Auguste Rodin (s. S. 82).

Kapitol, D.C.: Der in weißem Marmor leuchtende Kuppelbau mit dem Sitz des Parlaments auf dem Capitol Hill ist von vielen Stellen in Washington auszumachen. Die Tagungssäle sowie die repräsentativen Räume können zz. nicht besichtigt werden (s. S. 60).

Library of Congress, D.C.: Die umfangreichste Bibliothek der Welt mit mehr als 100 Mio. Publikationen kann von jedem kostenlos besichtigt und auch genutzt werden (s. S. 62).

Lincoln Memorial, D.C.: Die mächtige, von 36 mächtigen Säulen umgebene marmorne Statue des sitzenden Abraham Lincoln gehört zu den Wahrzeichen der Hauptstadt (s. S. 98).

National Air and Space Museum, D.C.: Die Ausstellung der Smithsonian Institution zur Luft- und Raumfahrttechnologie an der Mall zieht die größten Besucherzahlen aller Museen in Washington an (s. S. 83).

National Gallery of Art, D.C.: Beide Gebäude an der Constitution Ave. stellen Glanzstücke der bildenden Kunst aus, von Leonardo da Vinci bis zu Pablo Picasso und Andy Warhol (s. S. 73).

National Museum of Natural History, D.C.: Das zur Smithsonian Institution gehörende Museum glänzt in seiner Mineraliensammlung mit erlesenen Juwelen, überrascht mit einem Insektenzoo und stellt unterschiedliche Ökosysteme der Erde anschaulich dar (s. S. 76).

Thomas Jefferson Memorial, D.C.: Ionische Säulen tragen den wie einen antiken Tempel gestalteten Kuppelbau, in dem markante Aussprüche an einen der wichtigsten Präsidenten der USA erinnern (s. S. 99).

United States Holocaust Memorial Museum, D.C.: Die erschütternde Ausstellung von Dokumenten, Filmen, Fotografien und persönlichen Schicksalen dokumentiert den Völkermord an den Juden während der Nazi-Herrschaft in Deutschland (s. S. 77).

Vietnam Veterans Memorial, D.C.: Zehntausende in eine schwarze Granitwand gemeißelte Namen erinnern an die im Vietnamkrieg gefallenen und vermissten US-Soldaten (s. S. 98).

Washington Monument, D.C.: Den 555 Fuß hohen Obelisken im Zentrum der Mall umgibt ein Flaggenring von 50 Sternenbannern. Besuchern der Aussichtsplattform liegt die Hauptstadt zu Füßen (s. S. 97).

Weißes Haus, D.C.: Alle US-Präsidenten nach George Washington haben hier gewohnt und gearbeitet. Eine Tour durch die Repräsentationsräume ist zz. nicht möglich (s. S. 91).

Ausflüge in die nähere Umgebung

Auch bei kurzen Stadtbesuchen lohnen sich Ausflüge in die nähere Umgebung: Mt. Vernon, der Wohnsitz von George Washington, die Altstadt von Alexandria, Annapolis und Baltimore an der Chesapeake Bay oder der Shenandoah National Park in Virginia sind nur einen Katzensprung entfernt. Wer mehr als nur ein Wochenende in der Region bleibt, kann weitere Ausflüge (1–3 St. Fahrt) unternehmen: nach Richmond und ins koloniale Williamsburg, zu Hafenstädtchen wie St. Michaels oder Crisfield an der Ostküste der Bay, oder an die Atlantikküste bei Ocean City oder Chincoteague, ja sogar nach Charlottesville im Piedmont Plateau und Monticello, dem einstigen Wohnort von Thomas Jefferson.

Rundfahrten durch Virginia und Maryland

Drei- bis fünftägige Rundfahrten in die benachbarten Bundesstaaten könnten z. B. die Stationen Manassas – Shenandoah NP – Lexington – Natural Bridge –

DIE SCHÖNSTEN WANDERUNGEN

Alle ausgewählten Ausflüge sind weniger als 2–3 Autostunden von Washington entfernt. Gutes Schuhzeug ist sinnvoll, Klettererfahrung keine Voraussetzung.

Theodore Roosevelt Island, D.C.
Eine Fußgängerbrücke von Arlington führt auf die kleine Insel im Potomac sowie zu verschiedenen Rundwegen am Ufer entlang und durch den dichten, verwilderten Wald. Info: National Park Service, Tel. 703/289-2530.

National Arboretum, D.C.
Im 180 ha großen Botanischen Park im Nordosten von Washington findet sich die Flora vieler unterschiedlicher Landschaftstypen der USA. Er ist von Wanderwegen durchzogen. Zur Azaleenblüte im April/Mai spaziert man durch ein Blütenmeer, im Oktober durch einen herbstlich verfärbten Zauberwald. US National Arboretum, 3501 New York Ave., NE, Washington D.C., Tel. 202/245-2726.

Rock Creek Park, D.C.
Durch die weitläufige Parklandschaft im Nordwesten der Hauptstadt führen viele Wander- und Radwege. Western Ridge Trail und östlicher Valley Trail entlang dem Bachbett des Rock Creek sind durch Querpfade verbunden. Das Nature Center (5200 Glover Rd.) ist ein guter Ausgangspunkt für Spaziergänge. Info: Superintendent, 3545 Williamsburg Lane, Washington D.C. 20008, Tel. 202/426-6829.

Chesapeake & Ohio Canal NHP, Great Falls Overlook, MD
Knapp 25 m tief stürzt sich der Potomac River in schäumenden Kaskaden vom Piedmont Plateau in die Küstenebene. Ein kurzer Wanderweg bringt Spaziergänger zu einer Felseninsel inmitten des tobenden Flusses. National Park Service, Great Falls Tavern, 11710 MacArthur Blvd., Potomac, MD, Tel. 301/299-3613.

Cunningham Falls, Catoctin Mountains, MD
Nicht weit von der in den bewaldeten Bergen versteckten Präsidentenlodge Camp David startet der knapp 4,5 km lange Rundweg zu den Cunningham Falls beim Visitor Center des Catoctin Mountain Park (Kreuzung der SR 77/Park Central Rd.). Cunningham Falls State Park, Thurmont, MD, Tel. 301/271-7574.

Huntley Meadows Park, Alexandria, VA
Wer Vögel beobachten möchte, ist in der 570 ha großen Idylle inmitten von Alexandria richtig. Im Nature Center gibt es Informationen über den Vogelreichtum sowie den Cedar Trail und andere Wege. Huntley Meadows Park, 3701 Lockheed vd., Alexandria, VA, Tel. 703/768-2525.

Calvert Cliffs SP, MD

Die gut 7 km lange Wanderung durch Wald und Marschgebiete – Lebensraum von Fröschen, Schildkröten, Reihern, Schmetterlingen und anderen Tieren – führt bis zur Westküste der Chesapeake Bay. Hier spülen die Wellen immer wieder lange im Kliff eingeschlossene Fossilien längst ausgestorbener Meerestiere an Land. Info: Maryland State Forest & Park Service, c/o Point Lookout SP, Tel. 301/872-5688.

Cape Henlopen SP, DE

Der spärlich markierte, knapp 3 km lange Rundweg führt vom Parkplatz The Point die Küste entlang bis an die Spitze des Kaps und an der äußeren Atlantikküste zurück, vorbei an Wanderdünen und an phantastischen Fundplätzen für Muschelsammler. Cape Henlopen State Park, 42 Cape Henlopen Dr., Lewes, DE, Tel. 302/645-8983.

Chincoteague NWR, VA

Die 5 km lange Strecke des Wildlife Loop durch die Küstenmarsch ist bis 15 Uhr für Autos gesperrt. Dann ist die beste Gelegenheit, in der kalten Jahreszeit die hier überwinternden 50 000 kanadischen Gänse, Enten und Schwäne zu beobachten. National Wildlife Refuge, 8231 Beach Rd., Assateague, Tel. 757/336-6122.

Sky Meadows SP, VA

Eine mit Wildblumen übersäte Bergwiese der Blue Ridge Mountains liegt im Zentrum des nur eine Stunde von Washington entfernten, treffend benannten State Parks. Ein knapp 2 km langer Rundweg mit vielen Aussichtspunkten startet am Visitor Center. Sky Meadows State Park, 11012 Edmonds Ln., Delaplane, VA, Tel. 540/592-3556.

Whiteoak Canyon, Shenandoah NP, VA

Etwa vier Stunden dauert die knapp 7,5 km lange Wanderung, die durch die Wälder der Blue Ridge Mountains zu den Wasserfällen des Robinson River führt (Start: Mile 42,6, Skyline Dr.). Shenandoah NP, Rt. 4, Luray, VA, Tel. 540/999-3500, www.nps.gov/shen (gilt für alle Wanderwege im Shenandoah National Park).

Stony Man, Shenandoah NP, VA

Zwischen einer und drei Stunden dauern verschiedene Wandertouren, die den Appalachian Trail überqueren und die Wanderer kurz darauf mit einem atemberaubenden Blick ins Shenandoah Tal belohnen (Start: Mile 41,7, Skyline Dr.).

Turk Mountain, Shenandoah NP, VA

Der einfache Trail dauert nicht länger als eine Stunde. Der Rundblick von den Felsen des Turk Mountain mit dem Shenandoah Tal und den verschachtelten Bergketten ist zu jeder Jahreszeit ein besonderes Erlebnis (Start: Mile 94,1, Skyline Dr.).

Charlottesville – Richmond – Fredericksburg – Mt. Vernon – Alexandria umfassen. Eine alternative Route könnte über Calvert Cliffs – St. Mary's City – Hampton Roads – Williamsburg – James River Plantagen – Richmond – Fredericksburg führen.

Auch ein Ausflug in den ländlichen Nordwesten lohnt sich, z. B. auf der Route Great Falls – Leesburg – Harper's Ferry – Antietam – Catoctin Mountains – Frederick – Baltimore. Eine Tour an die Bay und die Atlantikküste könnte folgende Orte passieren: Annapolis – Cape Henlopen – Ocean City – Berlin – Chincoteague – Crisfield – Tangier Island – Princess Anne – Cambridge – Easton – St. Michaels.

Wassersport auf Bay und Atlantik

Nur wenige Kilometer entfernt von den Metropolen bietet die Natur den Menschen Ruhe, Erholung und Raum für Freizeitaktivitäten. Die Chesapeake Bay mit ihren verzweigten Wasserarmen und vielen kleinen Häfen ist nicht nur beliebter **Angelplatz**, sondern gleichzeitig ideales **Segelrevier**. Zuweilen sieht man in den Häfen noch eines der *skipjacks*, sorgsam gepflegte Segelboote mit tiefgezogener Bordwand, großem Dreiecksegel und wenig Tiefgang. Vor 100 Jahren waren die Schiffe noch ein üblicher Anblick, *watermen* segelten auf 1500 Booten in die Bay zum Austernfang. Zu besonderen Gelegenheiten und Festen treffen sich die knapp drei Dutzend übrig gebliebenen historischen Segler zu einem Wasserkorso oder zu einer Regatta. In vielen Bay-Häfen lassen sich Segelboote mieten, in größeren Orten, wie Annapolis, bieten Segelschulen ihre Dienste an, kann man mit **Ausflugsschiffen** Inseln in der Bay erkunden. Eine Reihe von in die Bay mündenden Flüssen und Bächen, wie der Choptank und der Patuxent River, bieten **Kanu- und Kajakfahrern** echte Herausforderungen und auch ruhige Passagen.

Wer Wellen und Wind des Atlantiks mehr schätzt als Binnengewässer, findet eine buchtenreiche Atlantikküste, die immer wieder von sichelförmigen Barriere-Inseln und langen Sandstränden begrenzt wird. Hier sind alle Arten von **Wasser- und Strandsport** möglich oder einfach nur Entspannung pur.

Wandern und Rad fahren in den Appalachen

Im Shenandoah National Park und in verschiedenen als State Parks oder National Forest geschützten Wäldern sind zahlreiche Wege für Wanderer und zum Radfahren ausgebaut. Der bekannte Appalachian Trail zieht sich auf dem Kamm des Mittelgebirges von Nord nach Süd auch durch Maryland und Virginia. Ein fast 800 km langes Teilstück des Transamerica Bicycle Trail windet sich von Yorktown bis an die Westgrenze von Virginia. Bahntrassen längst stillgelegter Strecken feiern als Fahrradwege Auferstehung. Auch den Treidelpfad entlang des Chesapeake & Ohio Canal haben Spaziergänger, Wanderer und Fahrradausflügler längst für sich erobert.

Radwanderer am Potomac River

Reisezeit

Die Wetterlage an der mittleren Atlantikküste schwankt zwischen der subtropischen Klimaregion im tiefen Süden und der moderaten Wetterzone weiter im Norden. Hauptursache dafür sind die in Nord-Süd-Richtung aufgefalteten Appalachen, die wie ein Windkanal wirken. *Northers*, eiskalte polare Stürme, können so immer wieder nach Süden vordringen und mit Schnee und Eis chaotische Straßenverhältnisse provozieren. Im Winter lassen sich Skifahrer bei Wintergreen, südlich von Rockfish Gap, oder bei Hot Springs, etwas weiter im Süden in den Hochlagen der Appalachen, von Sesselliften zu Abfahrtstrecken hinauftragen oder gleiten über gespurte Loipen durch verschneite Wälder.

Feuchtwarmes subtropisches Klima entfaltet im Sommer seinen Einfluss bis weit nach Norden. An den Marschküsten und Niederungen, selbst in Washington, können die Sommer 30° C warm und schwül werden. Der Atlantik hat sich auf 20° C erwärmt. Auch die Appalachen haben dann Hochsaison; in den Blue Ridge Mountains wird gewandert und gepicknickt. Vor allem Frühling und Herbst mit Temperaturen zwischen 20° und 25° C und nur geringer Luftfeuchtigkeit machen das Reisen in der Capital Region zum Vergnügen. Die Luft ist klar und die Sicht gut. Zum *fall foliage* in der ersten Oktoberhälfte erfreuen sich Tausende an den Braun-, Gelb- und Rottönen der Laubbäume. Und im Piedmont Plateau beginnt die Weinernte mit gut besuchten Festen der Winzereien.

UNTERWEGS
N DER CAPITAL REGION

Ein Leitfaden für die Reise und viele Tipps für unterwegs.

Beschreibungen der Kapitale, von Städten und historischen Schauplätzen in Maryland und Virginia, von Sehenswürdigkeiten, Naturparks, Stränden und Ausflugszielen.

Die Region erleben: in Traditionshotels und Gästehäusern, Restaurants und Shopping Malls, auf Wanderungen und Bootstouren.

Auf dem Chesapeake & Ohio Canal in Georgetown

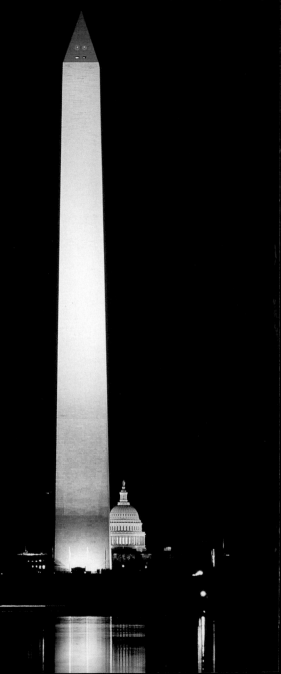

Washington D.C. – Hauptstadt der USA

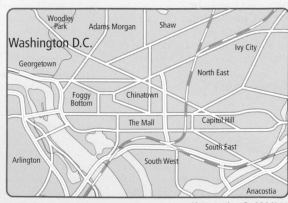

Washington
Monument und
das Kapitol

Washington D.C.

Woodley Park
Adams Morgan
Shaw
Ivy City
Georgetown
North East
Foggy Bottom
Chinatown
The Mall
Capitol Hill
South East
Arlington
South West
Anacostia

Kartenatlas S. 238/239

CAPITOL HILL – TEMPEL DER MACHT

›The Hill‹ nennt sich nicht nur der Hügel mit dem Sitz des US-Kapitols, sondern gleich das ganze Stadtviertel rundherum. Dazu gehören die repräsentative Union Station, die Library of Congress, der Oberste Gerichtshof der USA und der quirlige Eastern Market. Weiter im Osten schließen sich recht schnell eher ärmliche Wohnviertel an.

Washington D.C., das politische Zentrum der USA, hat sich durch die Ansiedlung zahlreicher Elektronikunternehmen und Dienstleistungsbetriebe auch zu einer Wirtschaftsmetropole entwickelt. Für Besucher wird die Stadt zunehmend attraktiver. Muntere Stadtviertel, wie Georgetown, Dupont Circle oder Adams Morgan, mit Straßencafés, originellen Geschäften, Restaurants und Buchhandlungen laden auch noch abends zum Bummeln ein. Sie ergänzen die aus den Fernsehnachrichten bekannten Tempel der Macht – vor allem das Kapitol auf dem Capitol Hill – und die einmalige Konzentration interessanter Museen und Galerien, um die Washington weltweit beneidet wird.

Geschichte

Als der Stadtplaner Pierre-Charles l'Enfant sich 1789 noch über die Anlage der zukünftigen ›Federal City‹ der USA Gedanken machte, stand der markante Hügel zwischen Potomac und Anacostia River noch als Jenkins Hill in den Karten. Der visionäre Franzose sah in der Anhöhe das natürliche Podest für den Mittelpunkt der zukünftigen Regierungsmetropole.

›The Hill‹ beschreibt heute die engere Umgebung des Parlamentsgebäudes und zugleich ein größeres Stadtviertel, das vom Parlamentsgebäude bis zur 11th Street und dem Lincoln Park, für andere sogar zum Anacostia River im Osten reicht, im Süden vom Southeast Freeway und im Norden durch die H Street begrenzt wird. Viktorianische Stadtvillen sowie die Behörden und Institutionen in wuchtigen Bauten werden weiter im Osten schnell durch Reihenhäuser und ärmliche Wohnblocks abgelöst, deren Bewohner meist von dunkler Hautfarbe sind.

Nach Norden öffnet sich die Perspektive vom Hügel des Parlamentsgebäudes zum prunkvoll restaurierten Hauptstadtbahnhof. Im Westen verliert sich der Blick über dem Reiterensemble des Bürgerkriegsgenerals und Präsidenten Ulysses S. Grant und den sich dahinter ausbreitenden Rasenflächen der Mall bis zum Obelisken des Washington Monuments und dem tempelartigen Lincoln Memorial am etwa 4 km entfernten Potomac River.

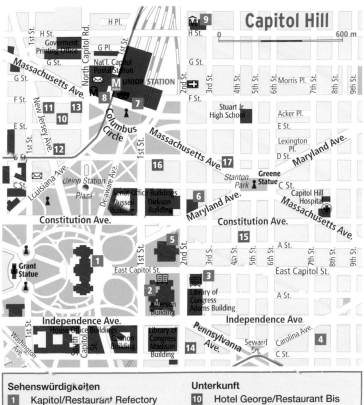

Sehenswürdigkeiten

1 Kapitol/Restaurant Refectory
2 Library of Congress/
   Restaurant Montpelier Room
3 Folger Shakespeare Library
4 Eastern Market/Market Lunch
   Restaurant
5 Supreme Court
6 Sewall-Belmont House
7 Union Station/
   Restaurant America
8 National Postal Museum
9 Capital Children's Museum

Unterkunft

10 Hotel George/Restaurant Bis
11 Washington Court Hotel
12 Holiday Inn on the Hill
13 Phoenix Park Hotel
14 Capitol Hill Suites
15 Capitol Hill Guest House

Essen und Trinken

16 The Monocle
17 Café Berlin
   (weitere Adressen s. Sehenswürdigkeiten und Hotels)

Besichtigung

Das Kapitol [1]: Das monumentale Gebäude steht normalerweise zur Besichtigung offen, ob im Rahmen einer Führung oder allein mit dem am Eingang ausgegebenen Plan. Nach den terroristischen Attacken vom 11. September 2001 sind die Touren aus Sicherheitsgründen zunächst ausgesetzt. Der berühmte Landschaftsarchitekt Frederick Law Olmstedt, der auch den Central Park in New York konzipierte, gestaltete 1874–1892 die Grünflächen auf dem Capitol Hill, die der Besucher zuerst durchquert (Zugang an der E. Capitol St. und 1st St., NE, Tel. 225-6827, derzeit kein öffentlicher Zugang).

Der weiße Kuppelbau ist der **geographische Mittelpunkt** der Stadt. Die Rotunde ist der Berührungspunkt der vier Quadranten, die durch die East Capitol Street und die Mall sowie durch die South und die North Capitol Street gebildet werden und deren Kürzel der entsprechenden Himmelsrichtung NW, NE, SE, SW bei Adressen den Straßennamen angefügt sind.

Den **Grundstein** legte 1793 George Washington. Im Jahr 1800 war der Nordflügel fertig, und Thomas Jefferson wurde 1801 als erster Präsident im Kapitol ins Amt eingeführt. Als englische Soldaten den Sitz des Parlaments während des amerikanisch-britischen Krieges von 1812–1814 am 24. August 1814 als ›Hort der Demokratie‹ in Brand steckten, löschte ein kräftiger Wolkenbruch die Flammen, bevor sie auch die Außenwände zu Asche verwandelt hatten. Bereits 1819 waren Nord- und

Das Kapitol von der 1st Street gesehen

Südflügel wieder aufgebaut. Zehn Jahre später begründete Präsident Andrew Jackson die Tradition, den Amtseid auf den Stufen der Außentreppe in aller Öffentlichkeit abzulegen. Den heutigen Anblick bietet der repräsentative Bau seit der Mitte des 19. Jh.

Die markante, mit einer doppelten Hülle aus Gusseisen gefertigte und 3000 Tonnen schwere **Kuppel** wurde 1857–1863 nach Plänen des Architekten Thomas Walter als Ersatz für eine niedrigere hölzerne Kuppel geschaffen. Die bewaffnete Freiheitsstatue auf der 79 m hohen Spitze passt auf, dass keiner die Bauvorschrift verletzt, der zufolge in der Hauptstadt kein Gebäude höher als das Kapitol errichtet werden darf. In den beiden Flügeln des Gebäudes tagen 100 Senatoren und 435 Abgeordnete des Repräsentantenhauses. 135 Jahre lang, bis 1935, beherbergte der mehrfach umgebaute und erweiterte Tagungsort des Parlaments zusätzlich das Oberste Gericht, die ersten knapp 100 Jahre auch noch die Kongressbibliothek.

In der **Rotunde** beeindrucken acht großflächige Ölgemälde, darunter vier von John Trumbull, einem Mitstreiter von George Washington. Sie zeigen glorifizierte Szenen aus der amerikanischen Geschichte, darunter die Erklärung der Unabhängigkeit oder die Kapitulation der Briten bei Yorktown. Das 1865 von Brumidi geschaffene Deckenfresko ›Apotheose von George Washington‹ zeigt den ersten Präsidenten als römischen Gott, über den Fortschritt der Nation wachend.

Der aus Rom stammende Maler Constantino Brumidi (1805–1880), der viele Werke im Kapitol schuf, war 1852 wegen politischer Turbulenzen aus seiner Heimat in die USA ausgewandert. Er wird in Anspielung auf den Architekten und Maler des römischen Petersdoms auch ›Michelangelo of the Capitol‹ genannt. Neun Präsidenten, mehrere Senatoren sowie im Dienst getötete Sicherheitsbeamte waren bislang in der Rotunde aufgebahrt. Die Schlange der Trauernden, die dem 1963 ermordeten Präsidenten John F. Kennedy die letzte Ehre erweisen wollten, zog sich über 40 Straßenzüge hin.

In der sich nach Süden anschließenden **Statuary Hall,** dem halbrunden früheren Sitzungssaal des Abgeordnetenhauses, darf jeder Bundesstaat Statuen von zwei besonders verdienten Persönlichkeiten aufstellen. Längst setzt sich die Zahl der Monumente in die benachbarten Räume und Korridore fort. Die ungewöhnlich gute Akustik des Saales machte heimliches Flüstern unter den Abgeordneten schwer. Nachdem durch die Ausdehnung der USA nach Westen die Zahl der Abgeordneten weiter zunahm, zogen diese 1857 in den größeren Sitzungssaal des Repräsentantenhauses, **House Chamber,** im neu geschaffenen Südflügel.

Im **Brumidi-Korridor** – im Souterrain unterhalb des Senatsflügel – ist jeder freie Quadratzentimeter mit Motiven von Pflanzen und Vögeln sowie Szenen aus der amerikanischen Geschichte ausgemalt. Einige vom italienischen Künstler bewusst frei gelassene Stellen sind inzwischen mit aktuelleren Themen wie der Mondlandung ausgefüllt.

Speisen wie ein Senator

Wer nach einem Besuch eine kleine Stärkung benötigt, kann mittags das **Refectory** (Raum S 112) – das eher die Atmosphäre einer Kantine hat – im Parterre des Senatsflügels aufsuchen und wie die Senatoren eine kräftige traditionelle Bohnensuppe, die Senate Bean Soup, bestellen.

Library of Congress 2: Die Bibliothek (s. S. 64) zählt mit ihrem nach Thomas Jefferson benannten Hauptgebäude und den beiden Nebengebäuden etwa 1 Mio. Besucher pro Jahr. Die Eingangshalle, die **Jefferson Hall,** wird künftig die 1,30 m hohe und 2,36 m breite Weltkarte des Deutschen Martin Waldseemüller von 1507 schmücken, auf der zum ersten Mal die Bezeichnung ›America‹ verwendet wurde.

Eine 40 m hohe Kupferkuppel überwölbt den achteckigen großen **Lesesaal**. An den marmornen Torbögen durchbrochenen Wänden verkörpern weibliche Gestalten Geschichte, Philosophie, Religion und Kunst. Ihre Entsprechung im realen Leben übernehmen die Bronzestatuen von Homer, Plato, Moses und Shakespeare.

In der 1897 eingeweihten Bibliothek sind mittlerweile weit über 100 Mio. Bücher und Dokumente auf mehr als 850 Regalkilometern aufgereiht. Besucher können 200 der kostbarsten Sammlungsstücke in der Dauerausstellung ›Treasures of the Library of Congress‹ bewundern. Bibliothekare führen Interessierte durch das Gebäude, dessen repräsentative Räume auch auf eigene Faust besichtigt werden können. Ein ganzjähriges Veranstaltungsprogramm sowie Sonderausstellungen finden regelmäßig viele Besucher.

In der **Cafeteria** kann man einen Snack zu sich nehmen oder sich im Montpelier Room für das sehr gute Lunch-Buffet anstellen (Ecke Independence Ave./1st St., SE, Tel. 707-8000, Mo–Sa 10–17 Uhr, Führungen Mo–Sa 11.30, 13, 14.30, 16 Uhr, Eintritt frei).

Folger Shakespeare Library 3: 1929 vermachten der Sprecher der Standard Oil Company of New York und Shakespeare-Liebhaber Henry Clay und seine Frau Emily Jordan Folger ihre außergewöhnliche Sammlung der Öffentlichkeit: 93 000 Bücher, 50 000 Drucke und Stiche sowie Manuskripte zu Shakespeare und seiner Zeit. Die eigens dafür errichtete, 1932 eingeweihte Bibliothek hat ihren Bestand seitdem mehr als verdoppelt. Sie umfasst auch zeitgenössische Musikinstrumente, Filme und Kostüme berühmter Inszenierungen. Ein elisabethanischer Garten erfreut die Besucher ebenso wie eine Bildergalerie, ein im altenglischen Stil gehaltener Bibliotheksraum sowie der historischen Vorbildern nachempfundene runde Theaterraum mit umlaufenden Holzbalkonen, in dem Theaterstücke und Konzerte dargeboten werden (201 E. Capitol St., SE, Tel. 544-7077, www.folger.edu, Mo–Sa 10–16 Uhr, Führungen Mo–Fr 11, Sa 11, 13 Uhr).

Lesesaal der Library of Congress

LIBRARY OF CONGRESS –
DIE GRÖßTE BIBLIOTHEK DER WELT

Alles begann mit einem Etat von 5000 $, den der Kongress im Jahre 1800 – als sich die Regierung für den Umzug von Philadelphia nach Washington rüstete – zum Aufbau einer Bibliothek für die Abgeordneten bereitstellte. In einige Räume des Kapitols wurden Regale eingezogen, die sich bald mit Büchern füllten. Thomas Jefferson, der zunächst als US-Vizepräsident und 1801–1809 als Präsident Gründung und Aufbau der Bibliothek energisch vorantrieb, zählte die Möglichkeit, sich umfassendes Wissen anzueignen, zu den Grundlagen einer demokratischen Gesellschaft. Als die britische Flotte während des Krieges mit den jungen USA 1814 den Potomac River heraufsegelte und auch das Kapitol in Brand schoss, ging die Büchersammlung mit dem Gebäude in Flammen auf. Thomas Jefferson bot dem Kongress kurz darauf die eigene Privatbibliothek zum Kauf an: 6487 Bücher aus vielen Wissensgebieten und in mehreren Sprachen aus seinem Wohnsitz Monticello in Virginia. Aus diesem Grundstein für eine neue Kongressbibliothek wuchs die umfassendste Bücher- und Dokumentensammlung der Weltgeschichte.

In den mittlerweile drei Gebäuden der Library of Congress – dem 1897 fertig gestellten Thomas Jefferson Building, dem 1938 erbauten John Adams Building und dem 1980 eingeweihten James Madison Building – sowie im Filmarchiv von Dayton in Ohio lagern mehr als 113 Mio. Publikationen in 450 Sprachen und Dialekten. Die Regale mit knapp 19 Mio. Büchern, davon zwei Drittel nicht in englischer Sprache, erstrecken sich inzwischen über 850 km Länge. Hinzu kommen Bücher in Blindenschrift, Karten und Atlanten, Zeitungen und Zeitschriften, Notenblätter und Musikstücke, Filme, Tondokumente, Fotografien, Mikrofilme und CD-ROMs. Die Manuskriptsammlung umfasst persönliche Dokumente und Briefe von 23 US-Präsidenten von George Washington bis Calvin Coolidge, dazu von so unterschiedlichen Persönlichkeiten wie dem Dichter Walt Whitman, dem Komponisten George Gershwin oder dem Komiker Groucho Marx.

Da die Library of Congress auch als zentrale Copyright-Agentur in den USA fungiert, stehen ihr von allen Veröffentlichungen, für die Urheberrechte eingetragen werden sollen, Belegexemplare zu. An jedem Arbeitstag nimmt die Bibliothek etwa 7000 neue Titel in ihren Bestand auf. Auch wenn dies in ihrem gesetzlichen Auftrag nicht vorgegeben ist, erfüllt die Kongressbibliothek mit ihrem immensen Bestand, mit Beziehungen zu mehr als 2500 weiteren Bibliotheken in den USA und anderen Ländern sowie zu diversen staatlichen und privaten wissenschaftlichen und pädagogischen Institutionen, mit einem ausgefeilten Katalogisierungssystem, mit eigenen Veröffentlichungen und einem hochkarätigen Veranstaltungsprogramm die Rolle einer Nationalbibliothek.

Schon lange genießen die Kongressmitglieder nicht mehr allein das Privileg, die Bestände zu nutzen. Jeder Erwachsene, der einen gültigen Lichtbildausweis vorweisen kann, erhält in einer Viertelstunde eine Lesekarte, kostenlos und ohne bürokratische Komplikationen. Er hat dann auf die Dateien Zugriff, kann in einem der 21 Leseräume den größten Teil des archivierten Materials studieren. Besondere Kostbarkeiten, darunter die Sammlung von 5600 vor dem Jahr 1501 gedruckten Büchern, werden jedoch nur zu besonderen Gelegenheiten aus ihren keimfreien, klimatisierten Räumen befreit und der Öffentlichkeit gezeigt. Eine Gutenberg-Bibel gehört zu den ständigen Exponaten in der Great Hall, dem mit dekorativen Ornamenten und Glasfenstern geschmückten Ausstellungstrakt. Dort wird sie repräsentativer Querschnitt der Sammlung allen Besuchern des Gebäudes anschaulich präsentiert. Der zentrale, von einer Kuppel gekrönte Lesesaal im Thomas Jefferson Building ist von der Galerie auch während einer Tour durchs Gebäude einzusehen, allerdings hinter schallschluckendem Panzerglas.

Wer über einen Internetzugang verfügt, kann die Library of Congress auch virtuell besichtigen. Eine Digital Library umfasst darüber hinaus bereits mehr als 2 Mio. eingescannte Dokumente. Ihr Bestand soll auf 80 Mio. Veröffentlichungen anwachsen und so mit modernster Technologie dem aufklärerischen Anspruch des Bibliotheksgründers Thomas Jefferson gerecht werden, allen Interessierten, ob heute am heimischen Computer, über Schulen oder öffentliche Bibliotheken, umfassende Bildungsmöglichkeiten anzubieten.

Independence Ave/1st St. SE, Metro: Capitol South, Tel. 202-707-8000, Mo–Sa 10–17 Uhr, www.lcweb.loc.gov. Digitale Bibliothek: http://memory.loc.gov/ammem/amhome.html.

Millionen von Büchern und Dokumenten – für jeden frei verfügbar

Market Lunch Restaurant

Wer auf dem Eastern Market Appetit bekommen hat, kann dort zum Frühstück belgische Waffeln und ab 10 Uhr Pfannkuchen probieren. Später gibt es dann Maryland Crab Cakes, Austern sowie Fish & Chips (Tel. 657-8444).

Eastern Market 4: Wie sein Name verrät, liegt der schönste der wenigen in Washington verbliebenen Straßenmärkte im Osten. Er findet täglich seit 1873 in einer großen, aus Ziegeln erbauten Markthalle statt. Samstagvormittags öffnen zusätzlich viele Händler im Freien ihre teils überdachten Stände mit Gemüse, Obst und Blumen, frisch gefangenem Fisch, Fleisch und Wurst oder leckeren Backwaren. Ein Kunstmarkt wird am Sonntag ergänzt von einem Flohmarkt mit Antiquitäten und einem bunten Sammelsurium (225 7th St., SE, zwischen C St., SE, und North Carolina Ave.).

Supreme Court 5: Eine neoklassizistischer Säulenvorhalle und eine Freitreppe zieren den 1935 erbauten pompösen Marmorbau. Hier tritt der oberste Gerichtshof der USA zusammen, der zuvor im Kapitol untergebracht war.

Die neun Richter tagen von Oktober bis Juni. Von den 6500 jährlich eingereichten Fällen befasst sich der Supreme Court mit den etwa 100 wichtigsten und fungiert auch als letzte Berufungsinstanz. Die Richter werden vom US-Präsidenten auf Lebenszeit ernannt. Nur der Tod, ein freiwilliger Rücktritt oder ein erfolgreiches Amtsenthebungsverfahren des Kongresses kann eine neue Berufung begründen.

Besucher können den öffentlichen Sitzungen als Zuschauer beiwohnen, entweder für den ganzen Verhandlungsvormittag oder im Rahmen einer Stippvisite, d. h. für drei bis fünf Minuten. In den tagungsfreien Monaten erläutern Mitarbeiter auf einer kleinen Tour die Arbeitsweise. Im Souterrain informieren Wechselausstellungen zu juristischen und geschichtlichen Themen sowie ein kurzer Film über das Gebäude und die Arbeitsweise des Gerichts.

Eine ausgezeichnete **Cafeteria** serviert Stärkungen (Ecke Maryland Ave., NE/1st St., Tel. 479-3211, Mo–Fr 9–16.30 Uhr, Eintritt frei).

Sewall-Belmont House 6: Die im Jahr 1800 aus Backstein von Robert Sewall erbaute zweistöckige Stadtvilla gehört zu den ältesten Gebäuden auf dem Capitol Hill und steht unter Denkmalschutz. Seit 1929 residiert hier die Zentrale der ›National Woman's Party‹, die seit Beginn des 20. Jh. bis heute um die Gleichberechtigung der Frauen in der Gesellschaft streitet. Eine Ausstellung mit Dokumenten, Bildern und Büsten dokumentiert die Geschichte der Frauenbewegung und porträtiert das Leben von Susan B. Antony und Alice Paul. Sie schrieben den Artikel zur Gleichstellung der Frauen, der 1920 als Zusatz in die Verfassung der USA aufgenommen wurde. Eine Bibliothek gibt einen Überblick auch über die aktuelle Frauenbewegung (144 Constitution Ave.,

Union Station – nicht nur ein Bahnhof, auch ein Treffpunkt mit vielen Geschäften

NE, Tel. 546-1210, www.natwoman-party.org, Di–Fr 11–15, Sa 12–16 Uhr, Eintritt frei/Spende erbeten).

Union Station 7: Auch der in der großen Zeit der Eisenbahnen 1903–1907 im Beaux-Arts-Stil mit einer weißen Granitfassade erbaute Hauptbahnhof fügt sich in die Konzeption der Stadt als ein Rom der Neuzeit. Besucher schreiten durch ein Tor, das an den römischen Triumphbogen Kaiser Konstantins erinnert. Das prächtige Innere ist nach den Thermen des Diokletian gestaltet. Arkaden mit dorischen Säulen, übermannshohe Skulpturen, Bilder und Fresken, eine Kassettendecke und Marmorfußböden machen den Bau zu einem Tempel des Reisens. Ziel des Architekten Daniel Burnham war es, den grandiosesten Bahnhof des Landes zu erbauen.

Im Warteraum symbolisieren Statuen von 46 römischen Legionären die Zahl der US-Bundesstaaten zur Zeit seiner Einweihung. Die Schilder der Soldaten wurden erst später hinzugefügt, aus Sorge, die dürftig bekleideten Marmorfiguren könnten zu den Zügen eilende Damen unsittlich erregen. Der prächtige Bau sah diverse Staatsbesuche, darunter den äthiopischen Kaiser Haile Selassie oder König Georg VI. von Großbritannien.

Mit dem Niedergang der Eisenbahn als Transportmittel ging auch der Verfall des Hauptstadtbahnhofes einher. 1981 wurden die Eingangstore endgültig geschlossen, Passagiere mussten auf Plankenwegen zu den Bahnsteigen gelangen. Im Zuge der Bemühungen, die Innenstadt attraktiver zu gestalten, wurde das einstige Prunkstück für mehr als 150 Mio. $ restauriert. Seit 1988 kommen über 70 000 Besucher täglich durch die von einem hohen Tonnengewölbe überspannte, etwa 40 m lange Haupthalle. Nicht alle sind auf dem Weg zu den Zügen; die Luxussanierung sowie etwa 130 Geschäfte und mehrere originelle Restaurants, Bankfilialen, dazu ein Kinozentrum in den Katakomben haben die Union Station zu einem Treffpunkt und somit zu einer viel besuchten Attraktion von Transport und Kommerz gemacht (50 Massachusetts Ave., NE, Tel. 372-9441, www.unionstation.de).

National Postal Museum 8 : In der fünf Stockwerke hohen Atriumgalerie des 1914 erbauten City Post Office Building schweben Doppeldecker, ehemalige Postflugzeuge. Das Postmuseum im Parterre gehört ebenfalls zur Sammlung der Smithsonian Institution. Es dokumentiert die Entwicklung des Postsystems von den Anfängen bis heute. Philatelisten sind begeistert von der Briefmarkensammlung mit mehr als 11 Mio. Postwertzeichen, darunter einer Komplettausgabe aller seit 1847 je herausgegebenen US-Briefmarken. Ein mit Postsäcken gefüllter Bahnpostwaggon, Postkutschen, eine Kollektion internationaler Briefkästen, darunter auch ein gelber aus Darmstadt, gehören zu den ausgestellten Objekten. Die gefahrvolle Geschichte der Luftpost kann jeder nachvollziehen, der am Flugsimulator selbst ein Postflugzeug durch den Nebel navigiert.

Postboten aller Länder sollten unbedingt die Räume des alten Postamtes betreten. Ihr Herz wird höher schlagen bei den in Marmor geschlagenen Lobeshymnen über dem Eingang, die den idealen Postzusteller in den Himmel heben (2 Massachusetts Ave., NE, Tel. 357-2991, www.si.edu/postal, 10–17.30 Uhr, Führungen Mo 13, Di–So 11, 13 Uhr, Eintritt frei).

Capital Children Museum 9 : Etwas versteckt hinter dem Bahnhof präsentiert sich das private Kindermuseum mit vielen Spiel- und Experimentiermöglichkeiten für Zwei- bis etwa Zwölfjährige zu Kunst und Kultur, zu Naturwissenschaften und Technik. Ein Skulpturengarten mit Phantasiefiguren von Menschen und Tieren aus Kachel- und Glasscherben, Steinen und zerbrochenem Kunsthandwerk des indianischen Künstlers Nek Chand flankiert den Museumszugang. Die Ausstellung in der International Hall im ersten Stock widmet sich vor allem der Kultur des südlichen Nachbarlandes Mexiko und lässt genügend Raum für Verkleidungen mit folkloristischen Kostümen oder dem gemeinsamen Zubereiten von Tortillas (800 3rd St., NE, Tel. 543-8600, 10–17 Uhr, Eintritt).

Vorwahl: 202

Hotel George 10 : 15 E St., NW, Tel. 347-4200, Fax 347-4213, www.hotelgeorge.com. Modernes Hotel, prominente Gäste, das angeschlossene Restaurant Bis ist ähnlich hip wie das Hotel und stets gut besucht, DZ 260–350 $.
Washington Court Hotel 11 : 525 New Jersey Ave., NW, Tel. 628-2100, Fax 879-7918. Gut geschnittene Zimmer, viele mit Blick aufs Kapitol, Dataport für den Laptop, TV im Marmorbad, Fitness-Studio mit Sauna, DZ 139–300 $.

Holiday Inn on the Hill 12: 415 New Jersey Ave., NW, Tel. 638-1616, Fax 638-0707, www.holiday-inn.com/hotels/wash. Mittelklassehotel mit kleinem Pool, Ermäßigungen und Programmangebot für Familien mit Kindern, DZ 145–210 $.

Phoenix Park Hotel 13: 520 N. Capitol St., NW, Tel. 737-9558, Fax 638-4025, www.phoenixparkhotel.com. Herberge im Stil eines irischen Landhauses, aber mit moderner Kommunikationstechnik in gemütlichen Zimmern, feuchtfröhlicher Dubliner Pub, DZ 110–290 $.

Capitol Hill Suites 14: 200 C St., SE, Tel. 543-6000, Fax 547-2608. Ordentliche Räume, alle mit Küchenzeile, DZ inkl. einfaches Frühstück 100–230 $.

Capitol Hill Guest House 15: 101 5th St., NE, Tel. 547-1050, Fax 547-2768, www.guosthse.com/caphill. Saubere Zimmer in einem Stadthaus des 19. Jh., munteres Wohnviertel zwischen Kapitol und Eastern Market, DZ 69–159 $.

🍴 **Bis** 10: im Hotel George, 15 E St., NW, Tel. 661-2799, 7–10, 11.30–14.30, 17.30–22.30 Uhr. Sehr guter Fisch, vor allem auf der Tageskarte, leckere Salate, interessante Weinkarte, Küche mit französischem Einschlag, teuer.

The Monocle 16: 107 D St., NE, Tel. 546-4488, Mo–Fr 11.30–24 Uhr. Wenn der Kongress tagt, kommen mittags Abgeordnete zum Essen, doch auch viele ›normale‹ Besucher genießen die sorgfältig zubereiteten Fisch- und Steakgerichte.

America 7: in der Union Station, 50 Massachusetts Ave., NE, Tel. 682-9555, So–Do 11.30–24, Fr–Sa 11.30–1 Uhr. Weitläufiges Imbiss-, Snack- und normales Restaurant in der Union Station mit Gerichten aus allen US-Bundesstaaten.

Café Berlin 17: 322 Massachusetts Ave., NE, Tel. 543-7656, Mo–Do 11–22, Fr–Sa 11–23, So 16–22 Uhr. Sehr preisgünstige Mittagsgerichte, abends etwas teurer,

Rahmschnitzel u. a. kulinarische Erinnerungen an die Heimat, Tortenbuffet.

🔒 **Made in America:** Union Station, 50 Massachusetts Ave, NE. Kopien von Gästehandtüchern aus dem Weißen Haus, Polizeikappen u. ä.

Eastern Market: 225 7th St., SE. Markttreiben wie auf einem Basar, breites Angebot an frischen Waren u. a., teilweise überdacht, Sa/So 10–17 Uhr.

🍸 **Capitol Lounge:** 231 Pennsylvania Ave, NW. Hier wird Zigarre geraucht und Martini geschlürft, an der Bar ein gutes Dutzend Biere, Marken und Microbrews, frisch gezapft, dazu ein Barmenu für den kleinen Hunger.

🎭 **AMC Union Station:** 50 Massachusetts Ave., NE, Tel. 842-3757. Verzweigtes Multiplex-Kino unter dem Hauptbahnhof, aktuelle Hollywood-Filme.

Allgemeine Informationen zu ganz Washington D.C.

ℹ **Washington D.C. Convention & Visitors Association:** 1212 New York Ave., NW, Suite 600, Tel. 789-7000, Mo–Fr 9–17 Uhr.

D.C. Chamber of Commerce Visitor Information Center: International Trade Center, 1300 Pennsylvania Ave./Wilson Plaza, NW, Tel. 328-4748, Mo–Sa 8–18, So 12–17 Uhr.

American Automobil Association AAA: 701 15th St., NW, Tel. 331-3000, Mo–Fr 9–18 Uhr. Schräg gegenüber vom Weißen Haus, kostenloser Informationsservice für ADAC-Mitglieder.

National Park Service: 1100 Ohio Dr., SW, Tel. 619-7222. Kümmert sich um National Parks und Monuments in der Capital Region.

Januar: Chinesisches Neujahrsfest mit Drachenparade, Feuerwerk, Chinatown, Ende Jan./Anf. Feb.

Februar: Militärisches Zeremoniell zu Lincolns Geburtstag, Lincoln Memorial.

März: Kirschblütenfest, mit Paraden und Partys, rund ums Tidal Basin.

Smithsonian Kite Festival, Hunderte von Drachen steigen rund ums Washington Monument in die Luft.

St. Patrick's Day Parade, Fest der irischstämmigen Bewohner, Parade und Musik.

April: Filmfest D.C., Festival des Internationalen und amerikanischen Films.

Taste of the Nation, Wohltätigkeitsessen mit Leistungsschau der besten Restaurants, Union Station, hoher Eintritt, Reservierung, Tel. 1-800-955-8278.

Juni: Silent Drill Parades des US Marine Corps, Iwo Jima Memorial, Arlington, im Sommer jeweils am Di abend.

Juli: National Independence Day Celebration, Riesenfest zum Unabhängigkeitstag am 4. Juli, mit Paraden, Feuerwerk, Musik und Tanz.

September: Adams Morgan Day, Multikulti-Festival mit viel Musik und Gerichten aus aller Welt.

Kennedy Center Open House Arts Festival, Veranstaltungen, Touren hinter den Kulissen, Workshops, Kinderprogramm, mit weltbekannten Künstlern.

Oktober: Taste of D.C.-Festival, Freedom Plaza, Pennsylvania Ave., Top-Restaurants der Stadt kochen und präsentieren ihre Delikatessen gegen geringes Entgelt.

Thompson's Boat Center: 2900 Virginia Ave., hinter dem Watergate Komplex, Tel. 333-4861. Kajak-, Kanuverleih, auch Mietfahrräder.

Rock Creek Park Golf Course: Klubhaus Ecke Rittenhouse St./16th St., Tel. 882-7332. Öffentlicher 18-Loch-Platz.

Rock Creek Park Horse Center: Ecke Military Rd./5100 Glover Rd., NW, Tel.

362-0117. Einstündige Ausritte durch die Parklandschaft.

Aquatic Program: D.C. Department of Recreation, Tel. 576-6436. Gibt Infos über die 44 öffentlichen Schwimmbäder.

Tennis Courts: D.C. Department of Recreation, Tel. 673-7660. Infos zu 60 öffentlichen Tennisanlagen.

Fitness Company West End: c/o Monarch Hotel, 2401 M St., NW, Tel. 457-5070. Ermöglicht Gästen aller Hotels in Washington, ihre ausgefeilten Fitnessanlagen gegen Gebühr zu nutzen.

Touren:

DC Ducks: Tel. 832-9800. Stadtrundfahrt (30 Min.) auf dem Potomac River und über Land mit Amphibienfahrzeugen.

Gray Line Tours: Tel. 289-1995. Diverse Touren durch die Stadt und in die Umgebung, meist ab der Union Station.

Old Town Trolley Tours: Tel. 832-9800. Nostalgische Trolley-Busse zu Sehenswürdigkeiten und bis nach Georgetown.

Tourmobile Bus: Tel. 554-7950. Hält an 25 Sehenswürdigkeiten, an denen man aussteigen und mit einem späteren Bus die Fahrt fortsetzen kann.

Bike the Sites: Tel. 966-8662. Hat mehrere Fahrradtouren ausgearbeitet, stellt gute Räder, Helm, Snack, Wasserflasche.

Scandal Tours: Tel. 783-7212. Startet Sa 13 Uhr vor dem Old Post Office Pavillion, Ecke 12th St./Pennsylvania Ave. zu einer 90-Min.-Tour zu Schauplätzen von Skandalen und schaurigen Ereignissen.

SpyDrives: Tel. 866-779-3743. Ehemalige Mitarbeiter von CIA und KGB führen zu berühmten Schauplätzen von Spionageereignissen.

Liberty Tours: Tel. 484-8484. Heliport in der South Capitol St. Helikopterrundflug über dem Stadtzentrum (15 Min.).

Flughäfen: Washington ist von drei Flughäfen umgeben: dem Dulles International Airport (IAD), 40 km südwestl., in Virginia nahe Vienna, dem Ronald Reagan Washington National Airport (DCA), knapp südl. der Stadtgrenze nahe dem Potomac River (für beide: Tel. 703-419-8000, www.mwaa.com) sowie dem Baltimore-Washington International Airport (BWI, Tel. 859-7111, www.bwiairport.com), etwa 48 km und 45 Automin. nördl. von Washington.

Dulles Airport: meist internat. Flüge (Service-Tel. für internat. Gäste 703/572-2537). Minibusse bringen Passagiere mit Voucher zu den Übergabestationen. Fahrt von dort ins Zentrum ca. 45 Min. Blaue SuperShuttle Busse von Washington Flyer steuern diverse Downtown-Hotels an (22 $ für die erste Person, 10 $ für jede weitere pro Strecke). Taxi ca. 45–50 $. Pendelbus alle 30 Min. zwischen Flughafen und Metro-Station West Falls Church mit Anschluss ins Zentrum, Bus 8 $, Metro 1,60–2,20 $, ca. 1 St. Fahrt.

Reagan National Airport: nur nationale Flüge. Mietwagenverleiher meist im Parkhaus A, zu dem ein kostenloser Airport-Shuttlebus führt. Metro (gelbe und blaue Linie) ins Zentrum (20 Min., 1,10–1,40 $). Taxi ca. 20 Min., 10 $. SuperShuttle Bus ca. 10 $ zu diversen Hotels in Washington D.C.

Baltimore Airport: internat. Flüge auch aus Europa und nationale Flüge. Taxifahrt ohne Stau ca. 45 Min., ca. 55 $. Super Shuttle Busse nach Washington zwischen 24–26 $ für die erste Person.

Metro: Einfaches, sicheres System über 75 Station auf etwa 160 km. Deutschsprachige Broschüre erläutert den Plan und nennt die nächsten Stationen für viele Sehenswürdigkeiten. Verkaufsautomaten, die auch Wechselgeld herausgeben, nennen den Fahrpreis (ab 1,10 $), an Fahrkartenschaltern kann man Railpässe erwerben (z. B. 1 Tag für 5 $).

Bus: System mit knapp 1500 Stationen auf etwa 2500 km, ist komplizierter als die Metro. Infos über Bus und Metro: Washington Metropolitan Area Transit Authority, 600 5th St., NW, Tel. 637-7000, www.wmata.com.

Taxi: Preise richten sich nach Zonen (innerhalb derselben Zone 4 $, jede weitere Zone plus 1,50 $). Zonen, aktuelle Tarife und Zuschläge sind im Taxi angeschlagen. Telefonische Bestellung: Capitol Cab, Tel. 546-2400, Yellow Cab, Tel. 544-1212.

Leihwagen: Alle größeren Vermieter sind in Washington sowie an den Flughäfen vertreten, in der Stadt z. B. Avis, 1722 M St., NW, Tel. 467-6585. Hertz, 901 11th St., NW, Tel. 628-6174. Budget, Union Station, Tel. 842-7454. Thrifty, Ecke 12th St./K St., NW, Tel. 783-0400.

Fahrrad: Big Wheel Bikes, 1034 33rd St., NW, Tel. 337-0254, und nahe dem Capitol Hill, 315 7th St., SE, Tel. 543-1600. Vermietet Fahrräder beim C & O Canal in Georgetown.

 Notruf: Tel. 911 für Polizei, Feuerwehr und Ambulanz.

Bank: Geldwechsel ist an folgenden Banken möglich: Crestar Bank, 1445 New York Ave., NW, Tel. 879-6000. Riggs Bank, 800 17th St., NW, Tel. 887-6000. American Express, 1150 Connecticut Ave., NW, Tel. 457-1300. Thomas Cook, in der Union Station, gegenüber vom Gate G, 50 Massachusetts Ave. NW, Tel. 371-9219.

Post: Main Post Office, 900 Brentwood Rd., (östlich der Florida Ave., zwischen New York Ave. und Rhode Island Ave.), NE, Washington D.C., 20066-9998, Tel. 636-1532, Mo–Fr 8–20, Sa 8–18, So 8–12 Uhr. Wer hierher postlagernd Sendungen schicken will, muss dem Namen des Adressaten c/o General Delivery hinzufügen. Postamt im National Postal Museum, 2 Massachusetts Ave., NE, Tel. 523-2628, Mo–Fr 7–24, Sa–So 7–20 Uhr.

DIE NATIONAL MALL – SCHAUKASTEN DER NATION

Eine weltweit einzigartige Sammlung von Museen reiht sich beiderseits der Mall aneinander. Viele von ihnen, wie das National Air & Space Museum oder einige berühmte Kunstmuseen, verlangen keinen Eintritt. Sie gehören zur Smithsonian Institution, einer Stiftung zur Mehrung des allgemeinen Wissens.

Wer in den USA einen Einheimischen nach dem Weg zur Mall fragt, wird in der Regel an den Stadtrand verwiesen, zu den großen, überdachten Einkaufszentren mit Dutzenden von Geschäften, Kinos und Kaufhäusern. In Washington D.C. ist das anders. Hier scheint der Ursprung des Namens der Londoner Mall, einer Allee nördlich des St. James Park, besser zu passen. Auf deren Rasenfläche pflegte man einst das Ballspiel *pail-mail*, eine Mischung von Crocket und Golf. Und Ball wird auch auf den Grünanlagen der Mall in der US-Hauptstadt gespielt; Ausflügler, Passanten oder Eltern mit ihren Kindern gehen spazieren oder liegen einfach im Gras.

Geschichte

Bereits im Stadtentwurf von Pierre-Charles l'Enfant war die ›Grand Avenue‹ als 122 m breite und 1,6 km lange West-Ost-Achse vorgesehen, die sich mit einer breiten Passage in Nord-Süd-Richtung zwischen dem Präsidentenwohnsitz und dem Potomac River kreuzen sollte. Die Mall war als erste Adresse der Stadt gedacht, mit einem künstlichen Wasserfall am Kapitol, prächtigen Wohnsitzen und den Botschaften fremder Staaten. Doch mit den sumpfigen Wiesen auf dem zugeschütteten Bachbett des Goose Creek war fast 100 Jahre kein Staat zu machen. Gänse und Schweine nutzten die morastigen Flächen zum Auslauf. Erst in den 70er Jahren des 19. Jh. schütteten Bauarbeiter den übel riechenden City Canal zu. Er folgte weitgehend dem alten Flussbett und wurde von den Bewohnern der Stadt auch als Kloake genutzt. Nun wurde darauf die B Street angelegt, die heutige Constitution Avenue. Zu Beginn des 20. Jh. rückten dann Landschaftsarchitekten an, legten das Gelände trocken, pflanzten Büsche und Bäume und säten Rasen.

Entlang der Mall konzentriert sich mit der National Gallery of Art sowie den Museen der Smithsonian Institution eine weltweit einzigartige Fülle von Ausstellungen und Kunstsammlungen. Außerdem liegen an der Ecke 14th St./Independence Ave. das US Holocaust Memorial Museum und südlich davon das Bureau of Engraving and Printing.

Die Mall ist ein Schaufenster von Kultur und Wissenschaft, ein Ort von Spiel und Entspannung und zugleich als Ziel zahlreicher Sternmärsche und Großkundgebungen sowie einer gut gelaunten Menge zum Nationalfeiertag am 4. Juli ein politischer Versammlungsort.

Besichtigung

National Gallery of Art [1]: Die Sammlung des Stahlbarons und US-Finanzministers der 20er Jahre, Andrew W. Mellon, bildet den Kern der amerikanischen Nationalgalerie für bildende Künste. Im Jahre 1941 weihte Präsident Roosevelt den 260 m langen, von John Russel Pope entworfenen neo-klassizistischen Marmorpalast ein, das heutige **West Building.** Mehr als 9000 m² Ausstellungsfläche auf zwei Stockwerken präsentieren jeweils etwa 1000 Bilder und Skulpturen aus dem gewaltigen Kunstdepot mit Werken vom 12.–19. Jh., darunter Meisterwerke aus Europa von Leonardo da Vinci, El Greco, Velasquez, Raffael, Dürer, Cranach, Rubens, Tizian, van Dyck, Bosch, Vermeer und Rembrandt. Eine der besten Kollektionen französischer Arbeiten aus dem 19. Jh. außerhalb Frankreichs zeigt impressionistische Bilder und Zeichnungen von Monet, Renoir, Manet, Cassat, van Gogh u. a. Die nordamerikanische Kunst vor allem des 19. Jh. ist mit Rembrandt Peale, John Singer Sargent oder John Singleton Copley vertreten.

Das moderne **East Building,** ein vom Stararchitekten Ieoh Ming Pei ge-

National Gallery of Art, Mobile von Alexander Calder im East Wing

schaffenes trapezförmiges Gebäude aus zwei dreieckigen Teilen und wie das West Building aus rot-weißem Tennessee-Marmor, wurde 1978 eröffnet. In den hohen, lichten Räumen ist die Kunst des 20. Jh. zu bewundern: ein Riesenmobile von Alexander Calder, die Figurengruppe ›Die Tänzer‹ von George Segal, ›Die Familie von Saltimbanque‹ von Pablo Picasso, Werke von Miró, Pollock, Matisse u. a. Im Auditorium werden Filmklassiker gezeigt, meist in thematischem Bezug zur aktuellen Ausstellung.

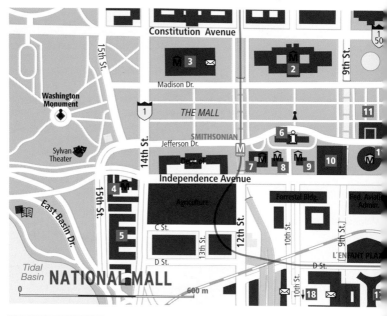

Sehenswürdigkeiten

1 National Gallery of Art/ Terrace und Garden Café
2 National Museum of Natural History/Atrium Café
3 National Museum of American History/Palm Court
4 US Holocaust Memorial Museum
5 Bureau of Engraving and Printing
6 Smithsonian Castle/ The Commons Room
7 Freer Gallery of Art
8 Arthur M. Sackler Gallery
9 National Museum of African Art
10 Arts and Industries Building

Mit dem 1999 vis-a-vis vom West-
gebäude an der Constitution Avenue
eröffneten **Skulpturengarten** ist ein
lang erwarteter dritter Ausstellungsteil
hinzugekommen. Die nach dem Zweiten Weltkrieg entstandenen Plastiken
sind dekorativ zwischen Laubbäumen

platziert, beispielsweise Roy Lichten-
steins ›House I.‹ oder Claes Olden-
burgs und Coosie van Bruggens riesiger ›Typewriter Eraser, Scale X‹ (Ecke
4th/Constitution Ave., NW, Tel. 737-
4215, www.nga.gov, Mo–Sa 10–17, So
11–18 Uhr, Eintritt frei).

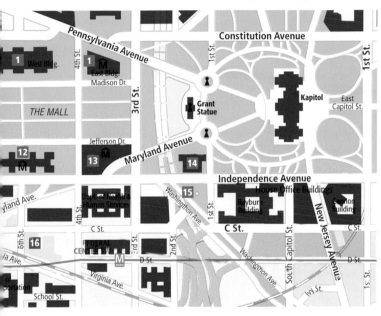

11   Hirshhorn Museum and
      Sculpture Garden
12   National Air and Space
      Museum/
      Flight Line Cafeteria
13   National Museum of the
      American Indian
14   US Botanic Garden
15   Bartholdi Fountain

Hotels
16   Holiday Inn Capitol
17   Channel Inn

Essen und Trinken
18   Maine Avenue Wharf
      (weitere Adressen s.
      Sehenswürdigkeiten)

Museumscafés

Wer nicht nur Kunstliebhaber, sondern ebenso Freund kulinarischer Delikatessen ist, hat in der Nationalgalerie die Qual der Wahl zwischen dem vorzüglichen **Terrace Café** und dem nicht minder netten **Garden Café**.

National Museum of Natural History 2 : Aus der Sammlung von knapp 120 Mio. Exponaten des 1911 eröffneten Naturhistorischen Museums ist nur ein winziger Ausschnitt gleichzeitig zu sehen. Ein ausgestopfter afrikanischer Elefant, den Rüssel wie zum Trompetenstoß erhoben, begrüßt die Besucher in der Rotunde und weist den Weg zu den verschiedenen Abteilungen des Erdgeschosses: zu Säugetieren und dem Ökosystem des Meeres, zu Fossilien und Dinosauriern, Tieren der Eiszeit und frühen menschlichen Kulturen des afrikanischen, pazifischen und amerikanischen Raumes.

Der legendäre, blau funkelnde Hope Diamant, ein Edelstein von 45,5 Karat, gilt als der unbestrittene Star der umfangreichen Mineraliensammlung im Obergeschoss. Im Insektenzoo krabbeln und werken tausende Termiten, Spinnen, Tausendfüßler und andere Insekten in scheinbarer Unordnung, aber offensichtlich nach geheimen Bauplänen an komplizierten Bauten, Tunneln und Netzen. Die Besucher lernen, dass Insekten seit 475 Mio. Jahren das Leben auf der Erde dominieren. In einem Imax-Theater mit Riesenleinwand werden Naturdokumentationen in atemberaubender 3D-Technik präsentiert.

National Museum of Natural History, Afrikanischer Elefant in der Eingangshalle

Im ausgezeichneten, großzügig angelegten Atrium Café kann man bei leckeren Snacks und Getränken eine Pause einlegen, Freitag abends im Commer auch mit Livejazz (Ecke 10th/Constitution Ave., NW, Tel. 357 2700, www.mnh.si.edu, 10–17.30 Uhr, Eintritt frei).

National Museum of American History 3: Immer zur halben Stunde senkt sich ein Vorhang in der Eingangshalle des Museums zur amerikanischen Geschichte und gibt für zwei Minuten den Blick frei auf eine riesige Fahne mit 15 Sternen und 15 Streifen. Genau diese wehte während des Bombardements der britischen Flotte von Fort McHenry 1814 bei Baltimore im Pulverdampf und inspirierte den Rechtsanwalt und amerikanischen Unterhändler Francis Scott Key zu den Versen der späteren Nationalhymne ›Star-Spangled Banner‹.

Das Museum zeigt mit Einrichtungsbeispielen, Möbeln, Werkzeugen und Musikinstrumenten, wie amerikanische Familien seit dem erfolgreichen Unabhängigkeitskrieg gegen England lebten. Es dokumentiert die Entwicklung der Produktivkräfte in Landwirtschaft und Industrie und erlaubt einen genaueren Blick auf einzelne Aspekte der amerikanischen Geschichte, wie dem bitteren Schicksal japanisch-stämmiger Amerikaner während des Zweiten Weltkrieges.

Auch die amerikanischen First Ladies finden modische Beachtung; ihren Gewändern ist ein eigener Saal in der ersten Etage gewidmet. Die Darstellung der 10 000-jährigen Geschichte der amerikanischen Ureinwohner scheint für die amerikanische Geschichte dagegen eine unerhebliche Rolle zu spielen. Sie werden hier kaum erwähnt. Diesem Manko soll ab 2004 ein separates National Museum of the American Indian begegnen.

Im Untergeschoss gibt es eine Museumscafeteria, der Palm Court im 1. Stock bietet Eis und Erfrischungen (Ecke 14th St./Constitution Ave., NW, Tel. 357-2700, http://americanhistory. si.edu, 10–17.30 Uhr, Führungen Di–Sa 10.15, 13 Uhr, Eintritt frei).

US Holocaust Memorial Museum 4: Wer das Gebäude des Holocaust Museums betritt, ist in der Hall of Witness sogleich von einer gefängnisähnlichen Atmosphäre gefangen mit frei liegenden Eisenträgern, von Metallrahmen eingefassten Glastüren, Fensteröffnungen in den unverputzten, aus Ziegeln errichteten Wänden, bedrohlich wirkenden Lüftungsschächten. Besucher erhalten die Identifikationskarte eines Häftlings, dessen Schicksal sie durch die bedrückende Ausstellung begleitet. Nüchterne Informationen und Dokumentationen über die Vernichtung von 6 Mio. Juden und nahezu 5 Mio. anderer Opfer des deutschen Nationalsozialisten kontrastieren mit Bergen von Schuhen und Brillen vergaster KZ-Insassen. Die schrittweise systematische Unterdrückung wird in dem Abschnitt ›Nazi Assault – 1933-1939‹, der Weg in die Vernichtung in der Dokumentation ›Final Solution – 1940-1944‹ auf erschreckende Weise deutlich. Dem Widerstand, der Befreiung und den Konsequenzen aus dem staatlichen Terror ist der Ausstellungsteil ›Aftermath – 1945 to the Present‹ gewidmet. Nicht wenige Besucher benö-

Wochenende an der Mall

tigen einige Minuten in der schlichten Hall of Rememberance, einem Raum zur Besinnung, um nach den ungeheuerlichen Eindrücken ihre Fassung wiederzufinden (100 Raoul Wallenberg Plaza, SW, Tel. 488-0400, www.ushmm.org, 10–17.30, April–Anfang Sept. Do 10–20 Uhr, Eintritt frei, aber nur mit Ticket).

Bureau of Engraving and Printing : Für die einen ist der Besuch in der Bundesdruckerei eine ganz normale Betriebsbesichtigung, fast schon etwas langweilig. Anderen der in Spitzenzeiten täglich 5000 Besucher kribbelt es in den Fingern, wenn auch nur durch Panzerglas zuzusehen, wie Bogen auf Bogen Dollarscheine gedruckt, geschnitten und verpackt werden. Neben den *green bucks* laufen hier auch die Briefmarken des US-Postal Service durch die Druckmaschinen. Der jährliche Ausstoß beläuft sich auf Banknoten im Wert von 100 Mrd. $, die überwiegend unansehnlich gewordene

The Commons Room

Das Restaurant bietet sich für eine kräftigende Mittagspause bei einem Bummel durch verschiedene Museen der Mall geradezu an. Wer das opulente Buffet im Westflügel des Smithsonian Castle genießen will, sollte sich etwas Zeit nehmen und vorher Plätze reservieren (Tel. 357-2957, Mo–Sa 11–14 Uhr, So Brunch bis 15 Uhr).

Geldscheine ersetzen. Dazu kommen noch Briefmarken im Wert von 30 Mrd. $. Ein Kurzfilm informiert über die Geschichte von Banknoten sowie über die speziellen Druckverfahren, die Fälschungen unmöglich machen sollen (Ecke 14th St./C St., SW, Tel. 874-3019, www.bep.treas.gov, derzeit keine Führungen und Besichtigungen möglich).

Smithsonian Castle 6: In dem burgartigen, von Zinnen und Türmchen gekrönten Gebäude aus rotem Sandstein von 1855 können sich Besucher über

die verschiedenen Museen der Smithsonian Institution (s. S. 80) und über den Charakter der Stiftung mittels interaktiver Bildschirme, durch Prospektmaterial oder auch einen 20-minütigen Film informieren, der permanent gezeigt wird. Zwei große elektronische Stadtkarten markieren darüber hinaus etwa 100 Sehenswürdigkeiten der Hauptstadtregion (1000 Jefferson Dr., SW, Tel. 357-2700, www.si.edu, 10–17.30 Uhr, Eintritt frei).

Freer Gallery of Art 7: Charles L. Freer (1854–1919) hatte mit 45 Jahren bereits soviel Geld mit dem Bau von Eisenbahnwaggons verdient, dass er sich aus dem Berufsleben zurückziehen und ganz auf seine Hobbys, Reisen sowie das Sammeln asiatischer Kunst, konzentrieren konnte. Schon frühzeitig kündigte Freer an, der Smithsonian Institution große Teile seiner auf 9000 Stücke angewachsenen, vor allem aus Japan, Indien und China stammenden exquisiten Sammlung zu vermachen und dazu noch den Bau für dieses Nationalmuseum asiatischer Kunst an der Mall zu finanzieren.

79

DIE SMITHSONIAN INSTITUTION – STIFTUNG FÜR KULTUR UND WISSENSCHAFT

Der bei der Testamentseröffnung 1829 verlesene letzte Wille von James Lewis Smithson aus England war eindeutig. Sollte sein Neffe Henry James Hungerford ohne direkte Nachkommen und ebenfalls unverheiratet sterben, würde sein gesamtes Vermögen im Wert von etwas mehr als 500 000 $, damals eine gewaltige Summe, an die USA vermacht werden, um damit »in Washington unter dem Namen Smithsonian Institution eine Einrichtung für den Fortschritt und die Verbreitung des Wissens zu begründen«. Bereits 1836, sieben Jahre nach Smithson, schied auch sein Neffe dahin – ohne Erben. Präsident Andrew Jackson schickte einen Emissär nach London, der bald darauf mit Kisten voll von Goldsovereigns in die Staaten zurückkehrte. Doch schon vor dessen Ankunft hatten die Politiker der Versuchung nicht widerstehen können und das Geld in Anleihen verschiedener Bundesstaaten angelegt. John Quincy Adams, Kongressabgeordneter und vormaliger Präsident, machte sich zum Anwalt von Smithsons Anliegen. Doch erst 10 Jahre, nachdem das Geld die USA erreicht hatte, verabschiedete der Kongress ein Gesetz, dass die Stiftung begründete und noch immer den Rahmen ihrer Arbeit vorgibt.

Die Gründe für das ungewöhnliche Testament von John Smithson liegen im Dunkeln. Einige vermuten, er habe damit seine Ablehnung der Klassengesellschaft in England ausdrücken wollen. Smithson wurde als illegitimer Sohn von Hugh Smithson Percy, dem Herzog von Northumberland, und Elisabeth Keate Macie 1765 in Paris geboren. Er war zwar Bürger Britanniens, aber nur mit eingeschränkten Wahl- und anderen Bürgerrechten und ohne formale Anerkennung seiner adligen Abkunft. Der in Oxford ausgebildete Mineraloge und Chemiker wurde schon mit 22 Jahren in die Royal Society of London aufgenommen, in deren Publikationen er wissenschaftliche Artikel veröffentlichte. Das Mineral Smithsonite, ein Zinkkarbonat, wurde nach ihm benannt.

Die kleine respektable Stiftung in Washington befasste sich in ihren ersten Jahren vorwiegend mit der Mehrung wissenschaftlicher Erkenntnisse und deren praktischer Umsetzung. Daraus ist eine Einrichtung geworden, die auf vielen geistes- und naturwissenschaftlichen Gebieten die Forschung unterstützt und mit einer beispiellosen Fülle erstklassiger Museen, die Besuchern zudem kostenfreien Eintritt gewähren, den Willen ihres Stifters erfüllt. Von den 140 Mio. Ausstellungsobjekten können gleichzeitig nicht mehr als ein Prozent gezeigt werden. Sie reichen von den ältesten auf der Welt gefundenen Fossilien bis zu Meisterstücken der modernen Kunst, vom 45,5 Karat schweren Hope-Diamanten bis zum Originalkompass, den die Entdecker Lewis und Clark 1804 während ihrer Expedition in den amerikanischen Nordwesten benutzten.

Der amerikanische Kongress trägt das Budget der Smithsonian Institution zu 80 Prozent. Dazu machen private Spenden und Sponsoren, die Erträge aus dem angelegten Stiftungsgeld, außerdem der Verkauf in den Museumsshops sowie die unentgeltliche Arbeit vieler tausend Freiwilliger die Arbeit der Stiftung möglich. Von den 17 Museen stehen zwei in New York, die übrigen, darunter der Nationale Zoologische Garten, sind in Washington beheimatet, Hinzu kommen neun Forschungseinrichtungen, die von einem Tropical Research Institute in Panama bis zum Astrophysical Observatory in Cambridge, Massachusetts, reichen.

Einem Aufsichtsgremium, dem Board of Regents, gehören der Vizepräsident der USA an, der Vorsitzende des Obersten Gerichtshofs, drei Senatoren, drei Kongressabgeordnete und sechs Privatpersonen. Es ernennt u. a. den Sekretär der Stiftung, der als Direktor ihre gesamten Aktivitäten koordiniert. Die Verwaltung mit dem Büro des Sekretärs ist neben einem exzellenten Informationszentrum für Besucher im 1855 fertig gestellten roten Backsteingebäude ›The Castle‹ an der Mall untergebracht. Hier ruhen seit 1904 auch die Überreste des Stiftungsbegründers, der als Lebender nie Nordamerika besucht hatte und 75 Jahre nach seinem Tod in einem Sarkophag von Genua nach Washington überführt wurde.

›The Castle‹ – das historistische Hauptgebäude der Smithsonian Institution

Die Kollektion chinesischer Kunstwerke reicht bis 3500 v. Chr. zurück. Aus Japan stammen Kalligraphien und Tuschebilder aus dem 15. Jh., aus Indien Malerei vom Hof indischer Fürsten sowie kunstvoll gemalte frühislamische Schriften. Aus der Freundschaft von Freer mit dem amerikanischen Maler James McNeill Whistler (1834–1903), der sich in einer Periode seines Schaffens von der japanischen Kultur inspirieren ließ, ist eine kleine, feine Sammlung amerikanischer Maler mit Bildern von Whistler, John Singer Sargent, Dwight William Tryon u. a. entstanden (Ecke Jefferson Dr./12th St., SW, Tel. 357-3200, www.asia.si.edu, 10–17.30 Uhr, Führungen Do–Di 11.30 Uhr, Eintritt frei).

Arthur M. Sackler Gallery ⑧: Ein unterirdischer Gang mit dem Veranstaltungssaal des Meyer Auditoriums verbindet die Sammlung asiatischer Kunst in der Sackler Gallery mit der auch inhaltlich benachbarten Freer Gallery. Die permanente Ausstellung, die auf über 1000 Exponaten des New Yorker Mediziners Arthur M. Sackler basiert, wird regelmäßig durch bedeutende internationale Leihgaben ergänzt. Die Jade-Sammlung mit mehr als 450 figürlichen und dekorativen Objekten aus den letzten 5000 Jahren gehört zu den bekanntesten Abteilungen. Die Kollektion anatolischer und iranischer Gold- und Silberschmiedekunst reicht bis in frühe Zivilisationen vor mehr als 7000 Jahren zurück (1050 Independence Ave., SW, Tel. 357-2700, www.asia.si.edu, 10–17.30 Uhr, Führungen Mo, Fr–So 11.30 Uhr, Eintritt frei).

National Museum of African Art ⑨: Von der Sackler Gallery führt ein weiterer unterirdischer Gang zum Museum für Kunst und Kultur Schwarzafrikas südlich der Sahara. Zusammen mit dem Enid A. Haupt Garden, der die beiden Museen oberirdisch verbindet, wird der Komplex auch Smithsonian Quadruple genannt. Die Masken, Figuren und bildlichen Darstellungen afrikanischer Königreiche, aus dem Benin von 1300–1897 oder aus Zaire, haben häufig rituellen Charakter und verweisen auf die Weltanschauungen und den Götterglauben der Afrikaner in dieser Zeit (950 Independence Ave., SW, Tel. 357-4600, www.nmafa.si.edu, 10–17.30 Uhr, Führungen Do 17 Uhr, Eintritt frei).

Arts and Industries Building ⑩: Der großräumige Bau ist das zweitälteste Gebäude der Smithsonian Institution und ebenfalls im viktorianischen Stil errichtet. Es wurde 1881 eröffnet und fungiert heute als Rahmen verschiedener thematischer Sonderausstellungen meist aus Beständen der anderen Stiftungsmuseen, zuweilen aber auch in Kooperation mit weiteren kulturellen Einrichtungen (900 Jefferson Dr., SW, Tel. 357-2700, www.si.edu/ai, 10–17.30 Uhr, Eintritt frei).

Im Gebäude ist ebenfalls das Discovery Theater untergebracht, ein engagiertes Kindertheater, das seine jungen Zuschauer auch oft ins Spielgeschehen miteinbezieht (Tel. 357-1500, http://discoverytheater.si.edu).

Hirshhorn Museum and Sculpture Garden ⑪: ›Doughnut‹ hat man das 1974 eröffnete moderne Gebäude wegen seiner Ähnlichkeit zu dem beliebten Gebäck schon genannt. Sein richtiger Name erinnert an den Stifter Joseph H. Hirshhorn. Der lettische Einwanderer hatte ein Vermögen mit der Ausbeutung von Uranminen verdient, bevor er moderne Kunst sammelte. Insgesamt 12000 Objekte, darunter etwa 5000 Gemälde und 3000 Plastiken, gingen bei seinem Tod 1981 endgültig in den Besitz der Smithsonian Institution über, darunter Werke von Edward Hopper, Georgia O'Keefe, Joan Miró, Willem de Kooning, Alberto Giacometti.

Der Skulpturengarten des Museums öffnet sich zur Mall. Er ist mit Plastiken und Reliefs von Thomas Moore, Claes Oldenburg oder Alexander Calder allein einen Besuch wert. Im Veranstaltungsraum werden – bei freiem Eintritt – Avantgarde- und Experimentalfilme gezeigt (Ecke 7th St./Independence Ave., SW, Tel. 357-3091, http://hirshhorn.si.edu, 10–17.30 Uhr, Skulpturengarten 7.30 Uhr bis Sonnenuntergang, Führungen Mo–Fr 12, Sa/So 12, 14 Uhr, Eintritt frei).

National Air & Space Museum 12: Ein Museum mit mehr als 12 Mio. Besuchern jährlich gibt es nur einmal in den USA. Das spektakuläre Luft- und Raumfahrtmuseum hat Fliegerträume gesammelt, vom missglückten Versuch des Ikarus, die Luft zu erobern, und den Flugmaschinen der Gebrüder Wright bis hin zur Apollo-Kapsel, die gerade im Foyer gelandet zu sein scheint, oder den Science-Fiction-Gefährten aus George Lucas ›Star Wars‹-Filmen.

Viele historische Flug- und Weltraumfahrzeuge haben in einem der hohen Räume ihren letzten Ruheplatz gefunden, neben vielen Zivilmaschinen,

wie Lindberghs ›Spirit of St. Louis‹, auch der Bomber ›Enola Gray‹, dessen Atombombe im Zweiten Weltkrieg fast die gesamte Bevölkerung der japanischen Stadt Hiroshima auslöschte.

›Beyond the Limits‹ heißt die Abteilung, die sich mit Ausblicken in die Zukunft beschäftigt, mit spannenden Informationen zur bemannten Orbitalstation und möglichen Flügen in die unbekannten Weiten des Alls. Im Samuel P. Langley Theater, einem Imax-Theater, werden im Sommer auf einer gigantischen Leinwand spannende Filme über das Abenteuer Luftfahrt gezeigt.

Für das leibliche Wohl ist auch hier gesorgt: Die Flight Line Cafeteria bietet vom 11. Juni–3. Sept. von 9–17.30, sonst 10–17.30 Uhr, etwa 800 Gästen Platz und dazu einen grandiosen Ausblick aufs Kapitol (Ecke 6th St./Jefferson Dr., SW, Tel. 357-2700, www.nasm.edu, 10–17.30 Uhr, Führungen 10.15, 13 Uhr, Eintritt frei).

National Museum of the American Indian 13: Im September 1999 legte Senator Ben Nighthorse Campell, Häuptling der Cheyenne und der einzige Indianer im amerikanischen Kongress, mit Festbemalung und in vollem Kopfputz den Grundstein zum neuen Museum über die Ureinwohner Amerikas. Die Baustelle zwischen dem Air and Space Museum und dem Kapitol soll im Jahr 2004 einer umfassenden Ausstellung zur Geschichte und Kultur der nordamerikanischen Indianer weichen (Ecke 4th/Independence Ave., SW, Tel. 357-2700, www.nmai.si.edu, 10–17.30 Uhr, Eintritt frei).

US Botanic Garden 14: Der Botanische Garten wurde 1820 gegründet und ist der älteste in Nordamerika. Das 15 000 km^2 große Gelände präsentiert nach gründlichem Umbau ein Gewächshaus mit tropischem Dschungel und verschiedene thematische Gärten. (245 First St., SW, Tel. 226-4083, www.nationalgarden.org, 9–17 Uhr).

Bartholdi Fountain [15]: Nymphen, Faune und Zentauren vergnügen sich seit über 100 Jahren in den Wasser- und Lichtspielen zu Füßen des Kapitols. Frédéric Auguste Bartholdi (1834–1904), Schöpfer der weit berühmteren Freiheitsstatue in New York, entwarf die Brunnenanlage ursprünglich für die Jahrhundertausstellung 1876 in Philadelphia.

Vorwahl: 202

Smithsonian Information Center, ›The Castle‹,1000 Jefferson Dr., SW, Tel. 357-2700, www.si.edu, 9–17.30 Uhr.

Holiday Inn Capitol [16]: 550 C St., SW, Tel. 479-4000, Fax 488-4627. Gleichermaßen für Geschäftsreisende und Urlauber geeignet, südlich der Mall, der Sightseeing-Trolley-Bus hält direkt davor, vom Pool auf dem Dach Blick auf die Kuppel des Kapitols, DZ 199–219 $.
Channel Inn [17]: 650 Water St., SW, Tel. 554-2400, Fax 863-1164, www.channelinn.com. Eher schlichter Hotelbau am Wasser, Innen- und Außenpool, von den Balkonen Blick auf den East Potomac Park und den Washington Channel, nicht weit zum Capitol Yacht Club, dem Arena Stage Theater, den Museen der Mall und dem Tidal Basin, DZ 135–150 $.

Direkt an der Mall gibt es keine Restaurants, aber die exzellenten Museumscafés entschädigen dafür, z. B. **Terrace Café** und **Garden Café** (s. Nat. Gallery of Art), **Atrium Café** (s. Nat. Museum of Natural History), **Palm Court** (s. Nat. Museum of American History), **The Commons Room** (s. Smithsonian Castle) und die **Flight Line Cafeteria** (s. Nat. Air & Space Museum).

Maine Avenue Wharf [18]: 1100 Maine Ave., südlich der Mall, SW, 9–21 Uhr. Frischer Fisch wird verkauft und zubereitet, dazu Austern, andere Muscheltiere und Krebse, sündhaft gut – und günstig – sind die Fisch-Sandwiches, mit Tartar oder hauseigener Cocktailsauce.

Fast alle Museen der Mall haben ihren Shop, besonders zu empfehlen: **National Gallery of Art:** Ecke 4th St./Constitution Ave, NW, Tel. 842-6446. Museumsladen im Souterrain, Drucke vieler Meisterwerke, die in den oberen Etagen hängen, dazu Schmuckstücke nach Motiven von Kunstwerken aus dem Museumsbestand, umfassendes Sortiment an Büchern über Kunst.

Zanzibar on the Waterfront: 700 Water St., SW, www.zanzibar-otw.com, Mi–Sa 17–22.30, So 11–15, 17–22 Uhr. Musikclub und Restaurant direkt am Washington Channel, toller Ausblick, gute, meist lateinamerikanische Musik, und multiethnisches Publikum.

Art Night on the Mall: Einige Museen der Smithsonian Institution bieten vom 31. Mai–30. Aug. jeden Do ein kostenloses Sommerprogramm mit Musik, Filmen u.ä., Programmplan unter: www.si.edu/activity/artnight.
Arena Stage: Ecke Maine Ave./6th St., SW, Tel. 488-3300, www.arena-stage.org. Eines des ältesten Sprechtheater des Landes, auf zwei Bühnen pro Jahr acht Stücke , nicht sehr weit südlich der Mall.

PENNSYLVANIA AVENUE – VOM KAPITOL ZUM WEIßEN HAUS

Luxuriöse Hotels, elegante Restaurants sowie Ehrfurcht gebietende Regierungsgebäude säumen die restaurierte Prachtstraße zwischen Capitol Hill und Weißem Haus. Auch das FBI-Building beherrscht mit seiner Front die Avenue. Abstecher führen in die Chinatown und zur National Geographic Society.

Eigentlich zieht sich die breite Traversale vom Barney Circle am Anacostia River bis nach Georgetown zur M Street, wenige Meter hinter der Brücke über den Rock Creek. Wer von der Pennsylvania Avenue spricht, meint jedoch fast immer den Abschnitt zwischen Kapitol und Weißem Haus, den Prachtboulevard der Hauptstadt, an den sich Luxushotels, Restaurants und repräsentative Regierungsgebäude drängen.

Geschichte

Seit der zweiten Amtsperiode von Thomas Jefferson 1805 paradieren die auf den Stufen des Kapitols frisch eingeschworenen Präsidenten mit Gefolge zu ihrem Wohn- und Amtssitz über die geschmückte ›Penn Ave.‹, wenngleich diese lange einen heruntergekommenen Eindruck machte. John F. Kennedy setzte 1961 nach seiner Inauguralparade sogar eine Kommission ein – ohne großen Erfolg. Bei den bundesweiten Unruhen nach der Ermordung von Martin Luther King jr. gingen 1968 auch hier Geschäfte in Flammen auf.

1972 endlich gelang es einer Kommission des Parlaments zusammen mit einem Bürgerkomitee, die entscheidenden Impulse zu setzen. Mit der Restaurierung des Old Post Office, der grundlegenden Renovierung des Willard Hotels sowie weiterer Gebäude auch in den Nebenstraßen des Penn Quarters veränderte die ehemalige Schmuddelmeile nachhaltig ihren Charakter. Heute gilt der breite Boulevard wieder als Vorzeigestraße mit einigen dekorativen Plätzen und sehenswerten Besucherattraktionen.

Besichtigung

Grant Statue 1: Von der Reiterfigurengruppe mit dem erfolgreichen Bürgerkriegsgeneral und weniger glücklichen 18. US-Präsidenten Ulysses S. Grant zu Füßen des Kapitols führt die Pennsylvania Avenue über die Constitution Avenue nach Nordwesten.

   National Archives 2: Zu den bekanntesten im Zentralarchiv eingelagerten Dokumenten gehören die Unabhängigkeitserklärung und die Dekla-

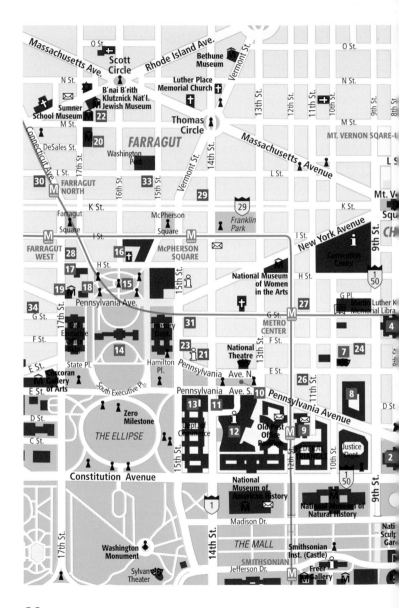

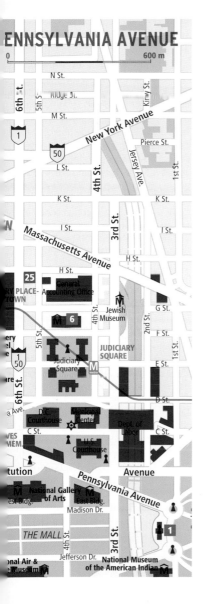

Sehenswürdigkeiten

1 Grant Statue
2 National Archives
3 Navy Memorial
4 National Museum of American Art/National Portrait Gallery
5 MCI Center
6 National Building Museum
7 Ford's Theatre
8 FBI Building
9 Old Post Office/Food Court
10 Freedom Plaza
11 District Building/Rathaus
12 Ronald Reagan Building
13 National Aquarium
14 Weißes Haus
15 Lafayette Park
16 St. John's Church
17 Decatur House
18 Blair House
19 Renwick Gallery
20 National Geographic Society

Hotels

21 Willard Intercontinental
22 Jefferson Hotel
23 Hotel Washington
24 Courtyard by Marriott
25 Red Roof Inn
26 Harrington
27 Hostelling International

Essen und Trinken

28 Equinox
29 D.C. Coast
30 Morton's of Chicago
31 Old Ebbitt Grill
32 Jaleo
33 Georgia Brown's
34 Bread Line

ration der Menschenrechte. Neben vielen Milliarden Schriftstücken, Fotos und Filmen aus der Geschichte der USA finden sich auch erbeutete Raritäten, darunter private Fotoalben von Eva Braun, der Geliebten Hitlers (700 Penn Ave., Eingang Constitution Ave., NW, Tel. 7501-5000, www.nara.gov, Archiv April–Anfang Sept. 10–21 Uhr, sonst 10–17.30 Uhr, Ausstellung bis 2003 geschl., Eintritt frei).

Navy Memorial 3: Das Ruhmesdenkmal für die Marine zeigt mit einer Weltkarte aus Granit das nicht von Landesgrenzen eingeschränkte Einsatzgebiet von US-Kriegsschiffen. Ein einsamer Matrose steht für alle Seesoldaten; Granitmauern mit Halbreliefs erläutern viele kriegerische Auseinandersetzungen, an denen die US-Navy beteiligt war (Ecke 8th St./Penn Ave., NW, Tel. 737-2300, www.lonesailor.org, Log Room und Museumsshop Mo–Sa 9.30–17 Uhr, Eintritt nur für den Film im unterirdischen Infozentrum).

Penn Quarter nennt man das Viertel etwa zwischen der 6th und der 10th Street nördlich der Pennsylvania Avenue. Der neue Glanz der alten Prachtstraße hat bis hierhin abgefärbt. Mit seinen Kunstgalerien, Buchläden, Cafés und Restaurants wird der 7th Street Corridor in letzter Zeit nicht selten mit dem hippen New Yorker Viertel SoHo verglichen. Einige Galerien, wie die Zenith Gallery (413 7th St.), die Davis Adamson Gallery und die Numark Gallery (beide 406 7th St.) haben geholfen, den Straßenabschnitt mit dem ›Third Thursday‹, einem Panorama von Musikkonzerten, Skulpturen, Filmvorführungen, Installationen und Performances, an jedem dritten Donnerstagabend zu einem Szenetreff zu entwickeln.

National Museum of American Art/National Portrait Gallery 4: Beide Museen sind im Alten Patentamt untergebracht und gegenwärtig nicht zugänglich. Erst Mitte 2004 wird die seit Januar 2000 laufende grundlegende Renovierung abgeschlossen. Dann können Besucher wieder die repräsentative Schau amerikanischer Malerei sowie die umfassende Sammlung der Porträts von Persönlichkeiten bewundern, die sich um amerikanische Geschichte und Kultur verdient gemacht haben (Old Patent Office Building, Ecke 8th St./G St., NW, Tel. 357-2700, www.nmaa.si.edu, www.npg.si.edu).

MCI Center 5: Die Basketballmannschaften der Washington Wizards, das Frauenteam der Mystics und die Georgetown Hoyas spielen in dem 20 000 Zuschauer fassenden Veranstaltungszentrum, zudem kämpfen die Eishockeyprofis der Washington Capitals um den Puck, ab und an gibt es Pop-Konzerte und Zirkusvorstellungen. Ein riesiger Verkaufsladen des Discovery Channel sowie die National Sports Gallery, eine Art Ruhmeshalle des Sports, ziehen Besucher an, auch wenn keine Veranstaltungen laufen (601 F St., NW, Tel. 628-3200, www. mcicenter.com, 10–22 Uhr, Eintritt für Sports Gallery und Veranstaltungen).

National Building Museum 6: Im ehemaligen Bürohaus der staatlichen Pensionskasse hat das Architekturmuseum einen adäquaten Rahmen gefunden. Die riesige Great Hall beeindruckt mit 105 m Länge, 40 m Breite

Friendship Archway in der Chinatown

und 50 m Höhe; die mächtigen korinthischen Säulen ragen schon 23 m auf. Wer sich für Architektur und Stadtplanung interessiert, kann sich an einer Fülle von Modellen, Zeichnungen und Fotografien satt sehen und die Stadt auch mit audiovisuellen Präsentationen erkunden (401 F St., NW, Tel. 272-2448, www.nbm.org, Mo–Sa 10–17, So 12–17 Uhr, Führungen Mo–Sa 10–15, So 12–15 Uhr, Eintritt/Führungen frei).

Chinatown ist nicht sehr groß. Einige Straßen mit chinesischen Geschäften, Restaurants und Garküchen, vor allem aber der farbenprächtige, die H Street überspannende Bogen des Friendship Arch lassen dennoch keinen Zweifel aufkommen, das Quartier chinesisch-stämmiger Hauptstadtbewohner erreicht zu haben.

Wer sich nun wundert, dass es in Richtung zum nördlichen Mt. Vernon Square zwischen der I Street und der

K Street keine J (gesprochen = jay) Street gibt, sei auf das Gerücht verwiesen, das der Stadtplaner Pierre-Charles l'Enfant diesen Straßennamen bewusst ausließ, um den von ihm gehassten obersten Richter John Jay zu demütigen.

Ford's Theatre 7: Fünf Tage nach der Kapitulation der Südstaaten im Bürgerkrieg wurde Präsident Abraham Lincoln am 14. April 1865 während der Vorstellung des Stückes ›Our American Cousin‹ von dem stadtbekannten Shakespeare-Mimen und Südstaaten-Anhänger John Wilkes Booth in seiner Loge niedergeschossen und verstarb wenig später. Danach blieb die Bühne mehr als 100 Jahre geschlossen. Erst seit 1968 werden in dem sorgfältig restaurierten Bau wieder Stücke gegeben. Ein Museum im Untergeschoss dokumentiert die dramatischen Stunden zwischen der Tat und dem Tod des

89

Präsidenten (511 10th St., NW, Tel. 426-6924, www.fordstheatre.org, 9–17 Uhr, Eintritt frei).

FBI Building [8]: Der massive Betonklotz des J. Edgar Hoover Building, der das gegenüberliegende Justizministerium an Umfang sogar zu übertreffen scheint, ist der Sitz der Bundespolizei. Hier residierte der gebürtige Washingtoner J. Edgar Hoover fast fünf Jahrzehnte, von seiner Ernennung als erster Direktor des FBI am 10. Mai 1924 bis zu seinem Tod am 2. Mai 1972. Vielen Bürger erscheint die Bundeskriminalpolizei weniger als ›Freund und Helfer‹ bei der Verbrechensbekämpfung, eher als unangreifbare, dunkle Macht im Hintergrund, die zwar erfolgreich Kapitalverbrechen aufklärt, aber gleichzeitig mit Nachrichten über dubiose Praktiken und Überwachung, Akten von missliebigen Politikern, auch Präsidenten oder Künstlern für Misstrauen sorgt. Zu den Prominenten, über die umfangreiche Dossiers angelegt wurden, gehören Bert Brecht, Albert Einstein, William Faulkner, Errol Flynn, Henry Ford, John F. und Robert Kennedy, John Lennon, Thomas Mann, Marilyn Monroe, Elvis Presley, Eleanor Roosevelt, Frank Sinatra, John Steinbeck, Wernher von Braun und viele tausend andere (Ecke

Old Post Office Tower

9 Das ehemalige Post Office gilt als Sinnbild für die Wiedergeburt der Pennsylvania Avenue. Das ramponierte Gebäude aus dem 19. Jh. war bereits ein Kandidat für die Abrissbirne, als engagierte Bürger und Politiker es im letzten Moment retten konnten. Zwei Dutzend Shops und die gleiche Zahl von Restaurants um einen **Food Court** machen das riesige Atrium zu einer beliebten Pausenadresse von Angestellten und Beamten aus den umliegenden Büros. Vom fast 100 m hohen Turm hat man die zweitbeste **Aussicht** (nach dem Blick vom Washington Monument) auf die Stadt (1100 Penn Ave., NW, Tel. 289-8691, www. nps.gov/opot, April–Aug. 8–23 Uhr, sonst 10–18 Uhr, Do ab 9 Uhr, Eintritt frei).

10th St./E St., NW, Tel. 324-3447, Mo–Fr 8.45–16.15 Uhr, derzeit keine Führungen, Eintritt frei).

Freedom Plaza 10: Die zwischen 13th und 15th Street geteilte Pennsylvania Avenue begrenzt die Freedom Plaza – mit einer Statue des polnischen Adligen und Mitstreiter Washingtons, Kasimir Pulaski – sowie den benachbarten Pershing Square, auf dem im Winter eine kleine Eisbahn Schlittschuhfahrer erfreut. Das Frontispiz des Originalplans von Pierre-Charles l'Enfants inzwischen Stein gewordenem Traum ist großflächig auf der Freedom Plaza eingraviert und immer wieder An-

lass für Passanten, einen Moment zu verharren und die Vision des Stadtgrundrisses zu studieren. Im Norden stoßen das Willard Hotel und weitere Luxusherbergen sowie das National Theatre an den Platz, auf der Südseite steht das Rathaus, das **District Building** 11.

Federal Triangle: Das Dreieck zwischen Pennsylvania, Constitution Avenue und 15th Street trägt seinen Namen zu Recht, denn hier breiten sich wuchtige Büro- und Regierungsgebäude aus, darunter das **Ronald Reagan Building** 12, auch International Trade Center genannt, in dem u. a. das städtische Besucherzentrum (Mo–Sa 8–18, So 12–17 Uhr) untergebracht ist, und das Department of Commerce. In dessen Nordtrakt hat das überschaubare **National Aquarium** 13 seinen Platz; besondere Attraktion ist die Fütterung von Haien und Krokodilen (Ecke 14th St./Penn Ave., NW, Tel. 482-2825, www.nationalaquarium.com, 9–17 Uhr, Eintritt).

Weißes Haus 14: Als Abigail und John Adams im November des Jahres 1800 als erstes Präsidentenpaar das Weiße Haus bezogen, hieß es noch ›Presidents Palace‹ oder ›Executive Mansion‹ und war auch nicht weiß. Erst nachdem die Engländer 1814 beim Angriff auf die Hauptstadt der jungen USA die Brandfackel an das im Plantagenstil errichtete Gebäude gelegt hatten und die energische Präsidentengattin Dolly Madison Rußspuren mit weißer Farbe übertünchen ließ, bürgerte sich der bis heute übliche Name ein.

Besucher können normalerweise einige der prächtigsten Repräsentationsräume besichtigten, darunter den **Sta-**

te Dining Room mit einem großen Porträt Abraham Lincolns, den weiß-goldenen **East Room** mit einem Bild von George Washington, den **Green Room,** der regelmäßig für Stehempfänge genutzt wird, sowie den **Blue Room** mit einem ovalen Grundriss, in dem alljährlich der Weihnachtsbaum der Präsidentenfamilie seinen Platz findet. Das berühmte **Oval Office,** in dem der Präsident einige Meter weiter seinen Amtgeschäften nachgeht, steht nicht auf der Besucherroute (1600 Penn Ave., NW, Besuchereingänge E St. und E. Executive Ave., Tel. 456-7041, www.whitehouse.gov, White House Visitor Center, 1450 Penn Ave., NW, im Dep. Of Commerce Building, Tel. 208-1613, 7.30–16 Uhr, Eintritt frei, wegen der Terroranschläge vom 11. September 2001 ist gegenwärtig keine Besichtigung möglich).

In den vier Ecken des **Lafayette Parks** 15 sind vier prominente europäische Mitstreiter der amerikanischen Revolution als Standbilder verewigt: der französische Marquis de Lafayette, nach dem das nördlich an das Weiße Haus angrenzende Karree benannt ist, sein Landsmann Comte de

Stets im Blickfeld – das Weiße Haus

te ließ sich der amerikanische Seeheld Stephen Decatur von seinen üppigen Prisengeldern errichten, die er im Kampf gegen Engländer und Seeräuber erworben hatte. Es ist heute mit zeitgenössischen Möbeln eingerichtet und dient als Museum (748 Jackson Pl., NW, Tel. 842-0920, Führungen Di–Fr 10–15, Sa–So 10–16 Uhr, Eintritt).

Das **Blair House** 18 aus dem Jahre 1824 dient als Gästehaus des Präsidenten, ist daher nicht zu besichtigen (Ecke Jackson Pl./1651 Penn Ave., NW).

Renwick Gallery 19: Das benachbarte Museum gehört zur Smithsonian Institution. Es präsentiert sehenswertes amerikanisches Kunsthandwerk des 20. Jh., z. B. Möbel, Quilts und Schmuck. Die Statue ›Griechische Sklavin‹, ein nacktes Frauenbildnis mit gefesselten Händen, durften seinerzeit Männer und Frauen nur getrennt betrachten (Ecke Penn Ave./17th St., NW, Tel. 357-2700, http://americanart.si.edu./collections/renwick/renwick-index.html, 10–17.30 Uhr, Führungen Mo–Fr 10, 11, 13 Uhr, Eintritt frei).

Bis 1897 war hier auch die exquisite Kunstsammlung des Bankiers Wil-

Rochambeau, der preußische Baron Friedrich Wilhelm von Steuben und der Pole Thaddeus Kosciousko. In der Mitte der Rasenflächen und Blumenrabatten steht die Reiterstatue des Generals und späteren Präsidenten Andrew Jackson aus Tennessee, ein Abbild dieses Monuments findet sich auf dem Jackson Square von New Orleans.

Die **St. John's Church** 16 gegenüber der nordöstlichen Ecke des Platzes stammt bereits von 1816, sie gilt als Hauskirche des Weißen Hauses.

Das **Decatur House** 17 an der gegenüberliegenden nordwestlichen Sei-

Café des Artistes

In der Renwick Gallery befindet sich auch ein entzückendes Museumscafé, in dem leichte Gerichte sowie nachmittags ein klassischer English High Tea serviert werden.

liam Wilson Corcoran ausgestellt, eine Sammlung vor allem amerikanischer Malerei und Plastik, die mit auserlesenen europäischen Werken ergänzt ist (aus Platzmangel heute in der Corcoran Gallery: 500 17th St., NW, Tel. 639-1800, www.corcoran.org, Mi–Mo 10–17, Do 10–21 Uhr, Eintritt frei: Mo, Do nach 17 Uhr).

National Geographic Society 20: Der Besuch der größten erdkundlichen Institution der Welt ist schon einen Abstecher wert. Die private, 1888 gegründete Vereinigung beschäftigt heute 1200 Mitarbeiter. Die Hauptpublikation, das Monatsheft ›National Geographic‹, erreicht eine Auflage von 9 Mio. Exemplaren. In der Explorers Hall überrascht ein Globus von mehr als 3 m Durchmesser, der sich auf einem Luftkissen dreht. Ausstellungen und interaktive Bildschirme informieren über laufende und vergangene Expeditionen in wenig bekannte Regionen der Natur und in das Wissen der Menschheit (Ecke 17th St./M St., NW, Tel. 857-7588, www.nationalgeographic.com, Mo–Sa 9–17, So 10–17 Uhr, Eintritt frei).

Vorwahl: 202

 Washington D.C. Convention & Visitors Association: 1212 New York Ave., NW, Suite 600, Tel. 789-7000, Mo–Fr 9–17 Uhr.
D.C. Chamber of Commerce Visitor Information Center: International Trade Center, 1300 Penn Ave./Wilson Plaza, NW, Tel. 328-4748, Mo–Sa 8–18, So 12–17 Uhr.

Willard-Intercontinental 21: 1401 Penn Ave., NW, Tel. 628-9100, Fax 466-9082. Getreuer Nachbau der Nobelherberge aus dem 19. Jh., illustre Gäste, Hauptlobby mit mächtigen Säulen, Fußbodenmosaiken und Kristallüstern ist seit jeher Treff der Wirtschaftsvertreter und Politiker, sie stand Pate für den Beruf des Lobbyisten, die diskrete Round Robin Bar serviert exzellenten Mint Julep, DZ 425–510 $.

Jefferson Hotel 22: Ecke 16th St./M St., NW, Tel. 833-6202, Fax 331-7982. Elegante Traditionsherberge, zitiert den Baustil des 18. Jh., Video- und CD-Spieler in den Räumen sind Zugeständnisse an die Moderne, exzellenter Service, DZ 309–459 $.

Hotel Washington 23: 515 15th St., NW, Tel. 638-5900, Fax 638-4275. Mit Marmor dekorierte Lobby des Traditionshotels, nahe zum Weißen Haus, Dataports in den mit Antiquitäten eingerichteten Zimmern, DZ 205–265 $.

Courtyard by Marriott 24: 900 F St., NW, Tel. 638-4600, Fax 638-4601, www.courtyard.com. Moderne Einrichtungen, geschmackvoll in früherem, charaktervollem Bankgebäude, sehr zentral, nicht weit von Chinatown und Convention Center, DZ 230 $.

Red Roof Inn 25: 500 H St., NW, Tel. 289-5959, Fax 682-9152. Einfache, aber komfortable Zimmer, Kinderermäßigung bis 18 Jahren, Fitnesseinrichtungen mit Sauna, nahe zum Convention Center, gutes Angebot für Stadtbesucher, DZ 120–190 $.

Harrington 26: 436 11th St., NW, Tel. 628-8140, Fax 347-3924, www.hotelharrington.com. Einfache, preisgünstige Herberge auf halbem Wege zwischen Kapitol und Weißem Haus, Suiten mit zwei Schlafzimmern besonders bei Familien mit Kindern gefragt, DZ 90–100 $.

Hostelling International 27: 1009 11th St., NW, Tel. 737-2333, Fax 737-1508, www.hiwashingtondc.org. Sichere, saubere Übernachtungsalternative vor allem für Jugendliche, zentral und preisgünstig, überwiegend Mehrbettzimmer, DZ 24–27 $ inklusive Bettwäsche.

Equinox 28:818 Connecticut Ave., NW, Tel. 202-331-8118, So geschl. Mitarbeiter des Weißen Hauses, die es sich leisten können, treffen sich hier zum Small Talk, ausgezeichnetes Degustationsmenu am Abend.

D.C. Coast 29: 1401 K St., NW, Tel. 202-216-5988, mittags u. So geschl. Kreative Spitzenküche, die ihren Preis hat, immer ausgebucht.

Morton's of Chicago 30: 1050 Connecticut Ave., NW, Tel. 955-5887, Mo–Fr 11.30–14.30, 17.30–23, Sa nur abends, So 17–22 Uhr. Steakhaus-Klassiker mit den besten Sirloin- und Porterhouse Steaks weit und breit.

Old Ebbitt Grill 31: 675 15th St., NW, Tel. 347-4800, Mo–Do 7.30–2, Fr/Sa 8–3, So 9.30–2 Uhr. Snacks und kleine Gerichte, lecker und frisch zubereitet, günstige Burger, gehören zu den besten der Stadt, in der ältesten Bar der Hauptstadt löschten bereits viele Präsidenten ihren Durst.

Jaleo 32:480 7th St., NW, Tel. 628-7949, Di–Do 11.30–23.30, Fr/Sa 11.30–24, So/Mo 11.30–22 Uhr. Extensive Tapas-Bar für jeden Geschmack, einfach köstlich.

Georgia Brown's 33: 950 15th St., NW, Tel. 393-4499, 11.30–22.30 Uhr, Sa 17.30–22.30 Uhr. Klassische, herzhafte Südstaatenküche, mit gebratenen grünen Tomaten, Maisbrei und Gumbo-Eintopf.

Bread Line 34: 1751 Penn Ave., NW, Tel. 822-8900, Mo–Fr 7–17 Uhr. Frisches Brot und leckeres Gebäck, preiswerte Suppen, Salate und Sandwiches, von Politikern und Passanten gleichermaßen geschätzt.

Thomas Pink: 1127 Connecticut Ave., NW. Der Name ist Programm – Hemden, Kravatten, Anzüge für den Herrn mit Geschmack und Mut, konsequent im Kampf gegen die Farbe Schwarz.

Political America: Ecke 14th St./Penn Ave., NW. Aufkleber, Buttons und Plakate zu aktuellen und fast vergessenen Kampagnen, Bücher, Videos zu politischen Ereignissen und prominenten Politikern.

Counter Spy Shop: 1027 Connecticut Ave., NW. Wer sich von Geheimdiensten verfolgt fühlt, kann hier kugelsichere Westen, Spürgeräte für Abhöranlagen und andere unverzichtbare Spionageabwehraccessoires erwerben.

ESPN Zone – Bar: 555 12th St., NW, 11.30–23, Fr/Sa 11.30–24 Uhr. Größte Sportbar der Stadt, verteilt auf drei Ebenen, Übertragung von NBA-und NFL-Spielen auf Riesenbildschirmen, Bars, Musik und Grill.

Stoney's Bar & Grill: 1307 L St., NW, Happy hour ab 16 Uhr. Laut, verqualmt und nicht gerade klinisch sauber, Hauptattraktion auf der Speisekarte ist ein – zugegeben guter – Burger, jeden Abend voll, glänzende Stimmung.

Ford's Theatre: 511 10th St., NW, Tel. 347-4833, www.fordstheatre. org. Sprechstücke und Musicals in dem historischen Bau, in dessen Loge Präsident Lincoln 1865 erschossen wurde.

Shakespeare Theatre: 450 7th St., NW, Tel. 547-1122, www.shakespearedc.org. Fünf Inszenierungen, davon drei Shakespeare-Stücke, kommen im renommierten Theater, das u. a. Schillers ›Don Carlos‹ inszeniert hat, jährlich auf die Bühne.

National Theatre: 1321 Penn Ave., NW, Tel. 628-6161, www.nationaltheatre.org. 1835 gegründete Bühne wurde bereits viermal nach Feuersbrünsten wiederaufgebaut, präsentiert heute regelmäßig Broadway-Musicals auf Tournee.

95

ZWISCHEN WEIßEM HAUS UND POTOMAC RIVER – MONUMENTE UND MEMORIALS

Aufwändig gestaltete Denkmäler ehren die Präsidenten George Washington, Abraham Lincoln, F. D. Roosevelt und Thomas Jefferson. An die gefallenen US-Soldaten der Kriege in Vietnam und Korea erinnern nachdenklich stimmende Figurengruppen und Wände mit den eingravierten Namen unzähliger Toten.

An wenigen Orten wird der Charakter Washingtons als Zentrum einer Weltmacht deutlicher als im westlichen Teil der Mall. In Sichtweite des Capitol Hill im Osten und des Weißen Hauses im Norden erstreckt sich das Marsfeld der amerikanischen Demokratie bis zum Potomac River. Es wird von wahrhaft monumentalen Denkmälern für vier der bedeutendsten amerikanischen Präsidenten eingerahmt. Die beiden wichtigsten Kriegsdenkmäler der Nation zu den blutigen Auseinandersetzungen in Korea und in Vietnam sind ungewöhnliche Mahnmale an die gefallenen und vermissten Soldaten. Sie erinnern nicht an den sonst in den USA häufig anzutreffenden ungebrochenen Hurrapatriotismus, sondern werden immer wieder zum Aufmarschfeld bundesweiter Großdemonstrationen.

Geschichte

Von den Stufen des Lincoln Memorial herab hielt Martin Luther King jr. 1963 seine berühmte Rede »I have a dream« an 200 000 aus dem ganzen Land zusammengeströmte Bürgerrechtler. Zehn Jahre später versammelte sich eine unüberschaubare Menge zwischen Lincoln Memorial und Washington Monument, um gegen den Vietnamkrieg zu demonstrieren. 1995 strömten die Teilnehmer des ›Million Man March‹ schwarzer Nationalisten auf der langen Mittelachse im Zentrum der Hauptstadt zusammen. Die ausgedehnten Grünflächen um das Washington Monument sowie nördlich und südlich des Reflecting Pool scheinen also weniger dem römischen Kriegsgott Mars als den Schutzheiligen der Demokratie und des Bürgerprotestes geweiht.

Sehenswürdigkeiten

1. Washington Monument
2. Sylvan Theater
3. Vietnam Veterans Memorial
4. Albert-Einstein-Statue
5. Lincoln Memorial
6. Korean War Veterans Memorial
7. F. D. Roosevelt Memorial
8. Thomas Jefferson Memorial

Besichtigung

Washington Monument [1]: Genau 555 Fuß oder knapp 170 m misst das Washington Monument, das ägyptischen Obelisken ähnelt, jedoch im Gegensatz zu ihnen kein Monolith, sondern aus vielen Steinen gemauert ist. Auf das höchste Gebäude der Stadt katapultiert in wenigen Sekunden der 2001 im Rahmen einer Generalüberholung neu installierte Fahrstuhl die Besucher zur Besichtigungsplattform in 500 Fuß Höhe, von der sich ein traumhafter Rundumblick bietet. Ein Kranz von 50 Sternenbannern, für jeden Bundesstaat eines, umkreist das Fundament des Ehrenmals für den ersten Präsidenten der USA. Auch wenn schon unmittelbar nach Washingtons Tod 1799 Pläne für ein Denkmal angedacht wurden, hat es doch bis 1885 gedauert, ehe das Monument fertig gestellt werden konnte (Nähe 15th St., Tel. 426-6840, www.nps.gov/wamo, 8–23.45 Uhr, Eintritt frei, aber mit Ticket, Ticketschalter Ecke 15th St./Madison Dr., 7.30–20 Uhr, Reservierung Tel. 1-800-967-2283, http://reservations. nps.gov).

Wer an Sommerabenden schmissige Melodien über die Mall wehen hört, könnte auf der Suche nach ihrem Ursprung zum **Sylvan Theater** [2] südlich

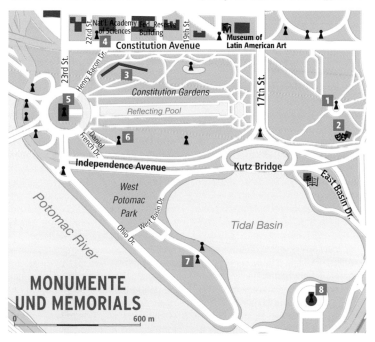

MONUMENTE
UND MEMORIALS

0   600 m

Kirschblüte

Im Frühling, um die Monatswende vom März zum April, gehören die Ufer des Tidal Basin zu den schönsten Orten in Washington. Die ersten 3000 Kirschbäume, die der Bürgermeister von Tokio 1912 der Stadt schenkte, legten die Grundlage für ein Blütenmeer rund um die dekorative Ausbuchtung des Potomac River unweit der Mall. Mehrere Dutzend Veranstaltungen, von einer Kirschblütenparade bis zum Erzählen japanischer Märchen, umranken das spektakuläre Aufspringen der Blütenknospen.

vom Washington Monument schlendern, wo Militärkapellen Open-Air-Konzerte darbieten (Tel. 619-7222).

Vietnam Veterans Memorial 3: Zwei schwarze, polierte Granitflächen, meist nur ›The Wall‹ genannt, tragen die Namen der im Vietnamkrieg gefallenen und vermissten fast 60 000 US-Amerikaner. Das schlichte, später von einer bronzenen Soldatengruppe sowie Figuren weiblicher Soldaten ergänzte Mahnmal steht im Gegensatz zu vielen heroisierenden Kriegsdenkmälern (nahe Ecke 21th St./Constitution Ave., NW, Tel. 634-1568, www.vietvet.org/thewall. htm, www.nps.gov/vive, Zutritt frei).

Albert-Einstein-Statue 4: Ein ganz anderes, liebenswertes Denkmal steht in der Nähe, versteckt in einem kleinen Park an der Ecke von Constitution Avenue und 22nd Street. Hier sitzt in direkter Nachbarschaft zur National Academy of Science and Engineering ein bronzener Albert Einstein, zurückgelehnt und leicht verschmitzt lächelnd, überlebensgroß, aber nicht protzig, mit einem Buch in der Hand, auf dem die Formel $E=mc^2$ deutlich zu erkennen ist.

Lincoln Memorial 5: Die pompöse Säulenanlage mit der riesigen, wie auf einem Thron sitzenden marmornen Präsidentenstatue erinnert an Göttertempel im späten Rom. Das gigantische Monument ist gleichzeitig ein Denkmal für die Einheit der Nation. Die Reihe der 36 äußeren Säulen symbolisiert die 36 Staaten, die der Union zum Zeitpunkt von Lincolns Ermordung (1865) angehörten. Die Innenwände tragen Zitate von Lincoln (südliches Ende der 23rd St., Tel. 426-6895, www. nps.gov/linc, Zutritt frei).

Korean War Veterans Memorial 6: Erst mehr als 40 Jahre nach Ende des Koreakonfliktes von 1950–1953, in dem die USA insgesamt 1,5 Mio. Soldaten gegen nordkoreanische und chinesische Truppen einsetzten, wurde ein Denkmal für die amerikanischen Kriegsteilnehmer und ihre 62 000 Toten und Vermissten eingeweiht. Der ›vergessene Krieg‹ ist inzwischen durch die Aufdeckung von Massakern einiger US-Einheiten an koreanischen Zivilisten erneut in negative Schlagzeilen geraten. Eine Skulpturengruppe von 19 aus Edelstahl geformten und über 2 m großen Soldaten in Kampfausrüstung, alle mit demselben starren Gesichtsausdruck, ist auf einem dreieckigen Heidefeld wie zu einer Patrouille formiert. Auf einer freistehenden polierten Granitwand sind Dokumente und Informationen zum Koreakrieg eingraviert (Abzweigung vom Daniel French Dr./Independence Ave., SW, Tel. 426-6841, www.nps.gov/kwvm, 8–24 Uhr, Zutritt frei).

F. D. Roosevelt Memorial 7: Der bedeutendste US-Präsident des 20. Jh. wird seit 1997 mit einem Memorial geehrt. Besucher wandern durch eine ebenerdige, in vier Abschnitte gegliederte Anlage, die bedeutende zeitgenössische Künstler mit Szenen und symbolischen Darstellungen aus jeder seiner vier Amtszeiten gestaltet haben. FDR war nach einer Polio-Infektion mit 39 Jahren auf Gehhilfen und einen Rollstuhl angewiesen, konnte diese Behinderung durch geschicktes Auftreten einer breiten Öffentlichkeit lange verbergen. So ist seine Gedenkstätte rollstuhlgerecht angelegt. Die Statue eines im Rollstuhl sitzenden Roosevelt wurde Anfang 2001 der historischen Genauigkeit wegen hinzugefügt (West Potomac Park, 1850 W. Basln Dr., SW, Tel. 426-6841, www.nps.gov/fdrm, 8–24 Uhr, Eintritt frei).

Thomas Jefferson Memorial 8: In der Dämmerung wirkt die angestrahlte Kuppel besonders eindrucksvoll. Das ›Pantheon der Freiheit‹ genannte Monument kopiert tatsächlich den Tempel aus dem republikanischen Rom und wurde 1943 eingeweiht, zum 200. Geburtstag des dritten Präsidenten und Verfassers der Unabhängigkeitserklärung. Beschirmt vom Tempeldach steht im Inneren eine 6 m hohe Bronzestatue auf einem schwarzen Granitsockel. Die Wände der Rotunde tragen markante Sätze der Unabhängigkeitserklärung und des von Jefferson verfassten Statuts über die freie Religionsausübung in seinem Heimatstaat Virginia (Ohio Dr., SW, Tel. 426-6821, www.nps.gov/thje, 8–24 Uhr, Zutritt frei).

Vorwahl: 202

Indian Craft Shop: 1849 C St., NW. Indianisches Kunsthandwerk wird bereits seit 1938 im Gebäude des Innenministeriums verkauft.

Thomas Jefferson Memorial – besonders am Abend reizvoll

ARLINGTON UND THEODORE ROOSEVELT ISLAND

Der ›Heldenfriedhof‹ der US-Streitkräfte breitet sich über mehrere Hügel jenseits des Potomac aus. Die Gräber der Kennedy-Familie, das Iwo Jima-Denkmal der Marineinfanterie und das Memorial für die Frauen im Militär werden am meisten besucht. Im Zentrum des Ortes informiert das Newseum anschaulich über Geschichte und Perspektiven von Massenmedien. Ruhe und Entspannung verspricht die Insel im Potomac.

Arlington

Atlas: S. 238, A/B 3/4

Eigentlich gehört Arlington zum District of Columbia. Virginia hatte sich ebenso wie das benachbarte Maryland bereit erklärt, einen kleinen Teil seines Territoriums zum Hauptstadtbezirk beizusteuern. Washington entwickelte sich jedoch nur zurückhaltend und überwiegend nördlich des Potomac River. 1847 erhielt Virginia das gesamte zur Verfügung gestellte Terrain zurück, in der Gewissheit, dass das übrige Stadtgebiet auch zukünftig ausreichend für den Hauptstadtbezirk bemessen wäre.

Heute breiten sich die Wohngebiete und Büros von Washington unabhängig von Stadt- und Staatsgrenzen weit über Arlington nach Virginia aus. Das breite Flussbett des Potomac sorgt jedoch dafür, dass die südliche Grenze des Districts of Columbia unübersehbar bleibt. Acht Brücken queren den schiffbaren Strom zwischen Arlington und Washington, allein fünf von ihnen in Sichtweite des Pentagons. Sie verbinden die Hauptstadt mit ihren beiden Flugplätzen und bemühen sich, den gewaltigen Strom von Pendlern aus Virginia zu bewältigen.

Arlington ist jedoch keine Stadt, sondern ein County und besteht aus mehreren Gemeinden. Die bekannteste von ihnen ist Rosslyn, ein Konglomerat von Büro- und Apartmenthäusern vis-a-vis von Georgetown. Clarendon und Ballston sind beliebt wegen ihren guten und preiswerten ethnischen Restaurants und über den Wilson Boulevard oder den Custis Memorial Parkway auch nur einige Autominuten von der Hauptstadt entfernt.

Besichtigung

Arlington National Cemetery (Atlas: S. 238, A 3/4): Als im Bürgerkrieg die Zahl der Toten stetig anschwoll und viele der gefallenen Soldaten von den nahen Schlachtfeldern Virginias in die Hauptstadt zurückgebracht wurden, ließ das Kriegsministerium auf dem enteigneten, hügeligen Grundstück um die Villa des Südstaatengenerals Lee und seiner Frau Mary Anna Randolph Custis südlich des Potomac einen Nationalfriedhof anlegen. Auf 250000 ist die Zahl der auf dem 248 ha großen Gelände bestatteten Toten inzwischen angestiegen, nachdem der Gefreite William Christman am 13. Mai 1863 als erster Soldat hier beerdigt wurde. Nur sehr wenige Zivilisten, vorwiegend Witwen von Militärangehörigen, liegen unter den schlichten Holzkreuzen. Auch Prominente, wie John F. Kennedy, sein Bruder Robert oder der Stadtplaner Pierre-Charles l'Enfant konnten nur hier begraben werden, da sie in der US Army gedient hatten (Infos/Lageplan im Visitors Center, Plan auch unter www. arlingtoncemetery.com/mrp-map.htm, Memorial Dr., Arlington, Tel. 703/607-8052, April–Sept. 8–19, sonst 8–17 Uhr, Zutritt frei).

Women in Military Service for America Memorial: Ein eigenes Denkmal in einer halbkreisförmigen Anlage für die bislang 1,8 Mio. Frauen, die seit der Revolution gegen die englische Kolonialherrschaft bei den bewaffneten Streitkräften der USA gedient haben, wurde im Oktober 1997 nicht weit vom Besucherzentrum des Friedhofes eingeweiht. Die Hall of Honor zeigt in einer Ausstellung den Beitrag, den Frauen in der Armee leisten (Ecke Schley Dr./Memorial Dr., Tel. 703/533-1155, April–Sept. 8–19, sonst 8–17 Uhr, Eintritt frei).

Kennedy-Grabstätten: Eine ewige Flamme flackert am Grab des 1963 in Dallas unter noch immer ungeklärten

Frühling auf dem Arlington National Cemetery

Umständen ermordeten 35. Präsidenten John F. Kennedy. Neben ihm ruht seine Frau Jacqueline Kennedy-Onassis unter einer Marmorplatte. Auch Senator Robert Kennedy, der 1968 ebenfalls ermordete Bruder des Präsidenten, ist nahe dem Sheridan Dr. bestattet. Wie bei einer Pilgerstätte reißt der Strom von Besuchern an den Grabstätten der Kennedys den ganzen Tag nicht ab.

Arlington House: 30 Jahre lang, von 1831–1861, lebten Robert E. Lee und seine Frau Mary Anna Randolph Custis, eine Großenkelin von Martha Washington, während ihrer Aufenthalte in Washington in ihrem Familienbesitz, dem Arlington House. Nachdem Lee bei Ausbruch des Bürgerkrieges 1861 das Angebot abgelehnt hatte, das Oberkommando über die Unionsarmee zu übernehmen und stattdessen die Streitkräfte auf der Seite seines Heimatstaates Virginia befehligte, enteigneten ihn die Behörden, da er die Steuern für das Anwesen nicht wie vorgeschrieben persönlich entrichtete. Das Haus ist mit zeitgenössischen Möbeln eingerichtet, auch die Quartiere der Sklaven sind noch auszumachen. Von dem Hügel bietet sich ein weiter Blick über die Memorial Bridge zum Lincoln Memorial und auf Washington (Sherman Dr., Tel. 703/557-0613, 9.30–16.30 Uhr, Eintritt frei).

Tomb of the Unknowns: Das ›Grab des unbekannten Soldaten‹ am Ende des Crook Walk soll die Gefallenen ehren, die in Kriegen ohne ordentliches Begräbnis verscharrt oder in Massengräbern anonym bestattet wurden. Jede halbe Stunde in den Sommermona-

Newseum

Atlas: S. 238, westlich von A 3
Von ersten Trommelsignalen bis zu modernster Kommunikationstechnik dreht sich hier alles um Nachrichten, ihre Übermittlung und Verbreitung. In einem TV-Studio kann man sich selbst produzieren – und das Video gegen eine Gebühr mitnehmen. Die Gannet Co., Gründer der Zeitung USA-Today, haben die exzellente Ausstellung mit einer großzügigen Stiftung ermöglicht (1101 Wilson Blvd./Ecke Kent St., Tel. 703/284-3544, www.newseum.org, Di–So 10–17 Uhr, Eintritt frei).

ten, jede volle Stunde im Winter und alle zwei Stunden nachts wechselt die Ehrenwache mit ausgefeiltem Drill.

Netherlands Carillion: Seit 1960 können die Anwohner von Rosslyn, bei guten Windverhältnissen auch von Foggy Bottom und Georgetown am anderen Ufer des Potomac, die Melodien der Glockenkonzerte an den Wochenenden von Mai bis September kaum überhören. Der von den Niederlanden gestiftete Glockenturm mit 50 Glocken nahe dem Nordeingang des Militärfriedhofes soll die Dankbarkeit des niederländischen Volkes für die Unterstützung der USA während des Zweiten Weltkrieges und in der Nachkriegszeit ausdrücken (Marshall Dr.).

Marine Corps Memorial: Die berühmte Figurengruppe von Soldaten der Marineinfanterie beim Aufpflanzen der US-Flagge auf der japanischen Pa-

zifikinsel Iwo Jima während des Zweiten Weltkrieges soll die gefallenen Marines aller Kriege ehren. An Dienstagen im Sommer exerzieren die Soldaten zu Marschmusik beim Denkmal nahe der Friedhofszufahrt Ord & Weitzel Gate.

Pentagon (Atlas: S. 238, B 4): In dem mit knapp 350 000 m² Bürofläche riesigen fünfeckigen Komplex arbeiten 24 000 Beschäftigte. Um die in diversen Gebäuden und an verschiedenen Orten verteilten Mitarbeiter des Department of War während des Zweiten Weltkrieges zusammenzufassen, bauten US Army-Pioniere den gewaltigen Trakt in relativ kurzer Zeit (1941–1943). Neben diversen Statistiken und skurrilen Zahlen – es gibt z. B. 4200 elektrische Wanduhren, 284 Toilettenräume oder 250 ausgewechselte Glühbirnen pro Tag – erfahren Besucher der mächtigs-

ten Militärmaschine der Welt einiges über den Aufbau des Department of Defense, über tapfere Soldaten und über das Schicksal amerikanischer Kriegsgefangener (Abzweigung von der I-395, Tel. 703/695-1776, www.defenselink.mil/pubs/pentagon/pentagon info.html, Besichtigung wegen des Terroranschlags auf den Westflügel am 11.9.2001 derzeit nicht möglich).

Drug Enforcement Museum & Visitor Center (Atlas: S. 238, B 4): Das erste Drogenmuseum der USA befindet sich im Hauptquartier der Behörde gegen Drogenmissbrauch DEA. Nur wer sich telefonisch angemeldet hat, wird eingelassen und lernt während einer Führung einiges über die Geschichte verbotener Rauschgifte, und dass Coca-Cola bis 1903 noch Kokain enthielt (700 Army Navy Dr., Arlington, Tel.

202/307-3463, www.usdoj.gov/dea/deamuseum/home.htm, Di–Fr 10–16 Uhr, Eintritt frei).

Theodore Roosevelt Island and Memorial

Atlas: S. 238, A 2/3
5 km Wanderwege durchkreuzen die 36 ha große verwilderte Insel im Potomac. Sie ist dem 25. Präsidenten der USA gewidmet, der zu Beginn des 20. Jh. viele Naturgebiete als Nationalparks schützen ließ (Abzweigung von der Theodore Roosevelt Bridge/Northbound, außerdem Fußgängerbrücke von Rosslyn, Tel. 703/289-2530, www.nps.gov/this, von Sonnenaufgang bis -untergang, Zutritt frei).

Vorwahl: 703

Key Bridge Marriott (Atlas: S. 238, A 2): 1401 Lee Hwy., Arlington, Tel. 524-6400, Fax 243-3280, www.marriotthotels.com. Über die Key Bridge, unweit von Georgetown, oder mit dem Hotelshuttle zur nahen Metro-Station, großzügige Zimmer, teils mit Blick auf Potomac und Washington, Kaffee und Morgenzeitung inklusive, DZ 210 $.
Econo Lodge Metro (Atlas: S. 238, westl. von A 2): 6800 Lee Hwy., Arlington, Tel. 538-5300, Fax 538-2110, www.econolodge.com. Spitzenhotel der Budgetkette liegt an der Kreuzung von I-66 und Lee Hwy. im Westen von Arlington, 8 Automin. zur Metro-Station Falls Church, günstig, trotzdem gut und komfortabel, DZ 140 $.
Travelodge Cherry Blossom Motel (Atlas: S. 238, westl. von A 4): 3030 Columbia Pike, Arlington, Tel. 521-5570, Fax 271-0081, www.travelodge.com. Günstige Preise, Kaffee, Saft und Doughnuts morgens inklusive, nächste Metro-Station etwa 3 km entfernt, DZ 80–100 $.

Layalina (Atlas: S. 238, westl. von A 3): 5216 Wilson Blvd., Arlington, Tel. 525-1170, mittags und abends Di–So. Köstliche syrische Küche mit fein abgestimmten Gewürzen, mit Rosenwasser zubereiteter Reispudding (unbedingt probieren), nahe der North Florida St.
Demera Ethiopian Restaurant (Atlas: S. 238, südl. von B 4): 2325 S. Eads St., Arlington, Tel. 271-8663, 10–24 Uhr. Gut, aber nicht zu scharf gewürzte Spezialitäten zu Injera ›Pfannkuchen‹, auch bereits zum Frühstück, gute Gemüseplatten.
Pho 75 (Atlas: S. 238, A 3): 1721 Wilson Blvd., Arlington, Tel. 525-7355, 9–20 Uhr. Schneller Service, schmackhafte Suppen (vietnam. *pho*) in schnöder Einkaufsplaza, hat viele Fans, keine Kreditkarten.

Fashion Centre at Pentagon City: 1100 S. Hayes St., Arlington. Mode-Mall mit Kaufhäusern wie Macy's und diversen Boutiquen.

Iota: 2832 Wilson Blvd., Arlington, 17–2 Uhr. Munteres, meist 20–40-jähriges Publikum, Rockgruppen verschiedener Stilrichtungen.
Galaxy Hut: 2711 Wilson Blvd., Arlington, bis 2 Uhr. Winziger, von außen unscheinbarer Club gegenüber vom Iota, für Liebhaber alternativer Musik.
Dr. Dremo's Taproom: 2001 Clarendon Blvd., Arlington. Lockerer Hang-out mit gezapftem Bier, Pool-Billard und kleiner Speisekarte (mit German Sausage).

Signature Theatre: 3806 S. Four Mile Run Dr., Arlington, Tel. 820-9771, www.sig-online.org. Kleine moderne Bühne, anspruchsvolle, erfolgreiche Inszenierungen.

FOGGY BOTTOM, GEORGETOWN UND DER WESTEN

Mehrere Universitäten, belebte Boulevards, Restaurants, Cafés, Buch- und Musikläden sind im Westen der Stadt, in den Vierteln Foggy Bottom, Georgetown, Dupont Circle, Adams Morgan oder Woodley Park, keine Seltenheit. Der Rock Creek Park mit Wäldern und Rasenflächen zieht sich beiderseits eines Bachbettes weit nach Norden bis nach Maryland.

Foggy Bottom

Atlas: S. 238, B 2

In den westlichen Stadtvierteln von Washington D.C., in Foggy Bottom, Dupont Circle, Adams Morgan, Georgetown und Woodley Park, findet man gutbürgerliche und flippige Wohnstraßen, muntere Geschäfte, Bars und Restaurants, dazu mit der Georgetown und der George Washington University Hochschulen von nationalem Renommee. Hier zeigt sich Washington von einer angenehmen, zuweilen heiteren, multikulturellen Seite, die nur gelegentlich die sozialen Gegensätze, Arbeitslosigkeit oder Armut erkennen lässt.

In Foggy Bottom erinnert nichts mehr an den Ursprung des Stadtteilnamens, als übelriechende Rauchschwaden von Gewerbebetrieben die Nasen der Bewohner belästigten. Gediegene Wohnviertel, Behörden, wie das wuchtige State Department, der quirlige Campus der Washington University und kalte Zweckbauten, wie der Gebäudekomplex der Weltbank, prägen heute das Bild zwischen Weißem Haus und Potomac River.

John F. Kennedy Center for the Performing Arts (Atlas: S. 238, B 2/3): An der Uferböschung des Flusses steht der riesige, meist nur ›Ken Cen‹ abgekürzte Kulturtempel, für den der Steinbruch beim norditalienischen Carrara 3700 Tonnen hell schimmernden Marmors hergeben musste. Als der weitläufige, nach dem ermordeten 35. Präsidenten der USA benannte Neubau mit fünf verschiedenen Theater, Konzert- und Filmbühnen 1971 eingeweiht wurde, endete auch die kulturelle Einöde, für die Washington lange berüchtigt war. Die kulturelle Belebung der Regierungsmetropole verdankt der Errichtung des aufwendigen Kulturkomplexes einen entscheidenden Anstoß (2700 F St., NW, Tel. 467-4600, www.kennedy-center.org, Mo–Sa 10–21, So 12–21 Uhr, Führungen Mo–Fr 10–17, Sa/So 10–13 Uhr, Eintritt zu Veranstaltungen, sonst frei).

Watergate Hotel Complex (Atlas: S. 238, B 2): Auch der nördlich angrenzende Gebäudetrakt hat Anstöße vermittelt. Kaum eine Enthüllung von unangenehmen Verstrickungen verschiedener Politiker, die nicht mit der Wortendung *gate* in die gedankliche Nähe der Watergate-Anlage gebracht wird. Am 17. Juni 1972 versuchten von verantwortlichen Wahlkampfmanagern der republikanischen Partei gedungene Einbrecher nachts in die im fünften Stock residierenden Büros der demokratischen Wahlkampfleitung für die Präsidentenwahl einzudringen. Präsident Nixon, dessen Verbindungen zu den Gangstern scheibchenweise bekannt wurden, entzog sich einem Amtsenthebungsverfahren im letzten Moment durch den Rücktritt von seinem Amt (2650 Virginia Ave.).

Georgetown

Atlas: S. 238, A 2

Jenseits des Flüsschens Rock Creek beginnt Georgetown. Der geschäftige Hafen, über den ein Teil der Tabakernte von Maryland verschifft wurde, existierte bereits zu kolonialen Zeiten. Ein Spaziergang durch das trendige Viertel, in dem nicht wenige prominente Hauptstadtbewohner ein gediegenes Reihenhaus bewohnen, könnte am Washington Harbour beginnen, dessen moderne Bootsanleger, Promenade und Restaurants am Fluss keine nostalgischen Gefühle aufkommen lassen. Auf dem Weg zur M Street, einer der beiden Hauptarterien des Viertels, ist dies schon eher möglich, wenn man

Georgetown, das quirlige Univiertel, mit vielen Restaurants und Kneipen

Barnes & Noble

Schräg gegenüber vom Old Stone House, im Café der weitläufigen Buchhandlung Barnes & Noble mit einer riesigen Auswahl über drei Etagen, kann man sich mit einem Stück Apfelkuchen oder einer elsässischen Quiche zu einem Becher Milchkaffee stärken (3040 M St., NW, Tel. 965-9880).

die restaurierten Schleusen des hier beginnenden C & O Canal (s. S. 108) passiert, an denen meist einer der schmalen Kähne liegt, die heute nur noch für Touristen von Maultieren an Treidelpfaden den Kanal entlang gezogen werden.

Old Stone House (Atlas: S. 238, A 2): Das 1765 aus Feldsteinen errichtete Gebäude ist das älteste von Washington. Es ist mit zeitgenössischen Möbeln und Hausgeräten eingerichtet (3051 M St., NW, Tel. 426-6851, www.nps.gov/rocr/oldstonehouse, Mi–So 10–16 Uhr).

Die M Street führt weiter nach Westen schnurstracks zur exklusiven Georgetown University. In dem Viertel zwischen dem Hochschulgelände und der Einkaufsmeile Wisconsin Avenue, vor allem entlang der kopfsteingepflasterten N und O Street, zeigt sich Georgetown im gepflegten Flair eigentlich längst vergangener Zeiten, mit mittlerweile aufwendig restaurierten Townhouses im viktorianischen und im Federal Stil.

Dupont Circle

Atlas: S. 238, B 2
An der lebhaften sternförmigen Kreuzung mit einem Kreisverkehr und einem Minipark in der Mitte laufen die Massachusetts Avenue, die New Hampshire Avenue und die Connecticut Avenue zusammen. Das umliegende Viertel gehört zu dem Muntersten, was Washington zu bieten hat. Buchhandlungen, die bis spät in die Nacht geöffnet haben, diverse Cafés und Straßenrestaurants, Diskos und Musikklubs, dazu Geschäfte aller Art tragen zu einer Atmosphäre bei, in der sich auch die Gay Community der Stadt wohlfühlt.

Kramerbooks & Afterwords, fast direkt am Dupont Circle, ist jederzeit ei-

B'nai B'rith Klutznick Nat. Jewish Museum

Atlas: S. 238, C 2
Um zum Jüdischen Nationalmuseum zu gelangen, muss man die Massachusetts Avenue nur einige Schritte zum Scott Circle hinuntergehen. Dort taucht man ein in eine andere Welt, in der die Etappen einer mehrtausendjährigen jüdischen Geschichte, ihre Feste und Rituale und dazu Arbeiten moderner jüdischer Künstler sowie Sonderausstellungen gezeigt werden (1640 Rhode Island Ave., NW, Tel. 857-6583, http://bbi.koz.com, So–Fr 10–16.30 Uhr, Spenden erbeten).

DER CHESAPEAKE & OHIO CANAL – TECHNISCHES MEISTERWERK UND NATURIDYLLE

Geduldige Maultiere ziehen die kräftig gebauten, langen und schlanken Lastkähne hinter sich her, unter Brücken, immer die schmalen Treidelpfade entlang. Über dem Kanal formen Äste und Laubwerk der Eichen und Ahornbäume zuweilen einen grünen Tunnel. Doch dort, wo einst Kohle aus den Gruben von Pennsylvania im Schiffsrumpf verstaut wurde, genießen heute Ausflügler die geruhsame Fahrt auf nachgebauten Kanalbooten durch die landschaftliche Idylle.

Im 18. und frühen 19. Jh. war der Potomac eine der kommerziellen Verkehrsadern nach Westen, in das Agrarland und zu den Kohlegruben um Pittsburgh. Doch Frachtkähne konnten immer nur Teilstücke des mehr als 300 km langen, schiffbaren Flusses befahren. Untiefen, Stromschnellen und Wasserfälle ließen einen durchgehenden Frachtverkehr nicht zu. Schon George Washington hatte die Bedeutung eines stabilen Wasserweges für den Transport von Gütern zwischen den Häfen an der Chesapeake Bay und dem Landesinneren im Mittleren Westen erkannt. 1802 eröffnete ein Unternehmen, das er noch mitgegründet hatte, den Patowmack Kanal auf einer kurzen Strecke am virginischen Ufer des Potomac. Die wachsende Nachfrage nach kostengünstigen, zuverlässigen Transportmöglichkeiten führte zu zwei großartigen technischen Pionierleistungen, an deren Fertigstellung zeitgleich gearbeitet wurde: dem Bau eines Kanals und einer Eisenbahnstrecke.

Nach mehrjährigen Planungen tat Präsident John Quincy Adams am 4. Juli 1828 den ersten Spatenstich. Es sollte jedoch noch 22 Jahre bis 1850 dauern, bis der Kanal die Stadt Cumberland im westlichen Maryland erreichte. Hunderte von Bauarbeitern hatten knapp 300 km Wasserbett parallel zum Potomac nördlich des Flusses in Maryland ausgehoben und Treidelpfade angelegt. Etwa 22 Mio. $, damals eine ungeheure Summe, waren in der Wasserstraße und den 74 Schleusen verbaut, die Lastkähne vom Potomac bei Georgetown bis auf 184,50 m ü. M. bei Cumberland anhoben. Ein Seitenkanal verband den Wasserweg zusätzlich mit Baltimore. Er galt als technische Meisterleitung und war doch im Moment seiner Einweihung bereits technisch überholt. Die am gleichen Tag wie der Kanal begründete Bahnstrecke der Baltimore & Ohio Railroad war ganze acht Jahre früher in Cumberland angekommen und transportierte Güter auf dem Schienenweg schneller als die Lastkähne über den Kanal. Von Anfang an erwies sich auch der schon 1825 eingeweihte Eriekanal zwischen Buffalo am Eriesee und Albany am Oberlauf des Hudson River als gewichtige Konkurrenz.

Cumberland blieb westlicher Endpunkt des Chesapeake & Ohio Canal. Eine mögliche Verlängerung bis nach Ohio wurde nicht mehr ernsthaft diskutiert. Dennoch transportierten die 28 m langen Lastkähne, die 120 Tonnen Nutzlast aufnehmen konnten, in der zweiten Hälfte des 19. Jh. immerhin 1 Mio. Tonnen Güter, vor allem Kohle, Getreide und Holz, zur Küste. Die prosperierende Eisenbahngesellschaft Baltimore & Ohio Railroad kaufte 1894 die kränkelnde Kanalgesellschaft. Nur 30 Jahre später schipperte der letzte Frachtkahn den Kanal hinunter. Nachdem Fluten Teile der Uferböschungen zerstört hatten, lohnte der Betrieb nicht mehr und wurde endgültig eingestellt. Ein vorausschauender National Park Service übernahm 1938 Teile des Kanals und seiner Ufer.

Anwohner kanalnaher Gemeinden wehrten sich in den 50er Jahren erfolgreich gegen Versuche, die Kanalstrecke für die Trasse eines Highways zu nutzen. Seit 1971 sind der gesamte Wasserweg und seine Ufer als National Historical Park geschützt. Spaziergänger, Jogger, Fahrradfahrer, Vogelbeobachter und Freizeitkapitäne aus Washington und anderen nahen Städten nutzen die Treidelwege und erfreuen sich an der umgebenden Natur, die mit der künstlichen Wasserstraße schon lange eine harmonische Verbindung eingegangen ist.

In Georgetown im Westen von Washington D.C. kann man die ersten restaurierten historischen Hebewerke und Schleusen besichtigen, beim Great Falls Park, knapp 20 km stromaufwärts, gibt es weitere Schleusen, ein Besucherzentrum sowie großartige Ausblicke auf den wildschäumenden Potomac. Bei Harper's Ferry, an der Einmündung des Shenandoah River, klettert der Kanal über sechs Hebeschleusen bergan. Bis nach Cumberland, dem westlichen Endpunkt des Kanals, erläutern weitere Visitor Center die gewagte Konzeption sowie wirtschaftliche Hintergründe für den Bau der Wasserstraße vor etwas mehr als 150 Jahren.

C & O Canal National Historical Park, P.O. Box 4, Sharpsburg, MD 21782, Tel. 301-739-4200, www.nps.gov/choh.

Geschäfte in der 18th Street
im Viertel Adam's Morgan

ne gute Anlaufadresse, um in endlosen Bücherregalen zu stöbern und sich dann zum verspäteten Frühstück, einem Milchkaffee, einem kleinen Snack, zum Mitternachtsimbiss oder zum Internetsurfen niederzulassen (1517 Connecticut Ave. NW, Tel. 387-1400).

Adams Morgan

Atlas: S. 238, B/C 1
Auch das Stadtviertel unmittelbar nördlich von U Street und Florida Avenue, rund um die Columbia Road, liegt seit einiger Zeit im Trend. Auch hier macht die bunte Mischung von Straßencafés, schrägen Geschäften und Musikklubs den besonderen Reiz aus. Vor allem abends treffen sich viele Nachtschwärmer in den Bars und Musikkneipen. Viele Unterkünfte, bis auf ein großes Luxusketten-Hotel, wird man hier im Gegensatz zum Dupont Circle nicht finden. Adams Morgan ist ein Viertel mit junger, ethnisch bunt gemischter Bevölkerung, für Besucher der Stadt mit öffentlichen Verkehrsmitteln allerdings etwas komplizierter zu erreichen, da die nächste Metro-Station Woodley Park/Zoo einen etwa 20-minütigen Fußweg entfernt liegt.

Embassy Row (Atlas: S. 238, B 1): Die Massachusetts Avenue nennt sich zwischen Sheridan Circle und dem US Naval Observatory auch Embassy Row. Grund dafür ist, dass in viele der eleganten Stadtvillen aus der Wende zum 20. Jh. an der breiten Allee und in deren Nebenstraßen etwa jede dritte Botschaft der in Washington vertretenen 150 Staaten eingezogen ist.

National Zoological Park (Atlas: S. 238, B 1): Der wunderschön angelegte, 66 ha große Zoo von Washington mit amazonischem Regenwald, Affenwald und Prärietieren schmiegt sich in eine Flussbiegung des Rock Creek zwischen den Stadtteilen Adams Morgan und Woodley Park. Er steht unter

der Regie der Smithsonian Institution. Sein berühmtester Bewohner, der Riesenpanda Hsing-Hsing aus China, ist inzwischen ein älterer Herr, genießt jedoch als Feinschmecker immer noch am liebsten frische Bambussprossen (3001 Connecticut Ave., NW, Tel. 673-4800, www.natzoo.si.edu, 1.Mai–15. Sept. Park 6–20 Uhr, Tiergehege 10–18 Uhr, sonst Park 6–18 Uhr, Tiergehege 10–16.30 Uhr, Eintritt frei).

Woodley Park

National Cathedral (Atlas: S. 238, A 1): Die mächtige, von einem Hügel in dem gutbürgerlichen Stadtviertel Woodley Park aufragende Cathedral Church of St. Peter and St. Paul kann man fast von jedem Punkt in Washington sehen. In dem neogotischen Gotteshaus finden mehr als 3000 Menschen Platz. Die Episkopalkirche steht allen christli-

111

chen Religionen und auch anderen Glaubensgemeinschaften für Veranstaltungen offen und versteht sich als Kirchenhaus für die gesamte Nation. 83 Jahre lang (1907–1990) wurde an der Kathedrale gearbeitet. Besonders die farbigen Kirchenfenster mit prächtigen Ornamenten, Bildern aus der Bibel und – wie das Motiv zum Mondflug von Apollo 11 – auch aus der gegenwärtigen Zeit verdienen besondere Beachtung. Der kleine Buchladen in der Krypta verkauft Bücher zu Architektur und Religion, Buntglasminiaturen und Mitschnitte von Konzerten, in der Herb Cottage auf dem Kirchengelände lassen sich getrocknete Kräuter und originelle Utensilien für den Garten erstehen (Wisconsin Ave., Tel. 537-6200, www.cathedral.org/cathedral, Mo–Fr 10–17, Sa 10–16.30, So 8–17 Uhr, Führungen Mo–Sa 10–11.30, 12.45–15.15, So 12.30–14.30 Uhr).

Rock Creek Park (Atlas: S. 238, B 1): Das Flüsschen Rock Creek windet sich vom nördlichen Maryland in kurvenreichem Lauf dem Potomac zu. Wiesen und Wälder begleiten den Park beiderseits der Ufer. Bereits 1890 beschloss der Kongress, ein 850 ha großes Areal unter Naturschutz zu stellen. Ranger betreuen das Gelände und können im Nature Center and Planetarium mit guten Tipps weiterhelfen (5200 Glover Rd., NW, Tel. 426-6829, www.nps.gov/rocr, Nature Center Mi–So 9–17 Uhr, Planetarium Shows Mi 16, Sa/So 13, 16 Uhr). Vor allem an Wochenenden gehört der Park den Joggern, Fahrradfahrern und Spaziergängern, sogar für einen kleinen Ausritt bieten sich die Wege und Pfade durch die Wildnis an.

Vorwahl: 202

Ⓗ   **Ritz-Carlton** (Atlas: S. 238, B 2): 1150 22nd St., NW, Tel. 835-0500, Fax 974-5519, www.ritzcarlton.com. Alle erdenklichen Annehmlichkeiten, Zimmer und Suiten, zentrale Lage, DZ 250–875 $.
Swissôtel Washington Watergate (Atlas: S. 238, B 2): 2650 Virginia Ave, NW, Tel. 965-2300, Fax 337-7915, www.swissotel.com. Große Zimmer mit Blick auf den Potomac, professioneller, freundlicher Service, DZ 164–400 $.
Hotel Lombardy (Atlas: S. 238, B 2): 2019 Pennsylvania Ave., NW, Tel. 828-2600, Fax 872-0503, www.hotellombardy.com. Schmuckes Boutique-Hotel mit italienischen Design-Akzenten, reichhaltige Zimmerausstattung, nahe der G. Washington Universität und Weltbank, DZ 199 $.
The Latham (Atlas: S. 238, A 2): 3000 M St., NW, Tel. 726-5000, Fax 337-4250. Ruhige, komfortable Zimmer zwischen dem lebhaften Zentrum von Georgetown und dem C & O Canal, zwei Spitzenrestaurants Citronelle und La Madeleine, DZ 189–325 $.
Holiday Inn Georgetown (Atlas: S. 238, A 1): 2101 Wisconsin Ave., NW, Tel. 338-4600, Fax 333-6113, www.eventsofmagic.com. Vor allem empfehlenswert, wenn man die regelmäßigen Sonderangebote nutzen kann, eher kleine Zimmer, aber Fitness-Center und Pool, DZ 109–179 $.
Tabard Inn (Atlas: S. 238, C 2): 1739 N St., NW, Tel. 785-1277, Fax 785-6173, www.tabardinn.com. Romantische Herberge in drei miteinander verbundenen Stadtvillen, vorzügliches Hotelrestaurant, viele einheimische Feinschmecker, DZ 80–170 $.
Kalorama Guest House (Atlas: S. 238, B 1): 1854 Mintwood Pl., NW, Tel. 667-6369, Fax 319-1262. Preisgünstiges Bed & Breakfast in mehreren viktorianischen Villen, passables Frühstück und Aperitif am Nachmittag inklusive, DZ 50–105 $.

Adams Inn (Atlas: S. 238, B 1): 1744 Lanier Pl., NW, Tel. 745-3600, Fax 319-7958, http://members.prestige.net/raystream/adamsinn. Komfortables Bed & Breakfast Inn in einer ruhigen Wohnstraße von Adams Morgan, Zimmer mit und ohne eigenem Bad, gastfreundliche Atmosphäre, DZ 45–90 $.

Seasons (Atlas: S. 238, B 2): im Hotel Four Seasons, 2800 Pennsylvania Ave., NW, Tel. 324-0444. Szenetreff zum Power-Breakfast oder Power-Lunch für die Mächtigen der Stadt, leichte, geschmackvolle Spitzenküche mit einigen asiatischen Anekdoten.

Galileo (Atlas: S. 238, B 2): 1110 21st St. NW, Tel. 293-7191, Sa mittag, So geschl. Täglich wechselndes Menu, norditalienische Küche, perfekte Pasta-Kreationen, exquisite Weinkarte.

Kinkead's (Atlas: S. 238, B 2): 2000 Pennsylvania Ave., NW, Tel. 296-7700. Muntere Atmosphäre, an der Bar meist für Einzelne noch Platz im sonst ausgebuchten Lokal, beste, schmackhafte amerikanische Küche mit regionalen Akzenten.

Marcel's (Atlas: S. 238, B 2): 2401 Pennsylvania Ave., NW, Tel. 296-1166, So geschl. Belgisch-französische Klassiker und Kreationen ohne jegliche Kalorienängste.

Sushi-Ko (Atlas: S.238, A 1): 2309 Wisconsin Ave., NW, Tel. 333-4187, 18–22.30, Di–Fr auch 12–14.30 Uhr. Sushi-Köstlichkeiten, seit über 25 Jahren immer noch mit überraschenden Einfällen.

Bacchus (Atlas: S. 238, B 2): 1827 Jefferson Pl., NW, Tel. 785-0734, Mo–Sa 18–22, Mo–Fr 12–14.30 Uhr. Unwiderstehliche libanesische Mezze-Vorspeisen, köstlich zu Rotwein, lässt viele nicht mehr zu den Hauptgerichten vordringen.

Café Riche (Atlas: S. 238, B 1): 2455 18th St., NW, Tel. 328-8118. Origineller Treff von Liebhabern antiquarischer Bücher und algerischer Speisen.

Sholl's Colonial Cafeteria (Atlas: S. 238, B 2): 1990 K St., NW, Tel. 296-0695, Mo–Sa 7–10.30, 11–14.30, 16–20, So 8–14.30 Uhr. Nachbarschaftskneipe, serviert seit mehr als 70 Jahren gestampfte Kartoffeln mit Frikadellen und Gemüsesuppe zu Niedrigpreisen.

Quick Pita (Atlas: S. 238, A 2): 1210 Potomac St., NW, Tel. 338-7482, Do–Sa 11.30–4.30, So–Mi 11.30–3.30 Uhr. Leckere Falafel, Tabbouleh und andere mittelöstliche Snacks, Pita gibt's mit Hähnchen und Gemüse.

Mansion on O Street: 2020 O St., NW. Kunstsupermarkt mit Platz für gut 5000 Antiquitäten und Kunstobjekte, nicht weit vom Dupont Circle.

Addison/Ripley Gallery: 9 Hillyer Court, NW. Zeitgenössische amerikanische Kunst auch regional bekannter Maler, nahe dem Dupont Circle.

Shake your Booty: 2335 18th St., NW. Damenschuhe mit Charakter.

Georgetown Park: 3222 M St., NW. Über 100 Geschäfte in der Shopping Mall der gehobenen Art, mit Plüsch, Chrom und Pflanzen, beliebte Kulisse in Kinofilmen wie ›True Lies‹ mit Arnie Schwarzenegger oder ›No Way Out‹ mit Kevin Kostner.

Commander Salamander: 1420 Wisconsin Ave., NW. Cooler Klamottenladen für sie, heruntergesetzte Designerstücke.

The Art Store: 3019 M St., NW. Nicht nur Künstler lieben den Georgetowner Art Store mit seiner originellen Auswahl von Gemälden, Drucken, Rahmen, Pinseln u. a. Zubehör, Journalen und Stiften.

Turquoiz: 3143 N St., NW. Lustige und frivole Oberbekleidung für mutige Damen, in einer Seitenstraße von Georgetown, in den selben Räumen und mit ähnlicher Auswahl wie die NW3 Boutique, eine Kaffee-Bar im Hinterhof zur Entspannung.

Dean & Deluca: 3276 M St., NW, 10–20, Fr/Sa 10–21 Uhr. Ableger des New Yorker

Dell-Tempels, mit leckeren Imbissen und köstlicher Auswahl zum Einkauf.

Olsson's Books and Records: 1239 Wisconsin Ave., NW. Kundige Buchhändler sorgen dafür, dass sich keiner zwischen den endlosen Regalen verirrt.

Travel Books & Language: 4437 Wisconsin Ave., NW. Eine der am besten sortierten Reisebuchhandlungen der gesamten Ostküste.

18th Street Lounge: 1212 18th St., NW. Von außen unscheinbarer Club – ESL abgekürzt –, sogar mit einem eigenem Plattenlabel und Trance Musik, über das Treppenhaus in der 1. Etage zu erreichen.

Red: 1802 Jefferson Pl., NW, Mo–Sa 22–2 Uhr. Tanzclub, überwiegend House Music, z. T. bis zum Sonnenaufgang.

Havanna Village: 1834 Columbia Rd., NW, Mi–Sa 19.30–2 Uhr. Tango, Salsa, Mambo oder Merengue auf zwei Etagen, in den Tanzpausen gibt es einen Mojito, der Doorman erwartet einen kleinen Obulus für den Einlass (der Herren).

Madam's Organ: 2461 18th St., NW, www.madamsorgan.com, So–Do 17–2, Fr/Sa 17–3 Uhr. Lockeres Hang-out, täglich Livemusik, gute Mixgetränke und gut gewürztes Soul Food aus den Südstaaten, wie der Name andeutet in Adams Morgan.

State of the Union, 1357 U St., NW, bis 2 Uhr morgens. Dass hier die frühere UdSSR gemeint ist, sieht man spätestens an der von einer Lenin-Büste dekorierten Bar. Ansonsten legen die DJs eher westliche Scheiben auf.

Club Asylum: 2471 18th St., NW, So–Do 20–2, Fr–Sa 20–3 Uhr. Am Mo ist Gothic Night, sonst kommen auch die Fans von Industrial auf ihre Kosten.

Black Cat: 1831 14th St., NW, 8–2 Uhr oder später. Hier treten Gruppen auf, kurz bevor sie große Karriere machen.

The Town and the Country Lounge: 1127 Connecticut Ave., NW, im Renaissance Mayflower Hotel. Power Bar für die Machtelite der Stadt, auch für ›Normalsterbliche‹, exzellente Martini-Kreationen.

Woolly Mammoth Theatre Company: 917 M St., NW, Tel. 393-3939, www.woollymammoth.net. Erfolgreiche Avantgardebühne, spielen im Theatre Y, 1529 16th St., NW, sowie im John F. Kennedy Center.

John F. Kennedy Center for the Performing Arts: 2700 F St., NW, Tel. 467-4600, www.kennedy-center.org. Kulturzentrum mit mehreren Bühnen. **Opera House** mit 2300 Plätzen, außer der Oper auch Ballett- und Musicalaufführungen; **Concert Hall** des National Symphonie Orchestra; **Terrace Theater,** 500 Plätze für Kammermusik, Kabarettaufführungen oder Tanzabende; **Eisenhower Theater,** in dem von Dramen bis zu Musicals alles zu sehen ist; **American Film Institute** für amerikanische und internationale Filmklassiker; **Theater Lab,** in dem auch das Kindertheater der Stadt seinen Aufführungsort hat.

Carter Barron Amphitheatre: 4850 Colorado Ave./Ecke 16th St., Tel. 426-0486, www.nps.gov/rocr/cbarron.htm. Buntes Programm in den Sommermonaten, mit Theater- und Konzertaufführungen im Open-Air-Theater des Rock Creek Park, 4200 Sitzplätze.

Joy of Motion: 5207 Wisconsin Ave., NW, Tel. 387-3042, www.joyofmotion.org. Im Jack Guidone Theater des Tanzstudios, unterschiedliche Tanz- und Ballettensembles, wie das Spanish Dance Ensemble, TAPestry, das City Dance Ensemble oder die New Release Dance Company.

Cineplex Odeon Uptown: 3426 Connecticut Ave., Tel. 966-5400. Schönstes von mehreren Odeon-Filmtheatern, mit riesigem, plüschigen Art-Deco-Kinosaal.

SHAW, ANACOSTIA UND DER OSTEN

Shaw, LeDroit Park oder Anacostia in der östlichen Hälfte Washingtons sind überwiegend von schwarzen Bürgern bewohnt. In den Wohnvierteln erinnern Museen, wie das Frederick Douglass National Memorial, an die Erfolge der Bürgerrechtsbewegung. Im weitläufigen National Arboretum sind viele Landschaftstypen der USA und ihre Flora nachgestellt.

In vielen Stadtführern kommt die östliche Hälfte von Washington nicht vor. Viertel wie Shaw, LeDroit Park, Trinidad oder Anacostia werden meist von schwarzen Bürgern bewohnt. Selbstverständlich bestehen sie nicht nur aus Slums. Es sind Gewerbegebiete und Wohnviertel unterschiedlichen Charakters, auch mit Parks und zwei Universitäten. Der U Street Corridor im Viertel Shaw entwickelt sich gerade wieder zu einer der beliebtesten Washingtoner Adressen für Nacht- und Musikclubs. Schon Duke Ellington, der 1899 nicht weit von der U Street geboren wurde, erwarb sich seinen ersten musikalischen Ruhm in den Kellerkneipen, bevor er 1923 nach New York aufbrach.

Als am 4. April 1968 nach dem tödlichen Attentat auf Martin Luther King jr. in Memphis überall im Lande Unruhen ausbrachen, lag deren hauptstädtisches Epizentrum im Shaw District. Nachdem 14 000 Soldaten die Ruhe wiederhergestellt hatten, waren Hunderte von Geschäften in Flammen aufgegangen oder geplündert. In der Folge siedelten weiße Bewohner sowie schwarzer Mittelstand in den Westen der Stadt oder in ruhige Vororte in Maryland oder Virginia. Diese Zeiten liegen 30 Jahre zurück, heute haben sich viele Stadtviertel wieder aufgerappelt, andere sind erst mitten auf dieser langen Wegstrecke.

Shaw District und der Osten

Atlas: S. 239, D–F 1–4

Die 1867 gegründete **Howard University** (Atlas: S. 239, D 1) gehört zu den schwarzen Kaderschmieden der Nation, 11 000 Studenten sind meist in den Fächern Jura, Medizin und Ingenieurwissenschaften eingeschrieben. Die **Gallaudet University** (Atlas: S. 239, E 2) nördlich der Union Station ist die bundesweit einzige Hochschule, deren Studentenschaft aus Gehörlosen oder Gehörgeschädigten besteht, die hier besonders gute Bedingungen finden.

Basilica of the National Shrine of the Immaculate Conception (Atlas: S. 239, nördl. von E 1): Umgeben von drei kirchlichen Hochschulen ragt die 1920–1959 in einer Mischung aus neoby-

115

zanthinisch-romanischem Stil errichtete Basilika auf. Der mächtige, 140 m lange Kuppelbau, in dem 6000 Gläubige Platz finden, wird ergänzt von einem freistehenden, 122 m hohen Glockenturm, dessen 56 Glocken sonntags ein Konzert geben. Innen sind mehr als 50 Kapellen verschiedenen Marienerscheinungen gewidmet (400 Michigan Ave./Ecke 4th St., NE, Tel. 526-8300, www.nationalshrine.com, 1. April–31. Okt. 7–19, sonst 7–18 Uhr, Eintritt frei).

Navy Yard (Atlas: S. 239, E 4): Auf dem Gelände einer früheren Kriegswerft und Waffenfabrik für die Marine am Anacostia River werden heute zwar keine Bordkanonen mehr produziert, die US-Navy ist jedoch mit dem Hauptquartier des Chief of Naval Operations, Bürogebäuden und Museen noch immer prominent vertreten. Am Kai kann der ausrangierte Zerstörer USS Barry besichtigt werden. Das Navy Museum (Building 76) zeigt Modellschiffe, Dioramen, Karten, Fotos, Mini-Unterseeboote u. ä. Das Marine Corps Historical Center dokumentiert die Einsätze der Elitetruppe, aus dem Blickwinkel der Militärs versteht sich (Ecke 9th St./M St., SE, Tel. 433-6897, www.history.navy.mil, gegenwärtig lassen sich das Gebäude und das Museum nicht besichtigen.

Anacostia

Atlas: S. 239, E/F 4
Südlich des Anacostia River, den der englische Kapitän John Smith 1608 als erster Weißer von der Chesapeake Bay heraufsegelte, beginnt der fast ausschließlich von schwarzen Bürgern besiedelte Stadtteil Anacostia. Schlechte Wohnverhältnisse und eine recht hohe Arbeitslosenquote machen ihn nach wie vor zum Sorgenkind der Kommunalpolitiker. Auch der verschmutzte Fluss ruft seit langem Unzufriedenheit hervor. Eine Anacostia Watershed-Initiative bemüht sich mit wachsendem Druck, Fluss und Ufer grundlegend zu sanieren, um sie für die Bevölkerung als Freizeit- und Grünanlagen nutzen zu können.

An der Kreuzung von Martin Luther King Avenue und V Street ist ein überdimensionaler, über 6 m hoher Stuhl nicht zu übersehen. Einst sollte er für einen Möbelabholmarkt werben, inzwischen hat ihn die Bevölkerung längst als Stadtteilkunst akzeptiert.

US National Arboretum

Atlas: S. 239, F 2
Im Frühling drängen sich in den Gewächshäusern der Baumschule Gartenbesitzer, um Pflanzen zu kaufen. Liebhaber von Landschaftsgärten und Blumen kommen zu allen Jahreszeiten auf ihre Kosten. Im Frühjahr verwandeln zehntausende Azaleen das 180 ha große parkähnliche Gelände in ein Blütenmeer, im Sommer begeistern Rhododendronbüsche. In jeder Wetterlage lohnt der Besuch der Bonsai-Zucht; einige der Mini-Bäume sind bereits 300 Jahre alt (Einfahrten New York Ave., NE, und R St., Tel. 245-2726, 8–17 Uhr, Eintritt frei).

Kenilworth Park & Aquatic Gardens (Atlas: S. 239, östl. von F 4): Die um die Wende zum 20. Jh. am südlichen Ufer des Anacostia zunächst privat angelegten Wassergärten und Teiche erstrecken sich über eine Fläche von 5 ha. Wasserlilien, Hyazinthen, sogar ostindischer Lotus und andere tropische Wassergewächse gedeihen in einer Feuchtlandschaft, die auch diverse Wasservogelarten als ihre Heimat akzeptiert haben (Ecke Anacostia Ave./ Douglas St., Abzweigung von I-295 (Kenilworth Ave.), SE, Tel. 426-6905, www. nps.gov/kepa, 8–16 Uhr, Eintritt frei).

Frederick Douglass National Historic Site (Atlas: S. 239, südl. von F 4): Der schwarze Bürgerrechtler – mit einer Karriere vom Feldsklaven bis zum Präsidentenberater und Botschafter – lebte von 1877 bis zu seinem Tod 1895 in der viktorianischen Stadtvilla ›Cedar Hill‹ (s. S. 118). Sie ist mit zeitgenössischen Möbeln und vielen Erinnerungsstücken und Dokumenten zur Sklavenbefreiung und zum Leben von Douglass ausgestattet (1411 W St., SE, Tel. 426-5961, www.nps.gov/frdo, Mitte April–Okt. 9–17 Uhr, sonst 10–17 Uhr, Eintritt für Führung).

Anacostia Museum (Atlas: S. 239, südl. von F 4): Das Museum, das auch zur Smithsonian Institution gehört, widmet sich der afroamerikanischen Geschichte und Kultur, vor allem in Washington und im ländlichen Süden. Wechselnde Ausstellungen werden oft mit kommunalen Initiativen und benachbarten Schulen gemeinsam entwickelt (1901 Fort Pl., SE, Tel. 673-7000, www.si.edu/anacostia, 10–17 Uhr, Eintritt frei).

Vorwahl: 202

In den östlichen Stadtvierteln ist kein Hotel empfehlenswert. Aufgrund seiner Lage am Washington Channel unweit des Anacostia River könnte man ausweichen ins **Channel Inn,** 650 Water St., SW (s. Hotels im Kapitel National Mall).

Ruppert's (Atlas: S. 239, D 2): 1017 7th St., NW, Tel. 783-0699, Di–Do 18–22, Fr–Sa 18–23 Uhr. Innovative Küche mit überraschenden Kombinationen, wie Mönchsfisch auf dreierlei Bohnengemüse.

Florida Avenue Grill (Atlas: S. 238, C 1): 1100 Florida Ave., NW, Tel. 265-1586, Di–Sa 6–21 Uhr. Legerer Südstaaten-Diner mit Virginia-Schinken und Grits, zum Frühstück kann es recht eng werden.

Trade Secrets: 1515 U St., NW. Stoffe und Mode mit Motiven aus Afrika.

Ames: 514 Rhode Island Ave., NE. Supergünstige Restposten an Kleidung, Schuhen, Elektronik und Möbeln.

Velvet Lounge: 915 U St., NW, 8–2 oder 3 Uhr. Viele Sofas, gute Drinks zu ordentlichen Preisen. Musik unterschiedlicher Richtungen von der CD, am Wochenende auch Livegigs.

Bohemian Caverns: 2003 11th St., NW, abends, wechselnde Öffnungszeiten. Die Jazzhöhle mit langer Liste prominenter Künstler wurde erfolgreich wiedereröffnet.

9:30 Club: 815 V St., NW, wechselnde Öffnungszeiten. 1200 Plätze in umgebautem Lagerhaus, in dem auch bekannte Gruppen auftreten.

2:K:9: 2009 8th St., NW, Do–Fr 17–3, Sa 21–3 Uhr. Weitläufiger Tanzklub mit Livekonzerten und Disko über zwei Stockwerke.

117

FREDERICK DOUGLASS – VOM SKLAVEN ZUM STAATSMANN

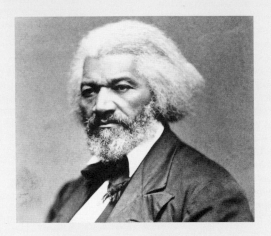

Es handelt sich um eine ganz und gar ungewöhnliche Lebensgeschichte von einem Sklaven, der sich trotz brutaler Behandlung nicht unterwirft und schließlich fliehen kann, der sich als Hilfsarbeiter durchschlägt und plötzlich seine Begabung zum Agitator entdeckt, der auf Vortragsreisen geht und zum Präsidentenberater aufsteigt, der als erster Schwarzer hohe Posten in der Hauptstadt bekleidet, der zum Herausgeber verschiedener Zeitschriften und zu einem anerkannten Sprecher der ehemaligen Sklaven in den USA avanciert.

Frederick Douglass wurde 1817 in Tuckahoe, Talbot County, auf einer Plantage als Frederick Augustus Washington Bailey geboren. Er war der Sohn einer Sklavin und – wahrscheinlich – ihres weißen Besitzers. Mit 8 Jahren als Haussklave nach Baltimore verkauft, lernte er illegal von seiner Herrin die Grundbegriffe des Lesens und vervollkommnete diese mit dem heimlichen Studium von Zeitungen und Büchern. Später arbeitete er wieder als Feldarbeiter und auf einer Schiffswerft. Mit 20 Jahren, gleich nach seiner Flucht aus der Sklaverei, gab er sich den Familiennamen Douglass nach dem Helden in Sir Walter Scotts Gedicht ›The Lady of the Lake‹. Sklavenjäger sollten es schwerer haben, seine Spur aufzunehmen. Bald engagierte er sich in der Anti-Sklaverei-Bewegung von Massachusetts.

Von großer Gestalt und mit einer melodischen, tragenden Stimme ausgestattet, konnte er auch viele Weiße davon überzeugen, dass die Sklaverei als inhuman abgeschafft gehörte. Zweifeln, ob ein derart gebildeter und eloquenter Schwarzer je Sklave gewesen sein könnte, begegnete er mit der Schilderung seiner Jugend in Maryland. Die drei autobiographischen Schriften, ›Narrative of the Life of Frederick Douglass, An American Slave‹ (1845), ›My Bondage and Freedom‹ (1855) und ›The Life and Times of Frederick Douglass‹ (1881), verfasste er als Aufklärungsschriften gegen das System der Sklaverei und zur öffentlichen Begründung seiner politischen Arbeit. Sie werden heute als einige der wichtigsten Beiträge afroamerikanischer Autoren zur amerikanischen Literatur überhaupt angesehen.

Die American Anti-Slavery Society schickte den wortgewaltigen Redner zu Veranstaltungen in viele Bundesstaaten. Doch die Veröffentlichung seiner Lebensgeschichte und seine Auftritte brachten ihn in große Gefahr. Nach geltendem Recht konnte er als flüchtiger Sklave jederzeit gefangen genommen und zu seinen früheren Besitzern zurückgebracht werden. Douglass brach daher 1845 zu einer zweijährigen Vortragsreise nach England und Irland auf, während der er sich so große Anerkennung erwarb, dass britische Förderer ihm die Freiheit erkauften.

Douglass begrüßte 1861 den Ausbruch des Bürgerkrieges zwischen der Union und den abtrünnigen Südstaaten. Er sah darin die Möglichkeit, mit der Wiederherstellung eines einheitlichen Staates auch die Sklaverei abzuschaffen. Während der Kriegsjahre gehörte er zum Beraterkreis von Präsident Lincoln und unterstützte die Rekrutierung von zunächst zwei schwarzen Regimentern auf Seiten der Nordstaaten. Von 1872 an lebte Frederick Douglass in Washington D.C., er bekleidete verschiedene Ämter in der Stadtverwaltung, war ab 1877 vier Jahre lang Marshall des District of Columbia, gab die Zeitschrift ›The New National Era‹ heraus, scheiterte als Präsident der schwarzen Freedman's Bank und amtierte ab 1889 zwei Jahre lang als Botschafter der USA in der Republik Haiti.

Als der verwitwete Douglass 63-jährig seine langjährige weiße Sekretärin Helen Pitts in zweiter Ehe heiratete, löste die Verbindung unter Weißen und Schwarzen gleichermaßen heftige Diskussionen aus. Doch der Streiter für gleiche politische Rechte wies alle Anwürfe zurück und sah in seiner Heirat ein weiteres Symbol seines Kampfes gegen jegliche Diskriminierung von Menschen wegen ihrer Hautfarbe.

In Rochester, der Hafenstadt im Bundesstaat New York am Ontariosee, lebte und arbeitete Douglass die längste Zeit seines Lebens. Hier gab er die in der Bürgerrechtsbewegung einflussreichen Blätter ›The North Star‹ (1847–1851), ›Fredrick Douglass' Paper‹ (1851–1858) und ›The Douglass Monthly‹ (1859–1863) heraus. Auf dem Mount Hope Cemetery der Stadt liegt er auch seit 1895 begraben.

Cedar Hill, das adrette viktorianische Haus auf einem Hügel in Washingtons Stadtteil Anacostia, in dem der schwarze Politiker und Journalist von 1877 bis zu seinem Tode wohnte, wurde zunächst von der Frederick Douglas Memorial Association betreut und ab 1962 vom National Park Service als Historic Site restauriert und für Besucher geöffnet. Es gibt mit vielen Exponaten einen Eindruck vom ungewöhnlichen Leben einer großen politischen Persönlichkeit.

1411 W St./Ecke 14th St., SE, Tel. 202/426-5961, Mitte April–Okt. 9–17 Uhr, sonst 10–17 Uhr, geführte Touren nach Anmeldung. Metro Anacostia, dann Bus B2.

Maryland, Chesapeake Bay und die Atlantikküste

Inner Harbor
von Baltimore

Kartenatlas S. 230–233, 237

BALTIMORE – HAFENMETROPOLE VON MARYLAND

Die größte Stadt des Bundesstaates Maryland gehört zu den wichtigen Wirtschaftsmetropolen an der Ostküste. Rund um den Hafen mit einer nett gestalteten Promenade sind die interessantesten Sehenswürdigkeiten zu finden, darunter auch das imposante National Aquarium mit Meeresbewohnern des Atlantischen Ozeans.

Atlas: S. 232, C 2

Die Millionenstadt Baltimore, Hafen- und Gewerbemetropole im Nordwesten der Chesapeake Bay, ist die größte Stadt von Maryland. Typisch für den Bundesstaat sind jedoch eher ländliche Regionen im bergigen Westen oder die Marschen sowie Segler- und Fischerhäfen rund um die verzweigte Chesapeake Bay. Maryland hat viele historische Stätten der Staatsgründung, des Unabhängigkeits- und des Bürgerkrieges bewahrt. Deutlich wird auch das katholische Erbe inmitten einer von Protestanten geprägten Umwelt.

Innerhalb der Stadtgrenzen leben knapp 700 000 Baltimoreans, mit Vororten kommt die größte, jedoch nicht die Hauptstadt von Maryland mühelos über eine Million Bewohner. 1729, mehr als 100 Jahre nach Jamestown in Virginia, gründeten britische Kolonisten eine Siedlung an der Mündung des Patapsco River in die Chesapeake Bay, die sich schnell zu einem wichtigen Umschlagplatz für Waren sowie einem Schiffbauplatz entwickelte.

Geschichte

Ihren Namen erhielt die Stadt nach dem Gründer von Maryland, Cecil Calvert, dem 2. Lord of Baltimore. Von 1776 bis 1812 katapultierte die Einwohnerzahl von 7600 auf 45 000. Das war Grund genug für die Engländer, im Krieg von 1812–1814 die Metropole und zweitwichtigste Hafenstadt der jungen USA nach der Eroberung von Washington frontal anzugreifen. Doch das massive Bombardement des vorgelagerten Fort McHenry durch die britische Flotte konnte dessen Besatzung nicht zur Aufgabe zwingen. Als im Morgengrauen des 14. September 1814 die ›Stars and Stripes‹ nur leicht lädiert nach der letzten Attacke im Wind flatterten, dichtete Francis Scott Key, von patriotischen Gefühlen beflügelt, die Verse ›Star-Spangled Banner‹, die später zur Nationalhymne der USA werden sollten.

Nach dem Bürgerkrieg, der den Sklavenhalterstaat Maryland trotz nicht unerheblicher Sympathien für den Süden auf Seiten der Union sah, entwickelte sich die Stadt mit Eisen-, Stahl-, Chemie- und Textilunternehmen zu einem industriellen Zentrum. Der Hafen avancierte zum zweitwichtigsten Einfalltor für einwandernde Europäer an der Ostküste. Little Italy, Greektown, German Town oder Polish Town beim heutigen Fells Point entstanden in dieser Zeit. Nach dem Niedergang der Schwerindustrie und nach schweren Jahren hat sich die Stadt zu einem Handels- und Dienstleistungszentrum gemausert. Allein das John Hopkins Medical Center mit seinen Krankenhäusern, den Forschungs- und Lehreinrichtungen sowie Biotechnologieanlagen beschäftigt mehr als 23 000 Baltimoreans. Der Hafen gehört immer noch zu den größten der USA. Firmen, wie Black & Decker, Procter & Gamble, McCormack oder General Motors sind mit Verwaltung und Produktion in Baltimore präsent.

Das noch vor 30 Jahren heruntergekommene Hafenviertel des Inner Harbor ist inzwischen herausgeputzt und zu einem Publikumsmagneten geworden. Ähnliches gilt für andere Stadtteile, wie Mount Vernon, Fells Point und Canton weiter im Osten mit einer Mischung von Restaurants, Galerien und Geschäften. Dagegen gelten Gebiete im Eastern District noch weiter im Osten der Hafenstadt als problembelastete Regionen, als Gangland, in denen die Auseinandersetzungen um Drogen und deren Absatzgebiete immer wieder Opfer fordern. Zombieland nennen selbst einige Cops abfällig das Terrain um den östlichen Teil der North Avenue.

Besichtigung

Inner Harbor/Harborplace Mall and Gallery [1]: Noch Mitte des 20. Jh. machten die Straßenzüge um den Inner Harbor im Zentrum der Stadt mit verfallenen Industrieanlagen und verlassenen Mietskasernen einen verwahrlosten Eindruck. Unruhen und Straßenschlachten nach der Ermordung des schwarzen Bürgerrechtlers Martin Luther King jr. 1968 schienen der Innenstadt Baltimores den Rest gegeben zu haben. Doch in den 80er Jahren vollzog sich ein kleines städtebauliches Wunder. Die Kombination von öffentlichen Haushaltsprogrammen mit privatwirtschaftlichen Investitionen und dem Engagement vieler Bürger schaffte die Wende. Heute präsentiert sich rund um das Hafenbecken die Promenade der Harborplace Mall and Gallery mit mehr als 200 Geschäften, Restaurants und Bars. Im Hafenbecken dümpeln historische Segler neben anderen Museumsschiffen. Im früheren Kraftwerk, das die Industriebetriebe am Hafen mit Energie versorgte, breitet inzwischen eine Filiale von Barnes & Noble sein umfangreiches Buchangebot aus, dazu präsentiert das Hard Rock Café lautstark Fastfood, dreht sich in der ESPN Zone alles um die Welt des Sports, um Rekorde und Wettkämpfe.

USS Constellation [2]: Der perfekt restaurierte Dreimaster von 1854 ist das letzte erhaltene Kriegsschiff der US-Navy aus der Zeit vor dem Bürgerkrieg. In aktiven Zeiten quetschten sich 300 Matrosen und Seesoldaten in das enge Schlafdeck. In den Sommermonaten dröhnt zweimal am Tag der Sa-

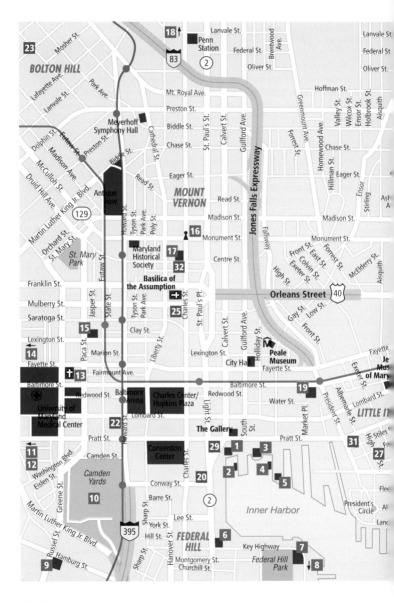

Sehenswürdigkeiten

1 Inner Harbor/Harborplace Mall
2 USS Constellation
3 World Trade Center
4 Maritime Museum
5 National Aquarium
6 Maryland Science Center
7 American Visionary Art Museum
8 Fort McHenry
9 Ravens Stadium
10 Oriole Park
11 Baseball Hall of Fame/B. Ruth
12 B & O Railroad Museum
13 Westminster Church
14 Edgar Allan Poe House
15 Lexington Market
16 Washington Monument
17 Walters Art Gallery
18 Baltimore Museum of Art
19 Port Discovery

Hotels

20 Harbor Court Hotel/Hampton's Restaurant
21 Admiral Fell Inn/Hamilton's Restaurant
22 Holiday Inn Inner Harbor
23 Mr. Mole Bed & Breakfast
24 Celie's Bed & Breakfast
25 Baltimore HI Hostel

Essen und Trinken

26 Obrycki's Crab House & Seafood Restaurant
27 Sabatino's
28 Bertha's
29 Paolo's Ristorante
30 Jimmy's Restaurant
31 Vaccaro's
32 Louis Bookstore Café

lutschuss aus einer Zwanzig-Pfünder-Kanone über den Hafen (Pier 1, 301 E. Pratt St., Tel. 539-1797, www.constellation.org, 1. Mai–14. Okt. 10–18 Uhr, sonst 10–16 Uhr, Eintritt).

World Trade Center

3 Nur von einigen Anlegern der Wassertaxis getrennt, ragt das fünfeckige Gebäude 32 Stockwerke in die Höhe. Von der Aussichtsplattform **Top of the World** in der 27. Etage haben schwindelfreie Besucher einen traumhaften Blick über Hafen und Stadt.

Maritime Museum 4 : Liebhaber historischer Schiffe werden sich den Besuch der drei Schiffe am Pier 3 nicht entgehen lassen: den Kutter der US-Küstenwache Taney, der bereits 1941 den Angriff der Japaner auf Pearl Harbour erlebte, das U-Boot Torsk, das während des Zweiten Weltkrieges bis zuletzt im Einsatz war, und das Feuerschiff Chesapeake aus dem Jahre 1930 (Pier 3, Pratt St., Tel. 396-3453, www.baltomaritimemuseum.org, So–Do 10–17, Fr/Sa 10–18 Uhr, Winter Fr–So 10.30–16.30 Uhr, Eintritt).

National Aquarium 5 : Gleich gegenüber leben über mehr als 10 000 Fische und andere Meerestiere in dem siebenstöckigen Stahl- und Glasbau des gigantischen Aquariums. Zahlreiche Panoramafenster bieten einen Blick auf die farbenprächtige Unterwasserwelt eines tropischen Korallenriffs in einem über 1 Mio. Liter fassenden Acryltank (501 E. Pratt St., Tel. 576-3800, www.

aqua.org, Juli–Aug. 9–20 Uhr, März–Juni/Sept.–Okt. 9–17, Fr 9–20 Uhr, Nov.–Feb. 10–17, Fr 10–20 Uhr, Eintritt).

Maryland Science Center 6 : Experimente zu Licht, Ton, Schwerkraft, dazu ein Planetarium sowie ein IMAX-Kino mit Riesenleinwand erfreuen die vielen jugendlichen Besucher des naturwissenschaftlichen Museums am südlichen Ausgang des Inner Harbor Hafenbeckens (602 Light St., Tel. 685-5225, www.mdsci.org, 17. Juni–3. Sept. So–Mi 10–18, Do–Sa 10–20 Uhr, sonst So–Mi 10–17, Do–Sa 10–18 Uhr, Eintritt).

American Visionary Art Museum 7 : Ein Kunstmuseum der besonderen Art mit Exponaten nicht ausgebildeter Autodidakten erwartet die Besucher am Rande des originellen Stadtviertels Federal Hill. Dutzende phantasievoller Gebilde – von einer vielfarbigen, 17 m hohen Plastik, an der sich im Wind alles dreht und bewegt, bis zu Wildblumenskulpturen oder abenteuerlichen Figuren aus Zahnstochern – sind in den sieben Sälen und im Freigelände ausgestellt. Die Museums-Cafeteria bietet sich mit phantasievoll dekorierten, schmackhaften Gerichten für eine Verschnaufpause geradezu an (800 Key Hwy., Tel. 244-1900, www.avam.org, Di–So 10–18 Uhr, Eintritt).

Fort McHenry 8 : Bis 1925 blieb das wie ein fünfzackiger Stern gebaute Fort an der Hafeneinfahrt Militärstützpunkt, dann übernahm der National Park Service das Kommando. Als Inspiration für die Nationalhymne der USA (s. S. 122) gilt es bei patriotischen

National Aquarium am Inner Harbor

126

Amerikanern als nationaler Schrein (Fort Ave, Tel. 962-4299, www.nps.gov/fomc, Juni–Anf. Sept. 8–20, sonst 8–17 Uhr, Eintritt).

Camden Yards: In dem Park- und Sportareal findet man in unmittelbarer Nachbarschaft die Stadien der beiden beliebtesten Profiteams der Stadt. Im **Ravens Stadium** 9 spielen die nach dem berühmtesten Gedicht von E. A. Poe benannten Baltimore Ravens mit einer in den letzten Jahren zusammengekauften Football-Mannschaft so erfolgreich, dass sie 2001 sogar die Super Bowl als bestes Profiteam nach Hause bringen konnten (www.gotix.com). Nördlich schließt sich der **Oriole Park** 10 der traditionsreichen Baseball-Truppe der Baltimore Orioles an, die selbst in Washington über viele eingeschworene Fans verfügt (333 W. Camden St., Tel. 685-9800, http://orioles.mlb.com).

Baseball Hall of Fame/Babe Ruth Birthplace 11: Ihr berühmtester Spieler, der 1895 in Baltimore geborene George Herman ›Babe‹ Ruth, wird mit einer eigenen Ausstellung geehrt. Viele halten den auch liebevoll ›Bambino‹ genannten und als ›Sultan of Swat‹ verehrten Athlethen, der seine Karriere später in New York fortsetzte, für den besten Baseballer aller Zeiten (216 Emory St., Tel. 727-1539, www.baseballhalloffame.org, 1. Mai–30. Sept. 9–21 Uhr, sonst 9–17, Fr/Sa 9–20 Uhr, Eintritt).

B & O Railroad Museum 12: Von der Mt. Clare Eisenbahnstation, heute Bestandteil des Eisenbahnmuseums, fuhren 1830 die ersten Züge der Baltimore & Ohio Railroad gen Westen. Eisenbahnliebhaber werden viele Stunden in der weitläufigen Anlage verbringen, Dampfloks wie die William Mason von 1856 bestaunen oder einige Runden auf einer stromlinienförmigen Diesellok drehen (901 W. Pratt St., Tel. 752-2490, www.borail.org, 10–17 Uhr, Eintritt).

Westminster Church 13: Nicht die Kirche an der Ecke von Fayette und Greene Street, sondern ihr Kirchhof ist das Ziel vieler literarisch interessierter Stadtbesucher und Bewohner. Hier liegt Edgar Allan Poe begraben, der unter nicht geklärten Umständen 1849 in Baltimore verstarb (s. S. 129).

Edgar Allan Poe House 14: In dem kleinen Haus, das mit allerlei Memorabilia zu Leben und Werk des Dichters ausgestattet ist, lebte Poe nur von 1832 bis 1835. Hier schrieb er seine erste Horrorstory ›Berenice‹ (203 N. Amity St., Tel. 396-7932, www.eapoe.org, April–Juli, Okt.–Dez. Mi–Sa 12–15.45 Uhr, Aug./Sept. Sa 12–15.45 Uhr, Eintritt).

Lexington Market

15 Nicht viel anders muss es auf dem quirligen Markt auch vor etwa 200 Jahren zugegangen sein. Mehr als 100 Stände bieten Artikel aller Art an, von frischem Fisch bis zu Designer-Hosenträgern. Vor allem mittags wehen aromatische Düfte von diversen Ständen, wenn Garküchen und Imbisse ihre ethnisch vielfältigen Spezialitäten zubereiten (400 W. Lexington St., Tel. 685-6169, Mo–Sa 8.30–18 Uhr, Eintritt frei).

HORRORGESCHICHTEN UND *POE*TRY – DAS GEHETZTE LEBEN DES EDGAR ALLAN POE

Im Morgengrauen des 7. Oktober 1849 starb in einem Hospital von Baltimore ein wenige Tage zuvor bewusstlos in der Gosse aufgefundener Mann, nur 40 Jahre alt, an Herzversagen. War er das Opfer eines Verbrechens geworden, hatte ihm ein hemmungsloses Besäufnis den Rest gegeben oder waren es die Folgen einer nicht erkannten Diabetes-Erkrankung? Edgar Allan Poes eigener Tod umgibt noch heute ein Geheimnis ebenso wie etliche Figuren seiner gruseligen Erzählungen.

Der begnadete Erzähler von Kurzgeschichten, Romanautor, Poet und scharfzüngige Literaturkritiker wurde am 19. Januar 1809 in Boston geboren. Nach dem Tod seiner Mutter kam er zu seinem Patenonkel in Richmond, der ihn auf britische Internate schickte. 1826 gab Poe ein kurzes Gastspiel auf der Universität von Charlottesville, bevor er wegen seiner verhängnisvollen Spielleidenschaft von der Hochschule verwiesen wurde. Danach schlug sich Poe in Boston als Dichter durch, bis ihn die Armut zwang, vorübergehend eine Stelle in der Armee anzutreten. Nach einem literarisch produktiven Aufenthalt in New York kehrte Poe nach Baltimore zurück, übernahm 1835 den Posten eines Literaturkritikers am ›Southern Literary Messenger‹ in Richmond und formulierte seine schon bald gefürchteten scharfen Kritiken. Ein Jahr darauf heiratete Poe seine 13-jährige Cousine Virginia Clemm.

Alkoholische Ausschweifungen beendeten seine Journalistenlaufbahn in Richmond. Er übersiedelte erneut nach New York, schrieb dort den phantastischen Roman ›Der Bericht des Arthur Gordon Pym‹ und übernahm dann einen Redakteurposten in Philadelphia. In dieser Zeit entstanden die schaurige Erzählung vom ›Fall des Hauses Usher‹ und die Meisterwerke ›Das verräterische Herz‹ sowie die Mutter aller modernen Kriminalromane ›Der Doppelmord in der Rue Morgue‹. Nach Poes erneuter Rückkehr nach New York gelang ihm mit dem 1845 im New Yorker ›Mirror‹ veröffentlichten Poem ›Der Rabe‹ der literarische Durchbruch. Plötzlich galt er in den Salons der Stadt als Berühmtheit, zum Ruhm kam der finanzielle Erfolg.

Poe als Meister des Grauens, der Menschen am Abrund beschreibt, Poe als analytischer Kritiker, dessen Analysen und Kritiken meist mit Ironie gewürzt sind, Poe als gefühlvoller Poet, den die Schönheit und Anmut junger Frauen immer wieder zu lyrischen Hymnen inspirierten, und als disziplinierter Techniker, der Gedichte und Geschichten nach klassischen Regeln perfekt aufbauen konnte, sind Aspekte einer vielschichtigen und widersprüchlichen Persönlichkeit.

Nach dem Tod seiner Frau Virginia 1847 an Tuberkulose hatte er einige kurze Liebschaften, bevor er 1849 seine reich verwitwete Jugendliebe Elmira Royster heiratete. Doch eine feuchtfröhliche Geburtstagsfeier in Baltimore war für Poe das Ende. ›Nevermore‹ krächzt der Rabe in Poes Gedicht, es geht ›Nimmermehr‹, und liefert gleichzeitig die Überschrift für den letzten Rausch von Edgar Allan Poe.

Mount Vernon: Rund um den Mount Vernon Square und entlang der Charles Street harren einige der Brownstone-Häuser aus dem 19. Jh. noch auf bessere Zeiten, viele andere sind bereits restauriert. Das einst schicke, danach vernachlässigte Wohngebiet gehört heute wieder zu den *trendy quarters*, in denen man abends gut ausgehen kann.

Washington Monument 16: Lange bevor es als Zeichen des Wohlstandes galt, um den Mount Vernon zu wohnen, errichteten die Bürger der Stadt dem ersten Präsidenten der USA ein Denkmal. Wer die 228 Stufen zur Aussichtsplattform emporsteigt, wird mit einem Panoramablick über Baltimore belohnt (600 N. Charles St., Tel. 396-0929, Mi–So 10–16, erster Do im Monat 16–20 Uhr, Spende erbeten).

Walters Art Gallery 17: Aus der Privatsammlung der Eisenbahnbarone Wil-

Blick auf den Inner Harbor

liam und Henry Walters – sein Sohn – hat sich eines der renommiertesten Kunstmuseen der Ostküste entwickelt, mit mehr als 30 000 Objekten aller Genres und Zeiten. Der wie ein italienischer Palazzo anmutende Bau wurde umfassend renoviert und erweitert und kann seitdem noch mehr seiner Kunstschätze zeigen. Im Classic Café des Museums warten leckere Sandwiches und andere Snacks auf die nicht nur nach Kultur hungrigen Besucher (600 N. Charles St., Tel. 547-9000, www.thewalters.org, Di–Fr 10–16, Sa/So 11–17, erster Do im Monat 10–20 Uhr, Eintritt).

Baltimore Museum of Art 18: Es lohnt sich, den zweiten Kunsttempel der Stadt am nördlichen Rand des Zentrums zu besuchen. Die weitläufige, von zwei Skulpturengärten ergänzte Ausstellung zählt zu ihren besonderen Höhepunkten eine Sammlung expressionistischer Werke sowie die Kunst des 20. Jh. in einem 1994 fertig gestellten Anbau. Dort hängen auch einige der besten Bilder von Andy Warhol (10 Art Museum Dr., Tel. 396-7100, www.artbma.org, Mi–Fr 11–17, Sa/So 11–18 Uhr, Eintritt).

Port Discovery 19: Kinder fühlen sich wie magisch angezogen von der 1999 eröffneten Ausstellung, die viel Raum gibt für Experimente und Erkundungen. Ivan Idea, Annie Action und andere Figuren einer *dream squad* helfen den jungen Besuchern, das alte Ägypten zu erkunden oder bei der Produktion in einem digitalen TV-Studio mitzumachen (35 Market St., Tel. 727-8120, www.portdiscovery.org, 10–17 Uhr, Eintritt).

Fells Point: Das frühere Werftengebiet liegt im Trend. Einst wurden hier die legendären Baltimore Clipper gebaut, flinke Segler, die Fracht über den Atlantik beförderten oder, bemannt von Privateers, englischen oder spanischen Schiffen auflauerten. Das historische Viertel mit etwa 350 gut erhaltenen Reihenhäusern aus dem 18. und 19. Jh. am östlichen Rand des Zentrums

131

gehört zu den beliebten und belebten Wohnquartieren der Stadt mit originellen Hotels, Restaurants, Nachtklubs, schrägen Geschäften und einem munteren Markt am südlichen Ende des Broadway.

Vorwahl: 410

Baltimore Area Convention & Visitors Association: 100 Light St., 11. Etage, Tel. 837-4636, www.baltimore.org.

Harbor Court Hotel 20: 550 Light St., Tel. 234-0550, Fax 659-5925, www.harborcourt.com. Perfekt geführtes Hotel am Inner Harbour, für anspruchsvolle Gäste, das Hotelrestaurant Hampton's gehört zu den besten Speisetempeln der Stadt, DZ 240–325 $.

Admiral Fell Inn 21: 888 S. Broadway, Tel. 522-7377, Fax 522-0707, www.Admiral-Fell.com. Nahe zum Hafenbecken bei Fells Point, ehemaliges Seemannsheim aus dem 19. Jh., bestens restauriert, im Hamilton's Restaurant wird moderne amerikanische Küche mit leichter Hand zelebriert, DZ 150–225 $.

Holiday Inn Inner Harbor 22: 301 W. Lombard St., Tel. 685-3500, Fax 727-6169, www.holiday-inn.com. Ordentliches Kettenhotel in guter Lage, großer Pool, Fitness-Center, DZ 138–188 $.

Mr. Mole Bed & Breakfast 23: 1601 Bolton St., Tel. 728-1179, Fax 728-3379, www.mrmolebb.com. Kultivierte Unterkunft nicht weit vom Druid Hill Park, 6 Zimmer, leckeres Frühstück, DZ 115–175 $.

Celie's Bed & Breakfast 24: 1714 Thames St., Tel. 522-2323, Fax 522-2324. Geschmackvolle Herberge, 7 Zimmer, nah zum Wasser in Fells Point, DZ ab 110 $.

Baltimore HI Hostel 25: 17 W. Mulberry St., Tel. 576-8880. Schlichte Jugendherberge mit ordentlichen Gemeinschaftsküchen und Schlafsälen, Preis ab 12 $.

Obrycki's Crab House & Seafood Restaurant 26: 1727 E. Pratt St., Tel. 732-6399. Traditionslokal für Krebs-, Fisch- und Muschelgerichte, gehobene Preise.

Sabatino's 27: 901 Fawn St., Tel. 727-9414. Legendäres hausgemachtes Dressing im gemischten Salat, dazu wunderbare Pasta- und Gnocchigerichte.

Bertha's 28: 734 S. Broadway, Tel. 327-5795. Die besten Muschelgerichte der Stadt, auch alles andere aus der Chesapeake Bay.

Paolo's Ristorante 29: 301 Light St. Tel. 539-7060. Direkt am Inner Harbor, extravagant belegte Designer-Pizza u. a. kalifornisch-italienische Crossover-Gerichte.

Jimmy's Restaurant 30: 801 S. Broadway, Tel. 327-3273. Preisgünstige Institution für Hafenarbeiter, Touristen, Nachtschwärmer und Frühaufsteher, offen zu allen Mahlzeiten.

Vaccaro's 31: 222 Albemarle St., Tel. 685-4905. Kaffee sowie leckerste italienische Desserts und Gebäck; wer Geburtstag hat, bekommt eines umsonst.

Louis Bookstore Café 32: 518 N. Charles St., Tel. 962-1224. Tagsüber leichte Gerichte, abends Opulenteres, am Wochenende Brunch und immer Bücher.

Women's Industrial Exchange Tea Room & Gift Shop: 333 N. Charles St. Verkauft seit 1882 von bedürftigen Frauen gefertigte Handarbeiten, Strickwaren und Quilts, angeschlossene Speisegaststätte mit historischem Ambiente.

Hometown Girl: 1000 W. 36th St. Originelles und Kitschiges, Reisemitbringsel und Bücher, mit Bezug zur Region.

C-Mart: 1503 Rock Spring Rd., Forest Hill, einzigartiger Supermarkt für Posten

und Partien nördlich von Baltimore (Rt. 24 N), Designer-Jacketts, Angeln und Videogeräte, aber alles billig, billig.
Kelmscott Bookshop: 32-34 W. 25th St. Phantastisches Sortiment auch älterer Ausgaben vieler Genres.

 Gin Mill: 2300 Boston St. Hippe Zeitgeist-Bar in Canton, Bier und Snacks zu vollem Disko-Sound.
Brewer's Art: 1106 N. Charles St. Immer voll, kein Wunder bei der guten Stimmung und den frisch gebrauten Microbrews.
The Horse You Came In On: 1626 Thames St. Allabendlich rockige Stimmung mit örtlichen Gruppen in Fells Point.
Strand Cybercafé: 105 E. Lombard St. Kaffee, Drinks und Snacks, dazu ein Dutzend PCs zum Surfen.

 Center Stage: 700 N. Calvert St., Tel. 332-0033, www.centerstage. org. Führende Sprechbühne der Stadt mit eigenen und Tourneeproduktionen.
Fells Point Corner Theatre: 251 S. Ann St., Tel. 276 7837, www.fpct.org. Ambitioniertes Ensemble, jährlich 8 Inszenierungen.
Baltimore Symphony Orchestra: 1212 Cathedral St., Tel. 783-8000, www. baltimoresymphony.org. Von David Zinman geleitetes, international renommiertes Ensemble, spielt Sept.–Juni in der Joseph Meyerhoff Symphony Hall.
The Senator: 5904 York Rd. Premierenkino aus den 30er Jahren im Art-Déco-Look.

 Mai: Preakness Celebration, Fest mit Konzerten, Sportvergnügen, Heißluftballonfahrten usw. rund um das wichtigste Galoppereignis des Jahres, www.preaknesscelebration.com.
Juli: Independence Day Fete am 4. Juli mit riesigem Feuerwerk am Hafen.
September: Maryland Wine Festival, Carroll County Farm Museum, Westminster, westl. von Baltimore.
Oktober: Fells Point Fun Festival, Straßenfest mit Musik und vielen Essensständen, Anfang des Monats.

 Harbor City Tours: Tel. 254-8687. Blau-weiße Busse karriolen auf einer festen Route durch die Innenstadt, vorbei an allen Sehenswürdigkeiten, erklärt von kundigen Fahrern. Man kann bei einem Stopp aussteigen und mit dem nächsten Bus die Fahrt fortsetzen.

 Flughafen: Baltimore-Washington International Airport, BWI (s. auch Washington), 15 km südl., Blaue Minibusse von SuperShuttle zu Downtown-Hotels, ca. 30 Min., 11 $. Taxi ab 18 $. Bahnfahrt zur Penn Station im Zentrum ca. 15 Min., 5 $. Mietwagenverleiher haben Büros und Parkplätze bequem im Flughafenareal, nahe der Gepäckausgabe.
Bahn: Amtrak-Hauptbahnhof, Penn Station, Ecke Charles St./Mt. Royal Ave., Tel. 291-4261.
Bus, Metro: MTA, Tel. 539-5000, Fahrplan- und Preisinfos für Busse, Metro und Light Rail.
Taxi: Yellow & Checker Cab, Tel. 685-1212.
Mietwagen: Alle bundesweit operierenden und diverse regionale Anbieter verfügen über Verleihstationen am Airport und in der Stadt, z. B. Alamo, 2307 N. Howard St., Tel. 235-6665. Hertz, 1 Amtrak Way, Tel. 850-7400. Thrifty, 2042 N. Howard St. Tel. 783-0302.
Boot: Ed Lane's Water Taxi, Tel. 563-3901, und Harbor Shuttle, Tel. 675-2900, Liniendienste mit Barkassen im Hafen, auch gute Verbindung zwischen Fells Point und Inner Harbor.

 Hauptpostamt: 900 E. Fayette St., Tel. 347-4429, Mo–Fr 8.30–17, Sa 8.30–16 Uhr.

DER UNBEKANNTE WESTEN VON MARYLAND

In der Stadt Frederick erinnert das Schifferstadt-Haus an frühe deutsche Einwanderer, eine Ausstellung zur Kriegsmedizin dokumentiert die Leiden von Bürgerkriegsopfern. Das Schlachtfeld von Antietam sah eine der blutigsten Auseinandersetzungen dieses Konflikts. Der Landsitz von Camp David in den Catoctin Mountains ist Wochenenddomizil und Konferenzort der US-Präsidenten.

Atlas: S. 230/231, B–F 1/2

Frederick, Mitte des 18. Jh. noch Fredericktown, galt einst als Siedlungsgebiet für Pioniere an der Grenze zum Indianergebiet jenseits des Appalachengebirges. Hier stellten Meriwether Lewis und William Clark 1803 die Vorräte für ihre wagemutige Expedition zusammen, die sie im Auftrag von Präsident Thomas Jefferson bis an die Pazifikküste führen sollte. Engländer und auch deutsche Einwanderer besiedelten die Region, in der noch heute das Schifferstadt-Haus und vertraute Familiennamen an vielen Hauseingängen an die Heimat der Vorfahren erinnern. Später sah die Region dutzendfach Kämpfe während des Amerikanischen Bürgerkrieges, vor allem die blutige Schlacht von Antietam im November 1862.

Heute sind eher die harmonische Landschaft mit ihren *rolling hills*, Rinderfarmen und ausgedehnten Obstplantagen sowie das bewaldete Mittelgebirge der Catoctin Mountains mit Wanderwegen und fischreichen Bächen die Ziele einer friedlichen Wochenendinvasion der Städter aus den nicht weit entfernten Metropolen Washington D.C. und Baltimore.

Frederick

Atlas: S. 231, F 4

Der Verkehrsknotenpunkt im Westen von Maryland hat sich in den letzten Jahren zur zweitgrößten Stadt des Bundesstaates entwickelt. Die Innenstadt mit ihren beschaulichen, baumbestandenen Straßen und Häusern aus dem 18. und 19. Jh. lohnt einen Bummel – nicht zuletzt wegen der mehr als 300 Antiquitätengeschäfte, die Besucher auch aus entfernteren Regionen zu einem Kurzausflug anlocken.

Das **National Museum of Civil War Medicine** gibt einen seltenen Einblick in die grausamen Konsequenzen bewaffneter Auseinandersetzungen, die unzureichende Hilfe für die Verletzten, die Operationen am Rand des Schlachtfeldes, das Leiden der Opfer (48 E. Patrick St., Tel. 695-1864, www.civilwarmed.org, Mo–Sa 10–17, So 11–17 Uhr, 15. Nov.–15. März bis 16 Uhr, Eintritt).

Das **Schifferstadt-Haus** aus dem Jahr 1756 gilt als das älteste Gebäude der Stadt. Das massive, aus Stein gebaute Wohnhaus des deutschen Einwanderers Josef Brunner und seiner Familie aus dem rheinland-pfälzischen Schifferstadt wird ebenso wie der koloniale Kräuter- und Gemüsegarten von einer gemeinnützigen Stiftung unterhalten, die informative Führungen durch das sorgfältig restaurierte Gebäude im Westen des Ortes nahe dem Rock Creek anbietet (1110 Rosemont Ave., Tel. 663-3885, April–Mitte Dez. Di–Sa 10–16, So 12–16 Uhr, Eintritt).

Emmitsburg

Atlas: S. 231, F 4

Elisabeth Ann Seton (1774–1821) wurde 1975 als erste Amerikanerin von der katholischen Kirche heilig gesprochen. Der **National Shrine of St. Elisabeth Ann Seton** erinnert an das Leben der Witwe aus Baltimore, die, zum katholischen Glauben übergetreten, nach dem Tode ihres Mannes den Orden der Schwestern der Barmherzigkeit gründete (333 S. Seton Ave., Tel. 447-6606, www.setonshrine.org, Mi–So 10–16.30 Uhr, letzte 2 Wochen im Jan. geschl., Spende erbeten). Bei Emmitsburg gründete sie 1810 eine konfessionelle Mädchenschule. Wenige Kilometer weiter südlich, an der SR 15 (16300 Old Em-

›Rolling Hills‹ in den Appalachen

135

CAMP DAVID – WELTGESCHICHTE IN DEN CATOCTIN MOUNTAINS

Präsident Carter vermittelte bei den Verhandlungen zwischen dem ägyptischen Staatspräsidenten Sadat und dem israelischen Ministerpräsidenten Begin

Nach dem Überfall der japanischen Luftwaffe auf Pearl Harbour im Dezember 1941 befanden sich die USA offiziell im Krieg mit den verbündeten Mächten Deutschland, Japan und Italien. Sicherheitsberater warnten Präsident Franklin Delano Roosevelt dringend, weiterhin an Wochenenden auf der Staatsjacht Potomac vor der Küste zu kreuzen, da deutsche U-Boote bereits im Westatlantik operierten. Auf der Suche nach einem Refugium für das Staatsoberhaupt fiel die Wahl schließlich auf die Catoctin Mountains, gut 100 km nordwestlich von Washington. Das Boys Camp No. 3 musste 1942 der Präsidentenlodge weichen, einer rustikalen Herberge im Blockhausstil inmitten eines 80 ha großen bewaldeten, hügeligen Areals.

Bei den Sicherheitsbehörden hatte das Camp den Codenamen ›Cactus‹, bei der Marine, die für Unterhalt und Bewachung zuständig war, wurde es als Naval Support Facility NASUPPFAC registriert, doch Roosevelt taufte es ›Shangri-La‹, nach dem mythischen Ort im Himalaya, der weder Kriege noch Alter kennt. In der Ruhe und Einsamkeit knapp zwei Stunden von Washington entfernt, wollte er sich von der Hektik und den Terminen der Hauptstadt erholen.

136

Doch von Beginn an war das Camp in den Wäldern mehr als ein Erholungsort, hier wurde Weltgeschichte konzipiert und beschlossen. Roosevelt diskutierte mit Winston Churchill und dem britischen Außenminister Antony Eden die Strategie gegen Hitler-Deutschland. Im Wohnzimmer der Lodge stimmten die Alliierten 1944 ihre Planungen zur Landung in der Normandie ab. Auch Präsident Eisenhower fand Gefallen an dem Bergdomizil, 1953 benannte er es nach seinem Lieblingsneffen David in ›Camp David‹ um. Mit dem Versuch, den Kalten Krieg zwischen den USA und der UdSSR zu entschärfen, verbrachte der sowjetische Parteichef Nikita Chruschtschow 1960 einige entspannte Tage mit Eisenhower in den Bergen, die den Mythos vom ›Geist von Camp David‹ begründeten.

Intensive Beratungen in Camp David begleiteten die Entscheidung von Präsident John F. Kennedy 1961, einen dann katastrophal fehlgeschlagenen Angriff exilkubanischer Miliz in der Schweinebucht auf Kuba zu unterstützen. Vier Jahre später lud sein Nachfolger Lyndon B. Johnson zu Gesprächen über den Fortgang des Vietnamkrieges ein. Verteidigungsminister Robert McNamara, der heute von Anfang an dagegen gewesen sein will, konnte sich mit seiner Forderung nach massiver Ausweitung der Militäraktionen durchsetzen. Der damals unterlegene Präsidentenberater Clark Clifford sagte für diesen Fall ziemlich genau die amerikanischen Verluste und Kosten sowie die Niederlage der USA voraus.

Der Geist von Camp David war erst wieder 1978 spürbar, als Präsident Jimmy Carter in 12-tägigen Verhandlungen mit dem ägyptischen Präsidenten Anwar el Sadat und dem israelischen Ministerpräsidenten Menachem Begin eine Vereinbarung zur Beendigung der israelisch-ägyptischen Feindseligkeiten durchsetzte. Die zähen, im Jahr 2000 von Präsident Clinton moderierten Friedensgespräche zwischen dem Palästinenserpräsidenten Yassir Arafat und Israels Regierungschef Ehud Barak blieben trotz der einschlägigen Vorbilder ohne Erfolg.

Aus der rustikalen Blockhütte der ersten Jahre ist durch Anbauten und Erweiterungen fast jedes Präsidenten ein respektables Anwesen geworden, mit Präsidentenresidenz und 10 Gästehäusern, mit Tennisplätzen, Reitwegen, Golfplatz (9 Löcher), Bowlingbahn, Pool und Sauna. Auch die Sicherheitsvorschriften haben sich verändert. Genügte einst ein einsamer Posten an einem Schlagbaum, ist das in den Wäldern westlich des Örtchens Thurmont versteckte Gelände heute weiträumig von hohen, mit Hightech-Geräten gespickten Zäunen abgeriegelt und von einer Sondereinheit der Marines bewacht. Einlass wird nur auf persönliche Einladung des Präsidenten gewährt. Nur die Atmosphäre im gemütlichen Örtchen Thurmont ist geblieben.

Sind Staatsgäste zu wichtigen Verhandlungen in Camp David, reisen auch die Korrespondenten aus Washington an. Seit 50 Jahren wohnen sie traditionell im Cozy Inn, dessen Zimmer und Suiten mit persönlichen Erinnerungsstücken an viele Präsidenten dekoriert sind. Abends geht es dann zum opulenten Country Dinnerbuffet ins Restaurant, das sich mit einer informativen Ausstellung über die Geschichte von Camp David seiner historischen Verantwortung als würdig erweist.

mitsburg Rd.) finden Besucher einen verkleinerten Nachbau der Grotte von Lourdes und einen Garten, der den Leidensweg Christi mit Statuen und bronzenen Inschriften dokumentiert.

Catoctin Mountains

Atlas: S. 231, F 4

Das bewaldete Mittelgebirge zieht sich nach Norden bis an die Grenze von Pennsylvania. Thurmont, ein gemütlicher Ort am Ostrand der Catoctin Mountains, bietet sich an für Wander- und Angeltouren im Catoctin Mountain Park (Rt. 77, Tel. 663-9388), der vom National Park Service betreut wird, und im benachbarten Cunningham Falls State Park (Rt. 77, Tel. 271-7574). Beide Naturschutzgebiete erschließt ein Netz von insgesamt 75 km langen Trails, die über Berg und Tal zu Wasserfällen, Teichen und Forellenbächen führen. In den Bergen versteckt sich auch Camp David, der Landsitz der US-Präsidenten (s. S. 136).

Die Ebene zwischen den Catoctin Mountains sowie den Blue Ridge und den Appalachian Mountains weiter im Westen heißt auch Great Valley. Durch die Nord-Süd-Verbindung erreichen eisige Winde aus dem fernen Kanada den Süden, auch der Interstate Highway 81 folgt dieser natürlichen Schneise. Während des Bürgerkrieges versuchten Generäle der Nord- und der Südstaaten diesen Weg zu nutzen, um in das Terrain der jeweiligen Gegenseite einzudringen. Nicht nur einmal dienten die Kreisstadt Hagerstown und ihre Umgebung als militärisches Auf-

marschgebiet. Von diversen Scharmützeln und bewaffneten Zusammenstößen war die Schlacht bei Antietam nur wenige Kilometer südlich des Ortes sicher die bedeutendste und blutigste.

Antietam

Atlas: S. 231, E 1

Die Auseinandersetzung um Antietam markiert den ersten planmäßigen Versuch des Südstaatengenerals Robert E. Lee, den Bürgerkriegsschauplatz von Virginia nach Norden zu verlagern. Nach einer Reihe militärischer Erfolge, zuletzt im August 1862 in Manassas, fehlte nicht mehr viel, Großbritannien und andere europäische Mächte zur staatlichen Anerkennung der Konföderation zu bewegen. Sollte es gelingen, aus der Verteidigung in die strategische Offensive zu gelangen, hätte der Süden im November 1862 gute Chancen auf einen Ausbruch aus der internationalen Isolation gehabt und damit einen entscheidenden Schritt zur angestrebten staatlichen Unabhängigkeit getan.

Die Unionstruppen der Army of the Potomac befehligte George McClellan, einer der zurückhaltendsten Generäle der Nordstaaten. Obwohl ihm die Pläne Lees in die Hände gefallen waren und die Union doppelt so viele Soldaten ins Feld führen konnte, wogte der Kampf hin und her, ohne dass eine Seite einen Durchbruch erzielte. Am Ende der Schlacht waren 23 000 Soldaten tot oder schwer verwundet. Der Norden hatte versäumt, die klaren Vorteile zu einem entscheidenden Sieg zu nutzen, der den Krieg deutlich hätte verkürzen können. Der Süden hatte sich bei dem Versuch, in den Norden vorzudringen, eine blutige Nase geholt (Antietam National Battlefield, an der Rt. 65, 15 km südl. vom Exit 29 an der I-70, Tel. 432-5124, Visitor Center 8.30–18 Uhr, Eintritt frei).

Vorwahl: 301

🛈   **Tourism Council of Frederick County:** 19 E. Church St., Frederick, Tel. 663-3311, www.visitfrederick.org.

🛏   **Stone Manor Inn**: 5820 Carrol Boyer Rd., Middletown, Tel. 473-5454, Fax 371-5622, www.stonemanor.com. Herrschaftliches Haus, 6 Suiten mit Kaminen, moderne Bäder mit Whirlpool, DZ 125–250 $.
Spring Bank B & B: 7945 Worman's Mill Rd., Frederick, Tel. 694-0440, www.bbonline.com/md/springbank/. Gastfreundliche Herberge in einer Villa aus dem späten 19. Jh., DZ ab 80 $.
Cozy Country Inn: 103 Frederick Rd., Thurmont, Tel. 271-4301, www.cozyvillage.com. Wenn in Camp David Weltpolitik gemacht wird und die internationale Presse anreist, werden Zimmer und Suiten schlagartig teurer. Sonst ist das Cozy bei Familien klassischer Stützpunkt für die Erkundung der Catoctin Mountains, beliebtes Buffetrestaurant, DZ 55–150 $.

🍴   **Brewer's Alley:** 124 N. Market St., Frederick, Tel. 631-0089. Diverse Pizzen und Steak-Klassiker, zapffrisches Bier aus der hauseigenen Microbrewery.
Jennifer's: 207 W. Patrick St., Tel. 662-1373. Mittags schnelle Küche, abends köstliche Fischgerichte.
Wags: 24 S. Market St., Frederick, Tel. 694-8451. Fans kommen von weither in

Boonsboro

Atlas: S. 231, F 1
Ein kleines historisches Museum in Boonsboro nördlich von Antietam verdient unbedingt eine Erwähnung. Neben Sammlerstücken verschiedener Epochen und Erdteile hat der Hobbyhistoriker Dough Bast eine erstaunliche Sammlung ganz ungewöhnlicher Exponate zum Bürgerkrieg von den Schlachtfeldern der Umgebung zusammengetragen. Musikinstrumente, Spielkarten, eine Feldbibel und von Soldaten aus Patronenhülsen geschnitzte kleine Kunstwerke vermitteln einen Eindruck vom Leben und Sterben der Soldaten, abseits von den strategischen Überlegungen der Generalstäbe (113 N. Main St., Tel. 432-6969, So 13–17 Uhr, sonst nach Vereinbarung, Eintritt).

den winzigen Kellerimbiss nur wegen der saftigen Burger.

📷   **Antique Station:** 194 Thomas St., Frederick. Ehemalige Rollschuhhalle am Rande des historischen Zentrums, für Schnäppchenjäger.

🎪   **Juni-Sept:** Rodeo mit Bullenreiten ›Battle of the Beast‹, an 7 Samstagen, J Bar W Ranch, Rt. 75, Johnsville, www.jbarwranch.com.
Oktober: Catoctin Colorfest, Fest zur Herbstlaubfärbung mit über 300 Ständen (Kunsthandwerk,Speisen), Thurmont.

   Bus: Greyhound Busstation, 27 E. All Saints St., Tel. 663-3311.

ANNAPOLIS – HAUPTSTADT MARYLANDS

In der putzmunteren Haupstadt von Maryland lässt sich vortrefflich auf den Spuren der US-amerikanischen Geschichte wandeln. Seit mehr als 150 Jahren bildet die Marine ihre Seeoffiziere in der Militärakademie von Annapolis aus. Freizeitvergnügen garantieren tausende Segelboote, die in den Marinas liegen.

Atlas: S. 232, C 2

Die Hauptstadt Marylands ist eine lebhafte Hafenstadt mit knapp 35 000 Einwohnern. In ihren verschiedenen Marinas liegen Segelschiffe zu Hunderten und kreuzen fast zu jeder Jahreszeit in den Gewässern der Chesapeake Bay. Schon 1649 gründeten britische Siedler aus Virginia zwischen der Mündung von Severn und South River einen Hafen, den sie Arundel Town nannten. Gouverneur Francis Nicholson verlegte 55 Jahre später den Regierungssitz der jungen Kolonie Maryland von St. Mary's City in das zu Ehren von Queen Anne umbenannte Annapolis. Nach dem Revolutionskrieg fungierte der Tabakhafen neun Monate lang sogar als Hauptstadt der jungen USA. Aus der Kapitale von Maryland stammen immerhin vier Unterzeichner der Unabhängigkeitserklärung.

Besichtigung

State House ⒈: In dem von einer mächtigen Holzkuppel gekrönten Regierungssitz im Zentrum, es ist immerhin 20 Jahre älter als das Kapitol von Washington, legte George Washington nach dem Sieg der aufständischen Amerikaner gegen die britische Kolonialmacht am 23. Dezember 1783 vor den Delegierten des Kongresses den Oberbefehl über die Continental Army nieder (State Circle, Tel. 974-3400, www.hometownannapolis.com/tour.html, Gebäude 9–17 Uhr, Besucherbüro Mo–Fr 9–17, Sa/So 10–16 Uhr).

Die komplette, in barockem Grundriss angelegte Innenstadt um die beiden benachbarten Kreisverkehre State Circle und Church Circle – letzterer umschließt den Nachbau der **St. Anne's Church** ⒉ von 1859 – mit Reihenhäusern und Stadtvillen aus dem 18. und 19. Jh. gilt als National Historic District und steht unter Denkmalschutz. Sie zieht sich nach Süden bis zum City Dock, dem alten Hafenbecken, das wegen manch aufgetakelter Luxusjachten bei Einheimischen auch ›Ego Alley‹ genannt wird. In einige der restaurierten Gebäude der Innenstadt sind Hotels und Restaurants eingezogen, andere werden nach wie vor als Wohnungen genutzt.

Die Naval Academy aus der Luft

140

Das **Charles Carroll House** ③ (107 Duke of Gloucester St., Tel. 269-1737, Fr/So 12–16, Sa 10–14 Uhr, Eintritt), das **Hammond-Harwood House** ④ (19 Maryland Ave., Tel. 263-4683, Mo–Sa 10–16, So 12–16 Uhr, Eintritt) mit einer Ausstellung zur afroamerikanischen Geschichte und das **Chase-Lloyd House** ⑤ (22 Maryland Ave., Tel. 263-2723, Mo–Sa 14–16 Uhr, Eintritt), alle aus dem 18. Jh., sind restauriert und mit zeitgenössischen Möbeln eingerichtet, Zeugnisse vom Leben der kolonialen und republikanischen Oberschicht.

US Naval Academy ⑥: Sie unterstreicht die historische Bedeutung und gleichzeitig die Verbundenheit der Stadt mit der See. Im Jahr 1845 nahmen die ersten 50 *midshipmen* ihre

Ausbildung zu Marineoffizieren auf. Heute versammeln sich, unter den Augen vieler Schaulustiger, jeden Mittag 4200 männliche und einige weibliche Fähnriche auf dem Tecumseh Court, um unter Tschinderassa-Bumm zum Lunch in die riesige Bancroft Hall, als Kantine und Unterkunftsgebäude aller Seesoldaten kurz ›Mother B‹ genannt, abzumarschieren.

US Naval Academy Chapel 7: In der von einem 70 m hohen Kupferdom gekrönten Kirche, auch auf dem Kasernengelände, erinnern Buntglasfenster aus der Werkstatt von Louis Comfort Tiffany an Seehelden der US-Marine (King George St./Randall St., Tel. 263-6933, www.hometownannapolis.com/usna.html, Gelände 9 Uhr bis Sonnenuntergang, Museum 9–17 Uhr).

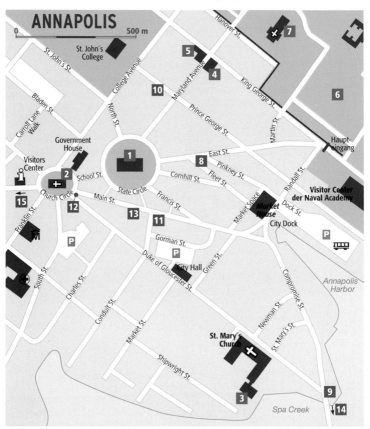

Obwohl sich das Gelände der Naval Academy über ein riesiges Terrain vom östlichen Rand der Innenstadt bis zum Ufer des Severn River ausdehnt, wird die lebhafte Hafenstadt dennoch nicht vom Militär dominiert. Tief eingeschnittene Buchten, zwischen Back Creek im Süden und Weems Creek im Norden, lassen überall die nahe Chesapeake Bay erahnen, und nur dem erschließt sich der Charakter von Marylands Hauptstadt, der auf einer Rundfahrt mit einem Ausflugsboot oder an Bord eines Seglers ihre maritime Atmosphäre erschnuppert.

Vorwahl: 410

Sehenswürdigkeiten

1 State House
2 St. Anne's Church
3 Charles Carroll House
4 Hammond-Harwood House
5 Chase-Lloyd House
6 US Naval Academy
7 US Naval Academy Chapel

Hotels

8 Chez Amis Bed & Breakfast
9 Marriott Waterfront/Restaurant Pusser's Landing
10 Prince George Inn
11 Scotlaur Inn

Essen und Trinken

12 Treaty of Paris
13 Café Normandy
14 Carrol's Creek
15 49 West

Annapolis & Anne Arundel County Visitors Bureau: 26 West St., Tel. 280-0445, www.visit-annapolis.org. Im Sommer öffnet zusätzlich ein Informationskiosk am City Dock.

Chez Amis B & B 8: 85 East St., Tel. 263-6631, Fax 295-7889, www.chezamis.com. Im historischen Zentrum, gemütliche Zimmer, herzliche Gastgeber, Spitzenfrühstück, DZ ab 135 $.
Marriott Waterfront 9: 80 Compromise St., Tel. 268-7555, Fax 269-5864, www.annapolismarriott.com. Modernes Stadthotel direkt am City Dock, Terrasse des Hotelrestaurants Pusser's Landing mit Blick auf die vorbeifahrenden Schiffe, DZ 120–250 $.
Prince George Inn 10: 232 Prince George St., Tel. 263-6418, Fax 626-0009, www.princegeorgeinn.com. Angenehmes B & B in viktorianischer Stadtvilla, Frühstück im Wintergarten, DZ ab 115 $.
Scotlaur Inn 11: 165 Main St., Tel. 268-5665, www.scotlaurinn.com. Ordentliche Herberge im Stadtzentrum, formidables Frühstück, DZ 55–75 $.
Camping:
Capital KOA: 768 Cecil Ave. N, Milleville, Tel. 923-2771. Gut ausgestattete Anlage für Zelte und Wohnmobile, 10 Fahrtminuten nördlich der Stadt, ab 30 $ pro Campmobil.

Treaty of Paris 12: 16 Church Circle, Tel. 263-2641. Gepflegtes Traditionsrestaurant, exquisite Crab Cakes sowie Beef Wellington, beliebter Sonntagsbrunch.
Café Normandy 13: 185 Main St., Tel. 263-3382, Mo–Do 11–22, Fr–Sa 8–22 Uhr. Entspannte Atmosphäre, ländliche, französische Küche.
Carrol's Creek 14: 410 Severn Ave., Tel. 263-8102, Mo–Sa 11.30–22, So 10–22 Uhr. Köstliche Meeresfrüchte, Lamm und

DER SUPERGEHEIMDIENST NSA UND DAS CRYPTOLOGIC MUSEUM

Der Weg zum Hauptquartier des geheimsten aller US-Geheimdienste war überraschend einfach. Eine Ausfahrt vom Gladys Spellman Parkway führt auf halbem Wege zwischen Washington und Baltimore zur SR 32. An der Ampel ging es zunächst wenige hundert Meter nach Norden zur nächsten Abzweigung, dann die geschwungene Colony Road am geöffneten Schlagbaum vorbei geradewegs in das ausgedehnte Militärareal von Fort Meade. Ein Schild kündigt das National Cryptologic Museum an, hinter dessen Parkplatz sich der dunkel schimmernde Glasquader des Hauptquartiers der National Security Agency (NSA) erhebt.

Seit Dezember 1993 hat die NSA den Vorhang der absoluten Geheimhaltung einen Spalt geöffnet und im ›Geheimsprachen-Museum‹ einen kleinen Ausschnitt ihrer Aktivitäten öffentlich gemacht. Bis dahin galt die 1952 gegründete und auf mehr als 40 000 Mitarbeiter geschätzte Einrichtung als so geheim, dass selbst ihre Existenz offiziell geleugnet und sie von Eingeweihten nur ironisch ›Non-Such-Agency‹ genannt wurde.

Die NSA soll Lösungen und Methoden entwickeln, die geheime Informationen und Einrichtungen der USA vor fremdem Zugriff schützen, ein SIGINT (Signal Intelligence) genanntes System geheimdienstlicher Datensammlung erarbeiten und stetig verbessern sowie ähnlich ausgerichtete Aktivitäten anderer US-Geheimdienste koordinieren. Der Direktor der Nationalen Geheimdienste der USA legt in Absprache mit dem Nationalen Sicherheitsrat der Regierung Rahmen und Umfang des Tätigkeitsfeldes der NSA fest. Ausdrücklich wird das Bestreben betont, Vorteile der USA vor anderen Staaten durch ihren weltweiten Informationsvorsprung mittels geheimdienstlicher Aktivitäten auch weiterhin abzusichern.

Zu Veränderungen der Ziele von Ausforschung und Datensammlung nach dem Ende der Ost-West-Konfrontation ist in den Auslagen des Cryptologic Museum nur wenig zu finden. Um ›Risiko-Staaten‹ wie Libyen, Iran, Irak oder Nord-Korea zu durchleuchten, benötigte es sicherlich keines derart hohen Aufwandes an Technik und qualifiziertem Personal. Die NSA rühmt sich, der weltweit größte Arbeitgeber für Mathematiker zu sein, dazu fähige Analysten, Ingenieure, Physiker, Sprachwissenschaftler, Computer- und Verwaltungsspezialisten zu beschäftigen.

In verschiedenen mit den USA verbündeten Staaten wird immer wieder der Verdacht geäußert, selbst und zum Nachteil der heimischen Wirtschaft Objekt von geheimdienstlichen Aktivitäten der NSA zu sein. Das weltumspannende Abhör- und Auswertungssystem Echolon, das die USA mit Unterstützung von Kanada, Großbritannien, Australien und Neuseeland betreiben und dessen wie riesige Champignons anmutende Horchposten auch im süddeutschen Bad Aibling stehen, soll wie ein gigantischer Staubsauger den kompletten Datenverkehr, Telefongespräche, Faxe oder E-Mails registrieren und nach einprogrammierten Schlüsselwörtern elektronisch auswerten. Nach Expertenschätzungen werden in 30 Minuten etwa 1 Mio. Nachrichten mitgeschnitten. Das Europäische Parlament beklagte in einem Bericht, mit Hilfe von Echolon würde auch Wirtschaftsspionage zugunsten von US-Unternehmen getrieben. Darauf entgegnete der frühere CIA-Chef R. J. Woolsey nur, dass der dürftige technologische Stand Europas den vermuteten Datendiebstahl nicht lohne und der US-Geheimdienst die Westeuropäer und andere nur ausspioniere, um deren Bestechungsversuche bei der Auftragsvergabe Dritter zu vereiteln.

In den USA ist die NSA inzwischen Ziel ganz anderer kritischer Kommentare, die die jahrzehntelange Abkapselung für eine schleichende Bürokratisierung der Behörde verantwortlich machen. Dem Geheimdienst wird vorgeworfen, nicht mehr auf der Höhe der technologischen Entwicklung im Internet-Zeitalter zu sein und nur unzureichend neuartigen Gefahren durch Computerviren und anderen Attacken begegnen zu können. Gegenwärtig versucht die Regierung, einen Internet-Schutzschild gegen Angriffe von Cyberterroristen aufzubauen, um ein ›drohendes digitales Pearl Harbor‹ zu verhindern. Nach dem massiven Anschlag von Terroristen auf das World Trade Center in New York und das Pentagon in Washington am 11. September 2001 steht neben anderen Geheimdiensten auch die NSA in der Kritik, trotz immenser Mittel vorab über keine Informationen verfügt zu haben.

Im separat untergebrachten Cryptologic Museum werden Methoden und Techniken erläutert, mit denen Botschaften ver- und entschlüsselt werden können. Schautafeln und Exponate, wie eine Codierungsmaschine aus den frühen Jahren des 20. Jh., die legendäre Enigma des deutschen Kriegsministeriums im Zweiten Weltkrieg oder das Modell eines heutigen Supercomputers, demonstrieren die Entwicklung der Codierung und der Entschlüsselung fremder Codes. Bei den Versuchen, Verschlüsselungen zu entwickeln, die vom Gegner nicht zu knacken sind, nutzten die Experten der NSA sogar die Grammatik der mündlich überlieferten Sprache der Navajo-Indianer und die geometrischen Muster auf Quilts, den traditionellen Überdecken aus den Südstaaten der USA. Gesonderte Ausstellungen erläutern detailliert die Erfolge beim Entschlüsseln des Funkverkehrs zwischen dem Moskauer Außenministerium und seinen Botschaften zu Beginn des Kalten Krieges und dokumentieren die Datensammlung und Aufklärung der NSA durch speziell ausgerüstete Schiffe und Flugzeuge im Zusammenhang mit der versuchten Stationierung sowjetischer Mittelstreckenraketen auf Kuba im Jahr 1962.

Das Cryptologic Museum der NSA zeigt nur einen mit einer gehörigen Portion Patriotismus dekorierten Bruchteil der Geschichte geheimdienstlicher Informationsbeschaffung und des Datenschutzes, und dennoch ist selbst dieser unzureichende Einblick einmalig. Eine weitere öffentliche Präsentation von Aktivitäten eines noch tätigen Geheimdienstes ist weltweit nicht zu finden.

National Cryptologic Museum, Ft. George G. Meade, Maryland 20755-6886, Tel. 301/688-5849, www.nsa.gov/museum, vorübergehend geschlossen.

Wild, direkt an der City Marina, südlich der Ziehbrücke über den Spa Creek.
49 West 15: 49 West St., Tel. 626-9796. Lockeres Café, leichte Kost, Zeitschriften und Bücher.

 League of Marylands Craftsmen: 54 Maryland Ave. Produkte von über 100 Künstlern und Kunsthandwerkern unterschiedlicher Ausrichtung.
Pennsylvania Durch Farmers Market: 2472 Solomons Island Rd. Landwirte aus den Siedlungen der Amish und der Mennoniten aus Lancaster County verkaufen ihre nach traditionellen Methoden hergestellten Produkte.

 Galway Bar & Irish Pub: 61-63 Maryland Ave. Im Restaurant gibt es Sheperd's Pie und andere irische Spezialitäten, im Pub tobt das Leben mit Gesang und frisch gezapftem Bier von der grünen Insel.
Rams Head Tavern: 33 West St. Bester Club für Folk und Folkrock mit hauseigener Microbrewery sowie bekannten Interpreten.

Der Tabakhändler

John Barth, geboren 1930 in Cambridge, huldigt seiner Heimat Maryland in dem grandios burlesken wie spannenden Roman ›Der Tabakhändler‹. Ein englischer Möchtegern-Poet von Lord Baltimores Gnaden erbt die väterliche Tabakplantage. Seine Abenteuer auf der Atlantiküberfahrt und in Maryland lassen die Welt des späten 17. Jh. mit Sprachwitz wiederaufleben (Rowohlt TB-Verlag).

 Naval Academy Serenade: Tel. 263-9292. Im Sommer kostenlose Konzerte von Kapellen und Orchestern der Militärakademie beim City Dock.

 Januar: First Night Annapolis, Familienfest beim State Capitol, über 100 Aufführungen verschiedener Kultur- und Theatergruppen.
Mai: Chesapeake Bay-Bridge Walk, ca. 7 km lang, hoch über der Chesapeake Bay, Busverbindung von der Naval Academy. Commissioning Week, Verabschiedung der graduierten *midshipmen* der Militärakademie, Feiern, Paraden, Luftshow der Düsenjägerformation Blue Angels.
Juni: Annapolis Waterfront Festival, drei muntere Tage mit Regatten und Kunstausstellungen, Ende Mai/Anf. Juni.
September: Maryland Seafood Festival, Dutzende Stände mit Leckereien aus der Chesapeake Bay, Sandy Point SP.
Dezember: Christmas Lights Parade, geschmückte Bootparade beim Hafen.

 Paradise Bay Yacht Charters: 410 Severn Ave., Tel. 268-9330. Segel- und Motorboote mit und ohne Besatzung.
Womenship: 410 Severn Ave., Tel. 267-6661. Segelkurse von und für Frauen.
Touren:
Chesapeake Marine Tours: Slip 20, City Dock, Tel. 268-7600. April–Nov. Hafenrundfahrten (40 Min.) und Ausflugsfahrten.
Annapolis Tours: 48 Maryland Ave., Tel. 263-5401. Stadtspaziergänge mit kundigen und humorigen Stadtführern in kolonialen Kostümen.

Jiffy Watertaxi: Tel. 263-0033. Kleine Boote steuern verschiedene Anleger im Hafenbereich an.

Hauptpostamt: Ecke Church Circle/N. West St., Tel. 263-9292.

DIE WESTKÜSTE DER CHESAPEAKE BAY

St. Mary's City, die erste Hauptstadt des kolonialen Maryland, wurde bereits 1634 gegründet. Ausgrabungen und Rekonstruktionen verschiedener Gebäude geben einen Eindruck vom Leben der ersten weißen Siedler. Im Calvert County können Wanderer an den Calvert Cliffs Fossilien sammeln oder den subtropischen Battle Creek Cypress Swamp erkunden.

Atlas: S. 232, C 3/4

Die Landschaft mit fruchtbaren Feldern und Wäldern südlich von Baltimore und Washington hat trotz der unmittelbaren Nähe zu den Metropolen ihren beschaulichen Charakter überwiegend wahren können. Nicht selten begegnet man Ausflüglern, die mit ihrem Fahrrad zu State Parks, Fischerhäfen oder den kleinen Stränden an der Küste der Chesapeake Bay unterwegs sind.

Der 180 km lange und am Unterlauf breite und tiefe Patuxent River bildet die Grenze zwischen dem Calvert County im Norden und dem St. Mary's County südlich des Flusses. An einigen flacheren Uferstellen wächst wilder Reis bis zu drei Meter hoch. Auch wenn heute auf den Äckern ganz verschiedene Feldfrüchte angebaut werden und die einst große Bedeutung der Landwirtschaft schwindet, führen viele Straßen wie noch zu kolonialen Zeiten durch Tabakfelder. Rund um Upper Marlboro am Oberlauf des Patuxent River kann man zwischen April und Mai die Versteigerungen der Tabakernte verfolgen.

Calvert County

Chesapeake Beach

Atlas: S. 232, C 3

Chesapeake Beach ist in weniger als einer Stunde von Washington zu erreichen. Es gehört zu den traditionellen Strandbädern an der Bay und begrüßte schon vor 100 Jahren Wochenendausflügler auf seinem hölzernen Boardwalk. Seit einiger Zeit erlebt das Örtchen eine Renaissance mit Wochenendhäusern und Kurzurlaubern aus den nahen großen Städten.

Battle Creek Cypress Swamp Sanctuary

Atlas: S. 232, C 4

Der Battle Creek nahe Prince Frederick markiert die nördliche Grenze des Verbreitungsgebietes der bis zu 30 m hohen Sumpfzypressen, die von Louisiana bis Florida in vielen Feuchtgebieten des Südens zu finden sind. Ein knapp 500 m langer Plankenpfad führt durch das schwarze, sumpfige Wasser des

Battle Creek Cypress Swamp Sanctuary, das nur im Sommer zuweilen austrocknet, vorbei an den eigentümlichen Bäumen, die mit wuchtigen Luftwurzeln direkt aus der Wasserfläche emporragen (Grays Rd., Prince Frederick, Tel. 410/535-5327, April–Sept. Di–Sa 10–17, So 13–17 Uhr, sonst Di–Sa 10–16.30, So 13–16.30 Uhr, Eintritt frei).

Calvert Cliffs State Park

Atlas: S. 232, C 4
Zwischen North Beach bei Chesapeake Beach und Drum Point im Süden nahe Solomons erstreckt sich eine faszinierende Landschaft mit einer sandigen, fast 50 km langen und zwischen 10 und 30 m hohen Steilküste entlang der Bay. Wind und Wetter arbeiten seit vielen tausend Jahren unermüdlich daran, sie täglich ein wenig weiter abzutragen. So hat sich der vorgelagerte Strand zu einer Fundgrube für Fossilien, Muscheln, Schneckengehäusen, Knochen oder Zähnen von Haifischen entwickelt. Diese Tieren lebten während des Miozän vor etwa 15 Mio. Jahren in einem sich hier ausbreitenden warmen Meer. Der Calvert Cliffs State Park, nicht allzu weit von einem Atomkraftwerk entfernt, schützt ein 530 ha großes, bewaldetes Terrain, durch das ein schöner, 3 km langer Wanderweg direkt zum Strand führt (Rt. 2/4, nahe Lusby, Tel. 301/872-5688, April–Sept. Fr–So 10–18 Uhr, Rest d. Woche unterschiedlich, Eintritt).

Jefferson Patterson Park and Museum

Atlas: S. 232, C 4
Das Freilichtmuseum liegt an der Mündung des St. Leonard Creek in den Patuxent River. Die ehemalige Musterfarm bevölkern im Sommer kostümierte Interpreten, die Ähnlichkeiten und Unterschiede landwirtschaftlicher Techniken der Woodland-Indianer, der kolonialen Siedler sowie von Farmern aus dem 19. Jh. demonstrieren. Im Museum sind dazu allerlei Fundstücke von Walknochen bis zu indianischen Waffen ausgestellt (10115 Mackall Rd., CR 265, St. Leonard, Tel. 410/586-8500, www.jefpat.org, 15. April–15. Okt., Mi–So 10–17 Uhr, Eintritt frei).

Solomons

Atlas: S. 232, C 4
Solomons erstreckt sich auf einer Landzunge an der südlichen Spitze der Halbinsel von Calvert County, begrenzt durch die Chesapeake Bay im Osten und den breiten Patuxent River im Westen. Das muntere Örtchen mit Geschäften, Restaurants und Bed & Breakfast-Unterkünften gehört seit langem zu

---

Battle of St. Leonard

An der Stelle des heutigen Jefferson Patterson Parks ereignete sich 1812 die größte Seeschlacht Marylands. An den britischen Angriff erinnern Ende September als Soldaten Kostümierte in nachgestellten Kämpfen, mit Lagerleben und Musketendrill sowie mit Shanty-Musik bei der Tavern Night. Informationen bei der Parkverwaltung.

Kirche von Solomons, einem kleinen Ort an der Westküste der Bay

den beliebten Ausflugzielen der Washingtonians, die nicht selten auch mit ihren Segel- und Motorjachten anreisen und abends der untergehenden Sonne vom öffentlichen Pier am Patuxent River zuprosten.

Das **Calvert Marine Museum** mit Exponaten aus der Zeit des Miozän bis zur Epoche des Austernfangs und der flotten Freizeitjachten unserer Tage

lohnt bestimmt einen Besuch. Im Museumsdock liegen Kanus von Indianern sowie einige historische Boote von Austernfischern. Dazu gehören das angeschlossene Drum Point Lighthouse von 1883, ein breiter und auf Stelzen gebauter, sechseckiger Leuchtturm mit umlaufendem Aussichtsbalkon, sowie das einige Schritte weiter entfernte, restaurierte J.C. Lore & Sons Oyster-

149

house von 1934, in dem lange Jahre Austern und Blue Crabs aus der Bay verarbeitet und verschifft wurden (14200 Solomons Island Rd., Solomons, Tel. 410/326-2042, www.calvertmarinemuseum.com, 10–17 Uhr, Eintritt).

St. Mary's County

Sotterly Plantation

Atlas: S. 232, C 4
Die Sotterly Plantation liegt am Südufer des Patuxent River, also bereits im St. Mary's County. Schon zu kolonialen Zeiten um 1710 war sie Mittelpunkt einer Tabakplantage. Das Herrenhaus, Wirtschaftsgebäude und einige erhaltene Sklavenunterkünfte geben einen Eindruck vom Leben und Arbeiten der Besitzer und der rechtlosen Sklavenarbeiter vor knapp 300 Jahren (Abzweigung von der SR 235 Richtung Patuxent River, Tel. 301/373-2280, www. sotterly.com, Mai–Okt. Di–So 10–16 Uhr, Führungen stündlich 10–15 Uhr, Eintritt).

St. Mary's City

Atlas: S. 232, C 4
Ganz im Süden, nicht weit von der Mündung des zu einer Bucht verbreiterten St. Mary's River in den Potomac, verbirgt sich die Geburtsstätte des Bundesstaates Maryland. 1634, nur 27 Jahre nach der Gründung von Jamestown und 14 Jahre, nachdem die Puritaner in Massachusetts an Land gegangen waren, legten die Segler Ark und Dove mit 140 Kolonisten am Ufer der Insel St. Clemens an. Bald zogen sie weiter aufs Festland, um ihre Siedlung an einem besser geeigneten Platz zu gründen. Von Anfang an galt St. Mary's City, die erste Hauptstadt der neuen britischen Kolonie Maryland, als Hort religiöser Freiheit, bereits 1649 als Gesetz festgeschrieben. Hier siedelten sich auch die im sonstigen Königreich verpönten Katholiken an und bauten ein eigenes Gotteshaus.

Nachdem der Verwaltungssitz der Kolonie 1695 ins weiter nördliche Anne Arundel Town, dem späteren Annapolis, verlegt worden war, geriet die alte Hauptstadt langsam in Vergessenheit. Erst in den 70er Jahren des 20. Jh. begann man nach alten Fundamenten und anderen Überresten zu suchen. Auf dem 350 ha großen Gelände von **Historic St. Mary's City** sind verschiedene Gebäude nach alten Bildern, Grundrissen und Schilderungen restauriert: das erste, aus Ziegeln errichtete State House, die Taverne Farthings Ordinary, der Bauernhof der Godiah Spray Tobacco Plantation und einige weitere Farmhäuser. Ein Nachbau der Maryland Dove, einem nur 17 m langen Segler, mit dem die ersten Siedler drei Monate für die Atlantiküberquerung benötigt hatten, ist an einem Anleger im St. Mary's River vertäut. Rekonstruierte Hütten der Woodland-Indianer geben einen Eindruck von den Wohn- und Lebensbedingungen der Ureinwohner zu Zeiten der Kolonialisierung. Im Sommerhalbjahr beleben kostümierte Darsteller die Häuser und verwickeln die Besucher in fachkundige Gespräche über das Kolonistendasein.

150

St. Mary's County

Wanderwege führen an verschiedenen Ausgrabungsstätten vorbei, an denen weiter daran gearbeitet wird, die Geburtsjahre der einstigen Kolonie genauer zu erforschen (Rt. 5, Tel. 301/862-0990, Ende März–Ende Nov., Mi–So 10–17 Uhr, Eintritt).

Point Lookout

Atlas: S. 237, D 1

Am Point Lookout, dem südlichsten Punkt von Marylands Westküste, geht es nur noch übers Wasser weiter. Ein Leuchtturm macht Schiffe auf Untiefen aufmerksam. Am gegenüberliegenden südlichen Ufer des Potomac River ist bereits der Bundesstaat Virginia zu erkennen. Wanderwege durchziehen den **Point Lookout State Park** (Tel. 301/872-5688, Eintritt nur an Sommerwochenenden), ein Campground ist auf Zelt- und Wohnmobilurlauber eingerichtet. Während des Bürgerkrieges unterhielt die Armee des Nordens hier das berüchtigte Kriegsgefangenenlager Camp Hoffman, in dem 3500 konföderierte Soldaten an Hunger, Kälte und Krankheiten zugrunde gingen.

Vorwahl: Calvert County 410, St. Mary's County 301

 Calvert County Department for Economic Development: Courthouse, Prince Frederick, Tel. 800-331-9771, Fax 410/535-4585, www.co.cal.md/us/cced. **St. Mary's County Tourism:** Box 653, Leonardtown, Tel. 301/475-4411, www.co.saint-marys.md.us.

Back Creek Inn: Calvert St./Alexander Lane, Solomons, Tel. 410/326-2022, Fax 326-2946, www.bbonline.com/md/backcreek. Gemütliches Bed & Breakfast direkt am Wasser, eigener Bootssteg, DZ ab 95 $.
Camping:
Point Lookout State Park: Tel. 301/872-5688. 150 Zelt- und Stellplätze für Wohnmobile, ab 15 $.

Spinnakers Restaurant: Point Lookout Marina, 32 Millers Wharf Rd., Ridge, Tel. 301/872-4340. Für den Sonntagsbrunch legen im Sommer sogar Boote aus Washington an, auch in der Woche exzellente Fischgerichte in gepflegter Atmosphäre.
Solomons Pier: 248 Solomons Island Rd., Solomons, Tel. 410/326-2424. Fangfrische Meeresfrüchte zu angemessenen Saisonpreisen, direkt am Wasser.
Rod & Reel: Rt. 261/Mears Ave., Chesapeake Beach, Tel. 410/257-2735, www.rodnreelinc.com. Seit 50 Jahren werden Muscheln, Krebse und Fisch serviert, sehr beliebt.
Edith's Place: Dowell Rd., Calvert Marina, Solomons, Tel. 410/326-1036. *Das* Frühstücksrestaurant im Ort, niedrige Preise und Riesenportionen.
Stoney's Seafood House: Oyster House Rd., Broomes Island, Tel. 410/586-1888. Köstliche Crab Cakes und andere Früchte des Meeres direkt am Patuxent River.

August (letzter Sa): Jousting Tournament, Ringreiten, in der Tradition mittelalterlicher Ritterspiele (seit 17. Jh.), seit 1962 offizieller Sport Marylands, Gelände der Christ Church, Rt. 264, Port Republic.

Captain Tyler: Ewell, Tel. 410/425-2771. Gemütliches Fährboot, kreuzt Juni–Anf. Sept. einmal am Tag die Chesapeake Bay von Point Lookout nach Smith Island.

DIE OSTKÜSTE DER CHESAPEAKE BAY

In den Marinas der kleinen Hafenstädte, wie Crisfield oder St. Michaels, schaukeln Fischkutter neben den Jachten von Wochenendurlaubern. In Easton, Oxford, Princess Anne und anderen Orten geht das Leben noch seinen geruhsamen Gang – im Gegensatz zum hektischen Getriebe in Washington oder Baltimore.

Atlas: S. 233, D 3/4 und S. 237, D/E 1-3
Die zerklüftete Ostküste der Chesapeake Bay mit ihren Buchten, Flussmündungen und Feuchtgebieten ist eine Landschaft zwischen Wasser und Land. Kleine Siedlungen, *watermen towns*, mit Fischerhäfen liegen an geschützten Einbuchtungen. Allein Talbot County zwischen Eastern Bay River und Choptank River kommt auf eine Küstenlinie von fast 1000 km. Die ländliche Atmosphäre mit altertümlichen Country Stores und Geschäften für Angelausrüstungen wird zunehmend ergänzt durch stilvolle Bed & Breakfast-Unterkünfte und gepflegte Restaurants. Jachten von Erholung Suchenden ergänzen die Fischerboote, darunter noch einige traditionelle *skipjacks*, in den Marina. Mehr als zwei Dutzend Wild- und Naturschutzgebiete versuchen die amphibischen Landschaften für kommende Generationen zu bewahren.

Ortsnamen, wie Cambridge, Oxford, Salisbury oder Easton, und Landkreise, wie Kent, Queen Anne oder Dorchester, verweisen auf die englische Herkunft der frühen Siedler, die sich im 17. Jh. an den Küsten der Bay niederließen. Jahrhundertelang waren sie von der Außenwelt abgeschnitten. Erst die 1952 errichtete Bay Bridge von Annapolis über Kent Island auf die Delmarva-Halbinsel und die Brücken-Tunnel-Verbindung von 1964, die Cape Charles an deren Südspitze mit dem nördlichen Virginia verband, wirkten wie ein Brückenschlag zur Zivilisation.

Talbot County und Dorchester County

St. Michaels

Atlas: S. 233, D 3
St. Michaels mit seinen flotten Jachten liegt auf einer schmalen Landzunge zwischen Miles River und Broad Creek. Keine riesigen Reklametafeln und nur wenige Fastfood-Restaurants stören das stilvolle Bild. Stattdessen reihen sich geschmackvoll eingerichtete Restaurants, gepflegte Bed & Breakfast-Herbergen und Boutiquen in den historischen Häusern der Talbot Street aneinander. In den Sommermonaten herrscht im Ort und in seinem Hafen munteres Treiben, auch schon beim

Mid-Atlantic Maritime Festival am dritten Wochenende im Mai, wenn Boote aus nah und fern den Hafenort anlaufen. Seine Schiffswerften hatten schon im 17. Jh. einen ausgezeichneten Ruf. Hier wurden später viele der schnellen Baltimore Clipper gebaut, die sich als Handelsschiffe, auch als Blockadebrecher im Krieg gegen die Engländer einen Namen machten.

Im **Chesapeake Bay Maritime Museum** um den weithin sichtbaren sechseckigen, auf Stelzen errichteten Leuchtturm von 1879 steht die Verbindung des Ortes zum Wasser im Mittelpunkt. In der warmen Jahreszeit werden Museumsboote repariert, darunter auch *skipjacks*, die traditionellen Segelboote der Austernfischer. Die Nonpareil, ein Baltimore Clipper von 1807, gilt als Schmuckstück der etwa 80 Schiffe umfassenden Sammlung (Mill St., Navy Point, Tel. 745-2916, www. cbmm.org, Sommer 9–18 Uhr, Frühjahr/Herbst 9–17 Uhr, Winter 9–16 Uhr, Eintritt).

Waterfowl Festival

Das Waterfowl Festival mit gegenwärtig bis zu 20 000 Besuchern gilt schon seit 30 Jahren als Höhepunkt der Saison. In der zweiten Novemberwoche dreht sich in Easton drei Tage lang alles um die verschiedenen Arten der heimischen Wasservögel, um deren Lebensbedingungen und um die Jagd auf die schmackhaften Tiere. Infos: Easton, Tel. 410/822-4567, www.waterfowlfestival.org.

Am südlichen Ende der sich in die Bay hinauskrümmenden Halbinsel, auf der auch St. Michaels liegt, führt eine Zugbrücke über die Meerenge The Narrows nach **Tilghman Island**. Einige gediegene Refugien von Großstadtflüchtlingen aus Baltimore oder Washington und deren Jachten in den Marinas koexistieren mit den Häusern und dem überliefertem Lebensrhythmus der Fischer, der noch immer vorwiegend von Ebbe und Flut bestimmt wird.

Easton

Atlas: S. 233, D 3
Easton, die Kreisstadt von Talbot County mit knapp 10 000 Einwohnern am Ufer des Tred Avon River, geht auf eine Gründung englischer Siedler Ende des 17. Jh. zurück. Aus dieser Zeit stammt auch das älteste, durchgehend genutzte Gotteshaus in den USA, das 1682 errichtete **Third Haven Friends Meeting House** (S. Washington St.), das schon William Penn und andere Quäker als ihren Versammlungsraum nutzten. Heute kann man entlang baumbestandener Straßen durch die gemütliche Innenstadt bummeln und einen Blick in das wunderschön im Art-Déco-Stil restaurierte **Avalon Theater** (40 E. Dover St.) von 1921 werfen.

Oxford

Atlas: S. 233, D 3
Auch Oxford wurde bereits 1683 gegründet. Mitte des 18. Jh. galt der Hafen neben Annapolis und Georgetown als wichtigster Umschlagplatz für die Tabakernte Marylands, mit eigenem

153

Zollhaus. Dorchester County, zwischon dem Choptank und dem Nanticoke River ist einer der Hauptschauplätze des epischen Romans ›Die Bucht‹ von James Michener.

Cambridge

Atlas: S. 233, D 3
Cambridge, wie in England nicht allzu weit von Oxford entfernt, liegt im Mündungbereich des 110 km langen Choptank River. Das mehr als andere Hafenorte von Handel und Gewerbe geprägte Städtchen kann neben einigen historischen Gebäuden aus dem 18. und 19. Jh. mit einer Holländer-Windmühle aus dieser Zeit aufwarten.

Finige Kilometer südlich des Ortes erstreckt sich das 90 km^2 große Gelände des **Blackwater National Wildlife Refuge**. In seinen Marschen und Sümpfen legen im Oktober und November zuweilen mehrere zehntausend laut schnatternde Schwäne und Gänse auf dem Weg in den Süden eine Rast ein. Wer gegen Insektenstiche empfindlich ist, sollte im Sommer die Feuchtgebiete meiden, wenn Myriaden beißwütiger Moskitos sich auf jeden Besucher freuen. Einige markierte Wanderwege führen durch die ›Everglades of the North‹ (SR 335, 2145 Key Wallace Dr., Tel. 228-2677, http://blackwater.fws.gov, Sonnenaufgang bis -untergang, Eintritt).

Der Süden der Delmarva-Halbinsel

Salisbury

Atlas: S. 233, E 4

Salisbury, die Kreisstadt des Wicomico County mit etwa 12 000 Einwohnern, gilt mit mehreren Betrieben zur Verarbeitung von Lebensmitteln als gewerbliches Zentrum im Süden der Delmarva-Halbinsel. Kleinere Frachter laufen den Flusshafen am Wicomico River an, über den die Waren zur Chesapeake Bay transportiert werden.

Neben einigen sehenswerten viktorianischen Stadtvillen lohnt sich ein Besuch der Stadt vor allem wegen des

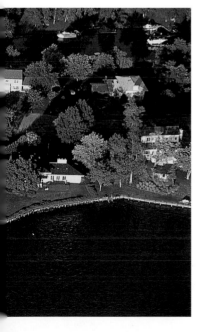

Ward Museum of Wildfowl Art. Von einfachen, aus Holz geschnitzten Lockvögeln, die Jäger auf freien Wasserflächen im Uferschilf schwimmen lassen, bis zu aus kostbaren Hölzern geschnitzten Kunstwerken kanadischer Schwanenpaare ist hier alles zu sehen, was Wasservögel und deren Jagd veranschaulicht (909 S. Schumaker Dr., Tel. 742-4988, www.wardmuseum.org/about.cfm, Mo–Sa 10–17, So 12–17 Uhr, Eintritt).

Crisfield

Atlas: S. 237, E 1

Crisfield liegt knapp 30 km südwestlich von Princess Anne, der ruhigen Kreisstadt von Somerset County. Im geschäftigen Hafen laufen regelmäßig Fähren und Postschiffe zur Smith und Tangier Island aus, liegen schnittige Jachten und die Krabbenkutter der Fischer. In den Hochzeiten des Krebs- und Austernfanges verarbeiteten 150 Betriebe die Fänge der fleißigen Seeleute. Obwohl die Nachfrage sich nicht verringert hat, rechnen sich heute nur noch drei Betriebe mit den Fängen aus der Chesapeake Bay. Die mit Süßwasser gespülten Blue Crabs werden gekocht und von flinken Händen sortiert, beschnitten und in Kisten mit Stroh und Eis verpackt, um sofort zu Lokalen entlang der Ostküste und sogar bis nach Japan verschickt zu werden. Zur **National Hard Crab Derby and Fair,** einem Volksfest mit Krebswettrennen, Musik und Tanz am Labor Day-Wochenende Anfang September, versammeln

Die Bay aus der Vogelperspektive

155

sich einige tausend Besucher im Hafenstädtchen. Mitarbeiter des örtlichen Visitor Bureau führen Besucher zu interessanten Punkten der Stadtgeschichte, auch zu den Verarbeitungsbetrieben der Meeresfrüchte.

Die Inseln der Bucht

Insgesamt 52 Inseln liegen in der Chesapeake Bay, viele unbewohnt und nicht weit von der Küste entfernt. Zwei von ihnen verdienen speziell hervorgehoben zu werden: Smith Island und Tangier Island wurden bereits im 17. Jh. von europäischen Kolonisten genutzt, zunächst nur als Farmland, dann siedelten auch Bauern und Fischer dort. Lange isoliert vom Festland, haben sich bei den Bewohnern Dialekte erhalten, die an das Englisch des elisabethanischen Zeitalters erinnern.

Smith Island liegt knapp 20 km westlich von Chrisfield in der Bay. Der englische Kapitän John Smith, der 1608 die Chesapeake Bay heraufsegelte, Inseln, Buchten und Marschen benannte und für Großbritannien in Besitz nahm, ist Namenspate des Eilands. Eigentlich sind es drei größere Inseln, darunter das **Martin Wildlife Refuge**, auf denen die Bewohner traditionell ihren Lebensunterhalt mit dem Fang von Krebsen und Austern verdienten. Im 19. Jh. lagen bis zu 50 traditionelle *skipjack*-Boote an den Piers der Insel.

Auf **Tangier Island** legen Fähren aus Crisfield in Maryland sowie aus Onancock und Reedville in Virginia an. Das flache Inselchen mit seinen knapp 700 Bewohnern gehört bereits zu Virginia. Besucher werden zur kurzen Besichti-

gungstour mit kleinen, von Golf-Carts gezogenen Anhängern über die Insel gezogen, direkt zu **Hilda Crockett's Chesapeake House**, wo seit Jahrzehnten ein Familienmenu mit Krebsen, Crab Cakes, frischem Gemüse und Eistee serviert wird.

Auf dem Festland setzt sich das flache Marschland, auf dem Sojabohnen, Kartoffeln und Tomaten wachsen, noch einige Kilometer auch jenseits der Grenze zu Virginia nach Süden fort. Bei **Cape Charles,** dem Südzipfel der Delmarva-Halbinsel und der ehemaligen Endstation der Eisenbahn, leitet der Bay Bridge-Tunnel seit 1964 den Autoverkehr über und unter der Mündung der Chesapeake Bay in den Atlantik nach Norfolk und Virginia Beach. In der zunehmend einsameren Landschaft sind viele Orte, wie der Hafen Onancock, nach indianischen Bezeichnungen der hier einst lebenden Nussawattocks benannt, die nur wenige Jahrzehnte nach Ankunft der Engländer vom Erdboden verschwunden waren.

Vorwahl: 410

Talbot County Office of Tourism: 11 N. Washington St., Easton, Tel. 770-8000, www.talbotcounty.md.
Somerset County Tourism Office: 11440 Ocean Highway, Rt. 13, Princess Anne, Tel. 651-2968, http://skipjack.net/le_shore/visitsomerset.
Crisfield Chamber of Commerce: 906 W. Main St., Crisfield, Tel. 968-2500, www.crisfield.org, Mo–Fr 9–17 Uhr.

Inn at Perry Cabin: 308 Watkins Lane, St. Michaels, Tel. 745-2200, Fax 745-3348, www.perrycabin.com. Luxuriöse Herberge im Laura-Ashley-Stil am

Miles River, opulentes Frühstück, Spitzenrestaurant, DZ ab 195 $.

Waterloo Country Inn: 28822 Mt. Vernon Rd., Princess Anne, Tel. 651-0883, Fax 651-5592, www.waterloocountryinn.com. Geschmackvolles Bed & Breakfast in herrschaftlichem Haus am Monie Creek, wunderbares Frühstück, herzliche (Schweizer) Gastgeber, DZ 105–245 $.

Tidewater Inn: 101 E. Dover St., Easton, Tel. 822-1300, Fax 820-8847, www.tidewaterinn.com. Charaktervolles Traditionshotel im Ortszentrum, dunkle Holzvertäfelungen, gepflegtes Restaurant mit Wildgerichten, DZ 100–195 $.

Colonial Manor Inn: 84 Market St., Onancock, VA, Tel. 757-787-3521, Fax 757-787-2448, www.colonialmanorinn.com. Individuelle Räume – einige etwas teurer – in einer Villa nicht weit von der Bay, gutes Frühstück, DZ ab 75 $.

Robert Morris Inn: 314 N. Morris St./The Strand, Oxford, Tel. 226-5111, Fax 226-5744, www.robertmorrisinn.com. Gemütliche Herberge direkt am Tred Avon River, gutes Frühstück, tolles Restaurant mit delikaten Krebsgerichten, DZ 60–240 $.

Town Dock Restaurant: 125 Mulberry St., St. Michaels, Tel. 745-5577. Munteres Restaurant mit Blick auf den Hafen, leichte, delikate Fischküche.

Imperial Inn: 208 High St., Chestertown, Tel. 778-5000. Im Hotelrestaurant des Imperial Hotel feines Candle-Light-Menu, Fr im Sommer auf der Terrasse Livejazz.

Mason's: 22 S. Harrison St., Easton, Tel. 822-3204. Legeres Lunch-Restaurant, gute Suppen und Salate, dazu ein Laden, um den Kühlschrank mit Leckereien aufzufüllen.

Watermen's Inn: 9th St./Main St., Crisfield, Tel. 968-2119. Fisch, Krabben und Krebse, frisch gefangen und zubereitet.

Washington Hotel Inn: 11782 Somerset Ave., Princess Anne, Tel. 651-2526. Gute

Crab Cakes gibt es immer, doch zur Bisamratten-Saison ab Jan. kommen Feinschmecker von weither.

Artiste Locale: 112 N. Talbot St. Verkaufsausstellung der örtlichen Künstler und Kunsthandwerker.

Andy's: 337 High St., Chestertown. Bar, Microbrewery und Bühne für Livemusik.

Pope's Tavern: 504 S. Morris St., Oxford. Gezapftes Bier und gute Musik in den Kellerräumen des Oxford Inn.

Mai (3. Wochenende): Mid-Atlantic Maritime Festival, Treff unzähliger Boote, St. Michaels, Tel. 820-8606.

Anfang September: National Hard Crab Derby and Fair, Volksfest mit Musik und Tanz zu Ehren der Blue Crabs, Crisfield, am Labor Day-Wochenende.

Tidewater Kayaks: 975 Port St., Easton, Tel. 820-5086. Verleih von Kajaks und Tourangebote.

Touren:

H. M. Krentz: Dogwood Harbor, Tilghman Island, Tel. 745-6068. 2-stündige Tour mit einem original *skipjack*-Segler.

Patriot Cruises: Hatendock, St. Michaels, Tel. 745-3100. Gemütliche, ca. 1-stündige Fahrt auf dem Miles River und entlang der Küste.

Smith Island Cruises: Capt. Alan Tyler, Tel. 425-2771. Trips von Crisfield nach Smith Island, Lunch im Harbor Side Restaurant auf der Insel.

Tangier Island Cruises: 1001 W. Main St., Crisfield, Tel. 968-2338. Halbtagestrips mit Inselerkundung in den Sommermonaten.

Fährboote zu den Inseln: Island Belle II., Capt. Otis Ray Tyler: Tel. 968-1118. The Captain Jason, Capt. Laird, Tel. 425-4471, 425-5931.

DIE ATLANTIKKÜSTE DER DELMARVA-HALBINSEL

Von Dünengras bewachsene Barriere-Inseln mit langen Sandstränden, häufig über Brücken mit dem Festland verbunden, grenzen die Marschenküste vom Atlantik ab. Nach Ocean City und Chincoteague strömen in den Sommermonaten die Badeurlauber. Dazwischen breitet sich die unbewohnte Idylle der Assateague National Seashore aus.

Atlas: S. 233, F 3/4 und S. 237, F 1
Im Sommer herrscht hier Hochbetrieb. An den Stränden von Delaware rund um Lewes und Rehoboth Beach trifft man mehr Badehungrige aus Baltimore, um Ocean City, etwas weiter südlich in Maryland, überwiegen die Besucher aus der Hauptstadt Washington. Im Nordosten von Delaware führen Stichstraßen zu kleineren Strandbädern an der Delaware Bay. Im äußersten Süden, entlang der virginischen Küste der Delmarva-Halbinsel, sind nur vereinzelte, kleine Strände zu finden, hier dominiert eine zerklüftete Marschenlandschaft, ähnlich wie um die Chesapeake Bay.

Von Lewes bis Fenwick Island

Atlas: S. 233, F 3
Der Hafen-, Fähr- und Badeort **Lewes** grenzt direkt an den Cape Henlopen State Park, dessen Dünenlandschaft mit einer 28 m hohen Wanderdüne gleich östlich des Ortes beginnt. 1681 gründeten die Holländer hier die Walfangbasis Zwaanendael. Das **Zwaanendael Museum**, ein Nachbau (1931) des mittelalterlichen Rathauses der holländischen Seefahrerstadt Hoorn, dokumentiert die Lokalgeschichte des Ortes und erinnert an das Schicksal der 28 holländischen Siedler, die bald einem Angriff der Indianer zum Opfer fielen (102 Kings Hwy./Ecke Savannah Rd., Tel. 302/645-1148, www.destatemuseums.org/zwa, Di–Sa 10–16.30, So 13.30–16.30 Uhr, Eintritt frei).

Rehoboth Beach und **Dewey Beach** liegen zwischen den geschützten Küstenlandschaften des Cape Henlopen State Park im Norden und des Delaware Seashore State Park im Süden. Auf die beiden Strandorte konzentriert sich das Interesse vieler Städter aus Baltimore, aber auch aus Washington oder Philadelphia an einem abwechslungsreichen sommerlichen Badeurlaub. In der Vor- und Nachsaison kommen Liebhaber einsamer Strandspaziergänge auf ihre Kosten.

158

Die Küstenstraße 1 passiert bei **Fenwick Island** die Grenze von Delaware und Maryland. Ein kolonialer Markierungsstein aus dem Jahr 1751 trägt nach Norden das Wappen von William Penn, nach Süden das der Calverts, den Eigentümern von Maryland.

Von Ocean City bis Chincoteague

Atlas: S. 233, F 4 und S. 237, F 1

Ocean City, 14 km weiter im Süden der lang gezogenen Barriere-Insel Fenwick Island gelegen, gehört heute ganz den Urlaubern. Ihre inzwischen 8 Mio. jährliche Übernachtungen lassen die Kassen der vielen Hotels, Restaurants und Einkaufszentren klingeln. Wer sich der Stadt nähert, staunt über die Häufung von Outlet Malls, in denen Markenprodukte mit Preisabschlägen erworben werden können. Das Angebot an Urlaubszerstreuungen ist groß. Erst bei Myrtle Beach in South Carolina trifft man wieder auf eine derart große Anzahl phantasievoll konstruierter Minigolfanlagen zwischen Dinosauriern, Seeräubern und künstlichen Wasserfällen. Der Boardwalk, eine hölzerne Strandpromenade, an der Hotels, Restaurants, Eiscafés, Boutiquen und Spielarkaden aufgereiht sind, zieht sich 5 km zwischen Ort und Meeresstrand entlang.

Nur 10 Autominuten von Ocean City verwundert ein Ortsschild mit dem vertrauten Namen **Berlin** deutsche Besucher. Doch nicht die deutsche Hauptstadt, sondern der Gasthof Burleigh Inn, um den sich die heute adrett herausgeputzte, um 1790 gegründete Kleinstadt gründete, stand für ihren Namen Pate.

Chincoteague, in der Sprache der hier einst ansässigen Indianer die ›schöne Insel jenseits des Wassers‹, heißen Insel und Ort zwischen Assateague und dem Festland. Der muntere Ort mit Hotels und Restaurants, Boutiquen und Souvenirläden – geschnitzte Wasservögel gehören zu den beliebtesten Urlaubsmitbringseln – wird im Sommer gern von Badeurlau-

Assateague Island

Noch in Sichtweite von Ocean City, nur durch die schmale Meerenge The Inlet getrennt, beginnt Assateague Island. Der Norden der lang gezogenen Insel gehört als **Assateague Island National Seashore** zu Maryland (7206 National Seashore Lane, Rt. 611, Tel. 410/641-1441, Eintritt). Das Besucherzentrum und der Zugang zur Insel befinden sich sechs Meilen südlich von Ocean City.

Der südliche Teil des mit bewachsenen Dünen, Sand und Kiefernwäldern naturbelassenen Eilandes gehört bereits zu Virginia. Er ist als **Chincoteague National Wildlife Refuge** geschützt. Menschen sind hier nur als Kurzbesucher erlaubt; Tiere, vor allem die Wasservögel, aber auch Herden von Wildpferden finden dagegen kaum gestörte Lebensbedingungen vor.

bern und Seglern besucht. Zu den Höhepunkten des Jahres gehören der Karneval im Juli mit der Auktion von Wildpferden (s. S. 163) sowie das Austern-Festival im Oktober, das sich Liebhaber der Muscheltiere nicht entgehen lassen sollten. Chincoteague ist ein guter Ausgangspunkt, die Landschaften der Region zu erkunden, die einsamen Strände der vorgelagerten Insel Assateague oder die zerklüftete Marschenküsten am südlichen Ende der Delmarva-Halbinsel.

Einen Ausflug lohnt auch das **Wallops Flight Center der NASA** etwa 30 km südlich von Chincoteague, in dem Raketen und Satelliten ausgestellt sind sowie Filme und Dokumente über verschiedene Projekte der Weltraumbehörde NASA gezeigt werden (Rt. 175, Tel. 757/824-2298, Juli–Aug. 10–16 Uhr, sonst Do–Mo 10–16 Uhr). Hier und auf dem Gelände NASA-Station auf der nahe gelegenen Insel Wallops Island werden Untersuchungen der Erdatmosphäre durchgeführt, früher starteten von hier sogar Forschungssatelliten in eine Erdumlaufbahn.

Vorwahl: Lewes 302, Rehoboth 302, Ocean City 410, Chincoteague 757

🛈 **Rehoboth Beach–Dewey Beach Chamber of Commerce:** Rehoboth Beach, DE, 501 Rehoboth Ave., Tel. 302/227-2233, www.beach-fun.com.
Ocean City Visitor Information Center: 4001 Coastal Hwy., Ocean City, MD, Tel. 410/289-8181, www.ocean-city.com.
Chincoteague Chamber of Commerce: 6733 Maddox Blvd., Chincoteague, VA, Tel. 757/336-6161, www.chincoteague chamber.com.

🛏 **Lighthouse Club Hotel:** 201 60th St., Ocean City, MD, Tel. 410/524-5400, Fax 524-3928. Luxuriöse Herberge an der Bay, geräumige Zimmer und Suiten, viele mit eigenem Whirlpool, DZ 79–295 $.
Atlantic Sands Hotel & Suites: 101 N. Boardwalk, Rehoboth Beach, DE, Tel. 302/227-2511, Fax 227-9476, www.atlanticsandshotel.com. Badehotel direkt am Boardwalk, gepflegte Atmosphäre, gute Ausstattung, auch einige günstigere Zimmer, DZ 75–195 $.
Atlantic Hotel: 2 N. Main St., Berlin, MD, Tel. 410/641-3589, Fax 641-4928, www.atlantichotel.com. Sorgfältig restauriertes, viktorianisches Hotel mit Charme und exzellenter Küche, DZ 65–180 $.
Angler's Motel: 110 Anglers Rd., Lewes, DE, Tel. 302/645-2831. Betagte, aber ordentlich geführte, einfache Unterkunft, Sonnenterrasse, Pool, Blick auf den Lewes-Rehoboth Beach Canal, DZ 40–100 $.
Camping:
Cape Henlopen State Park: Lewes, DE, Tel. 302/645-2103. Wunderbare Lage im Naturschutzgebiet am Meer mit Plätzen für Zelte und Campmobile, ab 15 $.
Inlet View Waterfront Campground: Chincoteague, VA, Bayseite, Tel. 757/336-5126. Schöne Lage direkt am Wasser, für Campmobile und Wohnwagen, ab 26 $.

🍴 **Nantuckets:** Ecke Rt. 1/Atlantic Ave., Fenwick Island, DE, Tel. 302/539-2607. Chefkoch David Twinning begeistert seine Gäste immer wieder mit innovativen Rezeptkreationen.
Phillips Beach Plaza: 1301 Atlantic Blvd., Ocean City, MD, Tel. 410/289-9121. Amerikanische Klassiker und Meeresfrüchte, gut zubereitet und mit freundlichem Service, direkt am Boardwalk.

Leuchtturm auf der Insel Assateague

Russel Fish Company: Main St., Chincoteague, VA, Tel. 757/336-6986. Frischer Fisch und Schalentiere, aber auch Geräuchertes und Gekochtes zum Mitnehmen.

Peninsula Gallery: 520 Savannah Rd., Lewes, DE. Geschmackvolle Galerie, vorwiegend Bilder, Fotos und Skulpturen regionaler Künstler.

Seacrets, Jamaica U.S.A.: 49th St. (Bayseite), Ocean City, MD. Karibisches Party-Ambiente mit diversen Bars und Tanzflächen.
Sydney's Blues & Jazz Restaurant: 25 Christian St., Rehoboth Beach, DE. Im ehemaligen Schulgebäude treten heute bekannte Jazzformationen auf, außerdem schmackhafte kreolische Küche.

Juli: Karneval/Auktion der Wildpferde, Chincoteague.
September: Sprint Triathlon, Dewey Beach, Tel. 302/226-0510, Schwimmen 0,5 Meilen, Rad fahren 16 Meilen, Laufen 3 Meilen.
Oktober: Austern-Festival, Chincoteague, Tel. 757/787-2460.

Tidewater Expeditions: 7729 East Side Dr., Chincoteague, VA, Tel. 757-336-3159. Kanu- und Kajaktrips, Bootsverleih und Kurse.

Cape May – Lewes Ferry: Tel. 302/644-6030. Ganztägig und ganzjährig geht es auf einer 70-minütigen Kreuzfahrt quer über die Mündungsbucht des Delaware River ins nördliche New Jersey.

Der legendäre ›Pony Swim‹ der Wildpferde zur Auktion in Chincoteague

DIE PONYS VON ASSATEAGUE ISLAND

Ein solider Zaun quer über die Insel Assateague trennt ihren Norden, der zu Maryland gehört, vom virginischen Süden. Für Menschen ist er kein Hindernis, wohl aber für die beiden jeweils 120–150 Tiere zählenden Herden von Wildpferden, die getrennt voneinander leben. Auf dem Areal der Assateague National Oea shore in Maryland kümmern sich National Park Ranger um die Tiere. Die Herde im Süden der Insel gehört der Freiwilligen Feuerwehr des Ortes Chincoteague. Sie ist für die medizinische Versorgung der Tiere verantwortlich, pflegt verletzte Pferde, hackt bei winterlichem Frost Löcher in Süßwasserteiche.

Hartnäckig halten sich Gerüchte, die Ponys seien Nachkommen spanischer Pferde, die sich von einer vor der Küste auf Grund gelaufenen Galeone an Land retten konnten oder von Piraten hier ausgesetzt und vergessen wurden. Wahrscheinlicher ist dagegen, dass britische Pflanzer im 17. und 18. Jh. die vorgelagerten Inseln als abgelegene Weidefläche für ihre Tiere nutzten, auch um sie der sonst unerbittlichen Steuer zu entziehen. Sicher ist, dass die Wildpferde seit mehr als 300 Jahre hier leben und durch die Dünen traben. Ihr Lieblingsplatz sind allerdings die Salzmarschen im Südosten, hier ist das Futter am besten. Meist grasen einige von ihnen nahe der Aussichtsplattform am markierten Woodland Trail.

Das südliche Drittel der Insel nimmt das unter Naturschutz stehende Chincoteague National Wildlife Refuge ein. Mehr als 300 einheimische Arten sowie Zugvögel nutzen Wasserflächen und Küstenregion als Brutstätte oder Zwischenstation auf dem Weg in die Karibik und leben in friedlicher Koexistenz mit den Vierbeinern. Deren Paarungszeit zieht sich über den warmen Sommer, von Mai bis September. Elf Monate später werden ein oder zwei Fohlen von den Stuten geboren.

Am letzten Mittwoch und Donnerstag im Juli strömen tausende Schaulustiger nach Chincoteague zum Sommerkarneval der Freiwilligen Feuerwehr. Neben Karussells und allerlei Ständen ist die große Ponyauktion der lang erwartete Höhepunkt. Zunächst werden die Pferde auf der Nachbarinsel von den Cowboys des Pony Committee der Freiwilligen Feuerwehr zusammengetrieben. Dann untersuchen Tierärzte die Jungtiere auf ihre körperliche Verfassung. Die kürzeste Passage zwischen Assateague und Chincoteague ist längst markiert und gesichert. Sobald der Tidenhub am niedrigsten ist, geht es los – die Cowboys treiben die Herde zum Ufer, und der ›Pony Swim‹ beginnt. Auf Chincoteague geht es gleich weiter zum Auktionsplatz. Hier finden die meisten Fohlen und Einjährige bei der Versteigerung am folgenden Donnerstag einen Besitzer. Der respektable Erlös füllt die Feuerwehrkasse des Ortes. Die dezimierte Herde kommt am Wochenende zurück auf ihr Eiland. Bis zum kommenden Jahr sind meist wieder einige Dutzend Pferde geboren. Ein sommerliches Fest mit Tierauktionen lässt sich bis ins 17. Jh. zurückverfolgen, der mehrtägige Karneval der Feuerwehr von Chincoteague zieht seit 1924 Pferdeliebhaber und Interessierte von weither zu der Insel am Atlantik.

Virginia

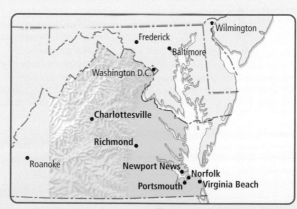

Kostümierte
Darstellerin im
historischen
Jamestown

Kartenatlas S. 230/231, 234–237

ALEXANDRIA

Durch die Straßen der im Schachbrettmuster angelegten historischen Altstadt ist schon George Washington gewandelt und hat in Gadby's Tavern das Tanzbein geschwungen. Auch das Masonic Memorial erinnert an Washington und an andere berühmte Mitglieder der Freimaurerloge.

Atlas: S. 232, B 3

Das 1749 von einer Gruppe schottischer Tabakhändler am Potomac gegründete Hafenstädtchen ist nach dem Siedler John Alexander benannt, der das Gelände bereits 1669 erworben hatte. Aus der Zeit von George Washington, der ebenfalls hier lebte und arbeitete, sind noch viele der über 400 geschützten historischen Gebäude der Innenstadt, der so genannten ›Old Town‹, erhalten.

Auch heute könnten sich George Washington oder der Bürgerkriegsgeneral Robert E. Lee noch mühelos im Stadtzentrum zurechtfinden, so sorgfältig wurden die Straßenzüge und Häuser zwischen Waterfront Park und Founders Park am Ufer des Potomac sowie der Henry Street restauriert.

Besichtigung

Das mit Informationen gut ausgestattete zentrale **Ramsay House Visitor Center** 1, der Nachbau einer Stadtvilla von 1724, ist ein guter Ausgangspunkt für einen Stadtrundgang (221 King St.). Schräg gegenüber, auf der anderen Seite der Kreuzung, liegt der

Stabler-Leadbeater Apothecary Shop 2, eine 1792 von Edward Stabler gegründete Drogerie und Apotheke, die bis 1933 die häufig prominenten Kunden bediente und erst danach zu einem Museum ausgebaut wurde. In den Regalen findet man Tiegel und 900 handgeblasene Glasbehälter für Arzneien (105-107 S. Fairfax St., Tel. 836-3713, Mo–Sa 10–16, So 13–17 Uhr, Eintritt).

Der Platz vor der **City Hall** 3 zwischen Cameron und King Street galt zu kolonialen Zeiten als Paradeplatz der königlichen Truppen. Heute füllt sich der Market Square samtagvormittags mit Verkaufsständen von Händlern und Marktbesuchern.

Gadsby's Tavern 4, Schankstätte und Hotel aus dem 18. Jh., ist sowohl Museum (134 N. Royal St., Tel. 838-4242, Okt.–März Di–Sa 11–15.15, So 13–15.15 Uhr, April–Sept. Di–Sa 10–17, So 13–17 Uhr, Eintritt) als auch ein Restaurant (138 N. Royal St.), in dem auch Gerichte aus kolonialen Zeiten auf der Speisekarte stehen. Den Ballroom im Obergeschoss mietete bereits George Washington für mehrere seiner Geburtstagsfeiern.

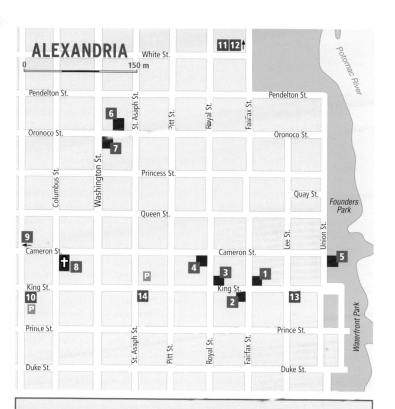

Sehenswürdigkeiten

1 Ramsey House Visitors Center
2 Stabler-Leadbeater Apothecary Shop
3 City Hall/Market Square
4 Gadsby's Tavern Museum
5 Torpedo Factory Art Center
6 Robert E. Lee House
7 Lee-Fendall House
8 Christ Church
9 George Washington Masonic National Memorial

Hotels

10 Morrison House
11 Radisson Old Town
12 Best Western Old Colony Inn

Essen und Trinken

13 219
14 King Street Blues (weitere Adresse s. unter Sehenswürdigkeiten, Nr. 4)

Torpedo Factory Art Center

⌊5⌋ In der Fabrik wurden im Ersten und Zweiten Weltkrieg mehrere zehntausend Tod bringende Torpedos vom Typ MK-14 gefertigt. Heute findet man hier ein Zentrum für Stadtarchäologie sowie Werkstätten und Ausstellungsräume von mehr als 150 Künstlern und Kunsthandwerkern, deren Arbeit eine knappe Million Besucher im Jahr anzieht (105 N. Union St., Tel. 838-4565, 10–17 Uhr, Eintritt frei, auch Verkauf von Kunstwerken).

Boyhood Home of Robert E. Lee ⌊6⌋ wird die 1785 im Federal Style aus rötlichem Klinker erbaute und bis vor kurzem als Museum geführte Stadtvilla genannt. Sie gehörte viele Jahrzehnte der Familie Lee. Der fünfjährige Robert, später Oberbefehlshaber der Südstaatenarmee und Sohn des Revolutionsgenerals Henry ›Light Horse‹ Harry Lee und seiner Frau Ann Hill Carter, lebte hier bis zum Eintritt in die Militärakademie von West Point (607 Oronoco St., http://leeboyhoodhome.com).

Das benachbarte **Lee-Fendall House** ⌊7⌋ erinnert an den Ruhm vieler Mitglieder der Lee-Familie in Virginia, wenngleich nur entfernte Verwandte in dem 1785 errichteten Greek-Revival-Gebäude mit seinem schön gestalteten kolonialen Garten gelebt haben (614 Oronoco St., Tel. 548-1789, Feb.–Mitte Dez. Di–Sa 10–15.45, So 13–15.45 Uhr, Führung mit Eintritt).

Die wuchtige, aus Backstein erbaute **Christ Church** ⌊8⌋ mit handgefertigten Buntglasfenstern und schlichtem weißgetünchten Inneren ruft seit 1773 Gläubige zum Gebet. Die beiden bekanntesten Bürger von Alexandria, George Washington und Robert E. Lee, besuchten regelmäßig die Gottesdienste und besaßen einen eigenen Familienplatz (118 N. Washington St./Ecke Cameron St., Tel. 549-1450, Mo–Sa 9–16, So 14–16.30 Uhr, Spende erbeten).

Am westlichen Stadtrand, kurz hinter der Amtrak-Station, ist der 333 Fuß hohe Turm des **George Washington Masonic National Memorial** ⌊9⌋ auf dem Shooter's Hill genannten Hügel nicht zu übersehen. Der Leuchtturm des historischen Alexandria diente den Baumeistern als Vorbild, um den früheren Großmeister der Loge Nr. 22 der Freimaurer von Virginia zu ehren. Die Ausstellung erläutert Traditionen und Zeremonien des im mittelalterlichen Europa entstandenen Bundes und porträtiert das Leben anderer bekannter Mitglieder, darunter den früheren US-Präsidenten Harry Truman (101 Callahan Dr./Ecke King St., Tel. 683-2007, www.gwmemorial.org, 9–17 Uhr, Eintritt frei).

Vorwahl: 703

Ramsay House Visitor Center: 221 King St., Tel. 838-4200, Fax 838-4683, www.FunSide.com.

Morrison House ⌊10⌋: 116 S. Alfred St., Tel. 838-8000, Fax 684-6283, www.morrisonhouse.com. Schmucke Zimmer in historischem Gebäude der kleinen Altstadt, DZ 175–350 $.

Radisson Old Town Alexandria [11]: 901 N. Fairfax St., Tel. 683-6000, Fax 683-7597, www.radisson.com. Geräumige, moderne Zimmer, teilweise mit Blick auf den Potomac, DZ 99–219 $.

Best Western Old Colony Inn [12]: 615 First St., Tel. 739-2222, Fax 549-2568, www.lodginghost.com/alexandria. Günstige Unterkunft am nördlichen Stadtrand, Frühstück u. Morgenzeitung inkl., DZ 74–119 $.

Gadsby's Tavern [4]: 138 N. Royal St., Tel. 548-1288. In dem Traditionslokal hat schon George Washington ›Ente in Madeira-Sauce‹ bestellt, 17–21 $.

219 [13]: 219 King St., Tel. 549-1141. Gepflegte kreolische Küche mit wunderbaren Fischgerichten. Im Sommer am So manchmal Jazzbrunch auf der Terrasse, 13–22 $.

King Street Blues [14]: 112 N. St. Asaph St./Ecke King St., Tel. 836-8800. Legere Atmosphäre und herzhafte, dennoch leichte Südstaatenküche mit einigen asiatischen Akzenten, 6–13 $.

Nick's: 642 S. Pickett St., Tel. 751-8900. Kleine Snacks, gute Drinks und Country Music Texas Style. Kinogänger erkennen das Lokal aus ›Good Fellas‹, wo es leider ausbrannte.

Market Square von Alexandria

MOUNT VERNON, WOODLAWN PLANTATION UND GUNSTON HALL

Die Plantagenvillen von George und Martha Washington, ihres Neffen Lawrence und seiner Frau Eleanor Custis Lewis sowie von George Mason atmen den Geist der amerikanischen Geschichte. Auch als architektonische Dokumente der Kolonialzeit sind sie einen Besuch wert.

Mount Vernon

Atlas: S. 232, B 3

Vom Steilufer hoch über dem Potomac River genießt man einen wunderbaren Blick auf das bewaldete Flusstal. Die Plantagen und Villen der Pflanzerfamilien entstanden lange Zeit, bevor sich die Idee der Befreiung der Kolonien von der britischen Herrschaft durchsetzte und als noch niemand daran dachte, dass später nur wenige Kilometer flussaufwärts die Hauptstadt der Vereinigten Staaten von Amerika gegründet würde.

George Washingtons Land- und Wohnsitz auf Mount Vernon blickt mit seiner von acht Säulen gestützten Veranda vom hohen Ufer zum majestätischen Potomac herab. Der Plantagensitz wurde genau rekonstruiert, so wie er sich zur Zeit des Todes von George Washington, dem ersten US-Präsidenten, präsentierte. 14 Räume, ausgestattet mit zeitgenössischen, teils originalen Möbeln, können im Rahmen einer Führung besichtigt werden. Sie dokumentieren Geschmack und Wohlstand der Besitzer. Am eindrucksvollsten ist jedoch ein in einer kleinen Glasvitrine an der Wand aufbewahrter Schlüssel zur französischen Bastille, den der Marquis de Lafayette seinem Freund George Washington nach deren Erstürmung während der französischen Revolution schenkte.

Auf dem Plantagenareal mit Pferden, Rindern und anderen Haustieren lohnen die 16-eckige Dreschscheune, ein Kräutergarten und auch die Sklavenquartiere einen Besuch. Sie erinnern ebenso wie der Sklavenfriedhof daran, dass trotz einer Revolution im Namen der Freiheit vor allem im Süden der jungen USA Sklavenarbeiter den Reichtum der Besitzenden schufen. Auch die letzten Ruhestätten von Martha und George Washington sowie anderer Familienmitglieder befinden sich auf Mount Vernon, nicht weit von den Gräbern der Sklaven entfernt (George Washington Memorial Pkwy., 13 km südlich von Alexandria, Tel. 780-2000, www.mountvernon.org, März–Aug. 8–17, Sept.–Okt. 9–17, Nov.–Feb. 9–16 Uhr, Führungen, Eintritt).

170

Woodlawn Plantation

Atlas: S. 232, B 3

Die Washingtons schenkten das 800 ha große Anwesen gut 5 km westlich von Mount Vernon ihrer Adoptivtochter Eleanor Park Custis und ihrem Neffen Lawrence Lewis 1799 zur Hochzeit. Die nur wenige Jahre später errichtete Plantagenvilla ist sorgfältig restauriert und von Inspirationen, An- und Umbauen späterer Bewohner befreit. Von der zeitgenössischen Gartenanlage, deren üppiger Rosengarten Blumenfreunde erfreuen dürfte, bietet sich ein weiter Blick auf den Potomac (9000 Richmond Hwy., Kreuzung US 1/VA 235, Tel. 780-4000, März–Dez. 10–16 Uhr, Eintritt).

Vis-á-vis vom Woodlawn-Parkplatz kann man sich mit dem Besuch des **Pope-Leighey House** von der drastischen Veränderung der Baustile in 150 Jahren überzeugen. Die Flachdachvilla wurde im Jahre 1940 vom weltberühmten Stararchitekten Frank Lloyd Wright errichtet. Das heute vom National Trust betreute Gebäude galt mit einer Bausumme von 7000 $ seinerzeit als Prototyp einer Wohnung für den gehobenen Mittelstand (gleiche Adresse und Öffnungszeiten wie Woodlawn).

Gunston Hall

Atlas: S. 232, B 3

Wenige Kilometer weiter südlich, nahe der Potomac-Bucht Gunston Cove, ließ George Mason, ein Revolutionär der ersten Stunde, Mitte des 18. Jh.

seinen Wohnsitz von britischen Handwerkern nach den damals aktuellen britischen Bau- und Einrichtungsstilen ausführen. Neben vielen Möbeln stammt auch die Buchsbaumhecke aus dieser Bauphase. Wer den dekorativ angelegten Weg zum Potomac-Ufer heruntergeht, wird mit einem Blick auf den Fluss belohnt. George Mason gilt als einer der Väter des Grundrechtskataloges in der US-Verfassung. Er hatte zuvor die Bürgerrechte für die Verfassung von Virginia entwickelt und weigerte sich, die Verfassung der USA mit zu unterzeichnen, da zunächst weder die ›Bill of Rights‹ noch ein Verbot der Sklaverei darin enthalten waren (10709 Gunston Rd., VA 242, Tel. 550-9220, www.gunstonhall.org, 9.30-17 Uhr, Tour, Eintritt).

Vorwahl: 703

🛏 **Econo Lodge Mt. Vernon:** 8849 Richmond Hwy., Mt. Vernon, Tel. 780-0300, Fax 780-0842. Günstige Unterkunft in einem ordentlichen Motel, DZ ab 58 $.

🍴 **Mt. Vernon Inn:** George Washington Memorial Pkwy./SR 235, Tel. 780-0011, 9–10.30, Sa/So 9–17,30 Uhr. Traditionelles Restaurant im kolonialen Ambiente auf dem Gelände des Mount Vernon Estate, 10–22 $.

🛍 **Potomac Mills:** 2700 Potomac Mills Circle, Tel. 490-5948. Mehr als 220 Geschäfte von IKEA bis Burlington bieten ihre Ware zu reduzierten Preisen an. Die Shopping Mall zieht mehrere Millionen Käufer im Jahr an und wirbt damit, die ›größte Besucherattraktion von Virginia‹ zu sein.

171

GEORGE WASHINGTON – ÜBERVATER DER NATION

George Washington – der ›Gentleman Farmer‹, ein ›bescheidener Held‹, ›erfolgreicher General‹, ›liebender Ehemann‹, ›Vater der Nation‹, ›Staatsmann von Format‹. Der erste Präsident der USA, längst eine Ikone der Geschichte, präsentiert sich in der öffentlichen Darstellung als Mann der Tugend, im Deckenfresko der Kapitolskuppel von Washington gar einem Gott ähnlich. Doch George Washington war nicht immer die Erfurcht gebietende, symbolhafte geschichtliche Gestalt, auf die sich alle Nachfolger, ob Sklavengegner oder -besitzer, Nord- oder Südstaatler, Republikaner oder Demokraten problemlos berufen konnten.

Der junge George wurde am 22. Februar 1733 in eine Pflanzerfamilie geboren, die vor fünf Generationen aus der Region von Essex bei London in die Neue Welt ausgewandert war. Nach dem frühen Tod des Vaters, George war gerade 11 Jahre alt, übernahm sein älterer Bruder Clarence die Fürsorge. Clarence hatte in die Familie von Lord Fairfax eingeheiratet, die mit einem Grundbesitz von 25 000 km^2 zu den wirklich Vermögenden in Virginia gehörte. Eine Ausbildung zum Landvermesser sollte den 17-jährigen im Auftrag von Lord Fairfax bis in den kaum besiedelten Westen der Kolonie führen. George freundete sich mit dem jüngeren Cousin des Lords, George William Fairfax, an und verfiel in eine schwärmerische, heimliche Liebe zu dessen lebenslustiger, intelligenter Frau Sally.

Mit dem Tod seines Bruders Clarence 1752 an Tuberkulose – George hatte ihn noch kurz zuvor auf der einzigen Auslandsreise seines Lebens nach Barbados begleitet – fielen ihm der Besitz von Mount Vernon und weitere Ländereien zu. Sieben Jahre später heiratete er Martha Custis, eine junge, vermögende Witwe und Mutter von zwei Kindern. Nun gehörte George Washington, auch mit einem Abgeordnetensitz und einem ebenfalls ererbten Offizierspatent ausgestattet, zur Pflanzeraristokratie der Kolonie. Standesgemäße Zerstreuung fand er bei Tanz und geselligen Empfängen ebenso wie beim Pferderennen oder der Fuchsjagd. Bald sammelte Washington erste militärische Erfahrungen in der Kolonialarmee der Briten. Ein Scharmützel mit einem französischen Spähtrupp sowie eine chaotische und verlustreiche Operation unter dem englischen General Braddock im Kolonialkrieg gegen die Franzosen 1754/55 offenbarten weniger ein strategisches Talent, sondern vor allem seine Besonnenheit auch in kritischen Situationen. So ließ nicht nur seine stattliche Gestalt von etwa 1,90 m die Soldaten zu ihm aufblicken.

Die britische Politik, nach 1763 die Kolonien stärker zu besteuern und deren Selbstverwaltung zu reduzieren, traf auch auf Washingtons entschiedenen Widerstand. Auf dem ersten Kolonialkongress von Philadelphia erschien er im September 1774 in voller Uniform. Nach den Kämpfen aufständischer Amerikaner im Jahr darauf wählten ihn die Delegierten des zweiten Nationalkongresses einstimmig zum Befehlshaber aller amerikanischen Streitkräfte, nicht allein wegen seiner militärischen Erfahrungen, sondern auch, weil die in Bedrängnis geratenen Neuengland-Kolonien sich durch die Berufung eines Virginiers die Mobilisierung der südlichen Kolonien für den Aufstand versprachen. Die folgenden Kämpfe brachten einige Erfolge, aber auch viele bittere Niederlagen, die den Unabhängigkeitskrieg fast scheitern ließen. Das Winterlager der Armee 1777/78 in Valley Forge war Tief- und zugleich Wendepunkt im Kampf um die Unabhängigkeit. Mit seiner Standfestigkeit erwarb sich Washington in diesen Monaten die Bewunderung seiner Soldaten und der Bevölkerung. Eine Allianz mit den Franzosen und deren militärische Unterstützung erzwang am 19. Oktober 1781 die Kapitulation des britischen Generals Cornwallis und 7000 seiner Elitesoldaten bei Yorktown. Washington legte am 23. Dezember 1783 vor dem im Kapitol von Annapolis tagenden Kongress sein militärisches Amt feierlich nieder und zerstreute damit die Furcht einiger Politiker, er könnte sich zum König oder Diktator aufschwingen.

Nach längerer Verfassungsdiskussion bestimmte ein Kollegium von Wahlmänner aus den Bundesstaaten am 4. Februar 1889 George Washington einstimmig zum ersten Präsidenten der USA. Sein hochkarätiges erstes Kabinett mit John Adams (Stellvertreter), Alexander Hamilton (Finanzen), Thomas Jefferson (Äußeres), Henry Knox (Militär) und Edmund Randolph (Justiz) barg bereits einen Konflikt zwischen den Federalisten um Hamilton, die eine Stärkung der Bundesregierung befürworteten, und den demokratischen Republikanern um Jefferson, die eine Konföderation mit starken Einzelstaaten betonten. Der ehemalige General versuchte das junge Staatsgebilde möglichst um alle Kriegsgefahren herumzusteuern. Das Präsidentenamt gestaltete er mit republikanischer Würde. Von vielen wurde die als steif empfundene Etikette abgelehnt, andere sahen in den repräsentativen Zeremonien einen notwendigen Beitrag zur Herausbildung staatstragenden Nationalbewusstseins. Seinen freiwilligen Abschied von der Macht im März 1797 nahm er mit großer Genugtuung hin: »Kein Mann ist jemals des öffentlichen Lebens überdrussiger gewesen«.

Auch nach seinem Rückzug auf sein Gut Mount Vernon war Washington noch als Gast in der Politik zu finden. Nicht selten besuchte er die große Baustelle an der Grenze von Maryland und Virginia, den ›District of Columbia‹, der bald den Beinamen ›City of Washington‹ erhalten sollte. Schon 1793 hatte Washington als Großmeister der Freimaurerloge von Alexandria den Grundstein zum Kapitol gelegt. Nachdem der 67-jährige Pflanzer an einem Dezemberabend 1799 von einem Ausritt, auf dem ihn ein Eisregen im Sattel überraschte, nach Mount Vernon heimkehrte, befielen ihn starke Halsschmerzen, Fieber und ein tiefes Unwohlsein. Ärzte versuchten ihn mit Aderlassen zu helfen, verschlimmerten aber dadurch seinen Zustand wohl noch. Gegen 22 Uhr des nächsten Tages schied George Washington aus dem Leben. Er hatte die USA auf den ersten acht Jahren des großes Experimentes einer republikanischen Gesellschaft als ihr Präsident erfolgreich begleitet. »'t is well«, das Werk ist gut geraten, sollen seine letzten Worte gewesen sein.

173

FREDRICKSBURG, STRATFORD HALL UND DAS TIDEWATER COUNTRY

Die Princess Anne Street von Fredericksburg säumen Gebäude aus der kolonialen Blütezeit der Stadt. Stratford Hall am Südufer des Potomac gehörte mehrere Generationen der Familie Lee aus Virginia. Nicht weit entfernt liegt der Geburtsort von George Washington.

Fredericksburg

Atlas: S. 236, A 1

Die Region um Fredericksburg und der ›Northern Neck‹ zwischen den Flüssen Potomac und Rappahannock gehört zu den geschichtsträchtigen Landschaften im Osten der USA. Im Jahr 1728 gründeten Siedler an einem schmalen Uferstreifen bei den Stromschnellen des Rappahannock einen Handelsplatz, der für den Umschlag der anwachsenden Tabakernte auf den Farmen dringend benötigt wurde, und tauften ihn zu Ehren des Sohns von König Georg II., Kronprinz Frederick.

George Washington wuchs auf der **Ferry Farm** am gegenüberliegenden Flussufer auf (Rt. 3 East, Tel. 373-3381, März–Nov. Mo–Sa 10–17, So 12–17 Uhr, sonst Sa 10–16, So 12–16 Uhr, Tour, Eintritt). Sein jüngerer Bruder Charles lebte 20 Jahre in der Caroline Street von Fredericksburg, seiner Schwester Betty und ihrem Mann Fielding Lewis gehörte die Kenmore Plantation. George Washington kaufte seiner Mutter Mary 1772 einen Alterswohnsitz in der Charles Street, in dem sie die letzten Lebensjahre verbrachte. Ihr mit einem Obelisken geschmücktes Grab steht in der 1200 Charles Street.

In der Stadt trafen sich führende Revolutionäre Virginias, um philosophische und politische Grundsätze zu erörtern und die Linie des Befreiungskampfes von der Herrschaft der fernen englischen Königs zu beraten. Knapp 100 Jahre später prallten rund um das strategisch wichtige Fredericksburg die Armeen des Nordens und des Süden in mehreren verheerenden Schlachten aufeinander, die über 100 000 Tote und Verletzte auf beiden Seiten forderten.

Nahezu 400 Gebäude der Innenstadt, die meisten nicht weit von der zentralen und mit Andenken- und Antiquitätenläden gesäumten Caroline Street entfernt, stehen unter Denkmalschutz. Der **Hugh Mercer Apothecary Shop** gehört dazu. In der Praxis des Apothekers mit ihren Zangen, Messern, Tiegeln und Behältern wurden alle möglichen Krankheiten und Verletzungen behandelt. Nach der Führung freut man sich, nicht vor gut 200 Jahren als Patient auf dem Behandlungsstuhl gesessen zu haben. Hugh Mercer, schottischer Einwanderer, Freund von George Washington und Urahn des Panzergenerals George Patton, kämpfte mit im Befreiungskrieg gegen die Kolonialmacht. Er fiel 1776 bei der Schlacht von Princetown als Brigadegeneral der Kontinentalarmee (1020 Caroline St., Tel. 373-3362, März–Nov. Mo–Sa 9–17, So 11–17 Uhr, sonst Mo–Sa 10–16 Uhr, So 12–16 Uhr, Eintritt).

Besucher der **Kenmore Plantation** erhalten am Ende der einstündigen ›Tour of the House‹ einen Tee mit Keksen nach Hausrezeptur der Washingtons serviert. Das kostbar eingerichtete, von außen eher schlichte Gebäude dokumentiert den Reichtum seiner früheren Besitzer. Fielding Lewis und Betty Washington finanzierten mit ihren nicht unerheblichen Mitteln eine Waffenfabrik für die von ihrem Schwager und Bruder geführte Revolutionsarmee und ließen Kriegsschiffe für deren bescheidene Flotte auf Kiel legen (1201 Washington Ave., www.kenmore.org., Tel./Öffnungszeiten wie Ferry Farm).

Die Bürgerkriegsschlachten von Fredericksburg, von Chancellorsville, The Wilderness und Spotsylvania Court House gehören zu den blutigsten Ereignissen des amerikanischen Bürgerkrieges. Allein das Gefecht an der ›Sunken Road‹ im Dezember 1862 forderte in wenigen Stunden 18 000 Tote. Die als **Fredericksburg and Spotsylvania National Military Park** gepflegten

Der Hugh Mercer Apothecary Shop – heute noch genau wie vor 200 Jahren

Rising Sun Tavern

Als die Taverne noch ›Golden Eagle‹ hieß, war sie ein beliebter Treffpunkt der Bürger von Fredericksburg, die sich hier bei Kartenspiel, Madeirawein und einer guten Mahlzeit vergnügten, und Versammlungsort der bürgerlichen Revolutionäre, unter ihnen Thomas Jefferson, Patrick Henry, die Brüder Lee und die Washingtons (1304 Caroline St., Tel. 371-1494, März–Nov. 9–17, sonst 10–16 Uhr, Eintritt).

Schlachtfelder mit Schanzen, Kanonenstellungen, Statuen und Gedenktafeln werden alljährlich von Hunderttausenden besucht (Battlefield Visitor Center, 1013 Lafayette Blvd./US 1, Tel. 373-6122, 9–17 Uhr, Eintritt).

Tidewater Country

George Washington Birthplace National Monument

Atlas: S. 236, B 1

Die der Chesapeake Bay und dem Atlantik zustrebenden Flüsse Potomac und Rappahannock River atmen im gleichen Rhythmus wie der Tidenhub des Atlantiks. *Tidewater Country* nennt man daher auch die leicht gewellte Küstenlandschaft, die immer wieder kleine Flüsse und Bäche zerteilen. Am Pope's Creek ist die Tabakfarm von Augustine und Mary Washington wieder aufgebaut, auf der ihr Sohn George am 22. Februar 1732 seinen allerersten Schrei ausstieß. Plantagenbewohner des George Washington Birthplace National Monument in zeitgenössischen Kostümen demonstrieren in den Sommermonaten den Besuchern Farmleben im kolonialen Virginia. Ein kleiner Friedhof birgt die sterblichen Reste von 32 Mitgliedern der Familie Washington (1732 Pope's Creek Rd., Tel. 804/224-1732, www.nps.org/gewa, 9–17 Uhr, Eintritt).

Stratford Hall

Atlas: S. 236, C 1

Auf der Stratford Hall Plantation, nur knapp 15 km weiter südöstlich an der Klippenküste des Potomac, wurde am 19. Januar 1807 Robert Edward Lee als Sohn von Ann Hill Carter, einer reichen Pflanzertochter von der Shirley Plantation am James River, und von General Henry ›Light Horse‹ Harry Lee, einem Helden des amerikanischen Unabhängigkeitskrieges, geboren. Das prächtige, um 1730 aus Backstein errichtete Anwesen mit Haupthaus und diversen Nebengebäuden, Garten- und Parkanlage ist ganzjährig zu besichtigen. Ein Lunch-Restaurant in einer Blockhütte serviert den Besuchern stärkende Südstaatengerichte, wie gebackenen Virginia-Schinken oder Southern Chicken (VA 214, Stratford, Tel. 804/493-8038, www.stratfordhall.org, 9–16.30 Uhr, Eintritt).

Vorwahl: 540

Fredericksburg Office of Tourism: 706 Caroline St., Tel. 373-1776,

Fax 372-6587, www.fredericksburgva. com.

Kenmore Inn: 1200 Princess An- ne St., Tel. 371-7622, Fax 371- 5480, www.kenmoreinn.com. Historischer Gasthof von 1748, nostalgische Zimmer (vier mit Kamin), opulentes Frühstück, im angeschlossenen Pub Fr/Sa Livemusik, gutes Restaurant, DZ 95–150 $.

La Vista Plantation B & B: 4420 Guinea Station Rd., Tel. 898-8444, www.bbonline. com/va/lavista. Elegante Zimmer in einem Greek-Revival-Gebäude von 1838, inkl. Frühstück, DZ 115 $.

Best Western Central Plaza: 3000 Plank Rd., Tel. 786-7404, Fax 785-7415, www. bestwestern.com. Einfach, ordentlich und nahe der I-95 (Exit 126), DZ 50–62 $.

Camping:
Fredericksburg KOA Campground: 7400 Brookside Lane, Tel. 898-7252. Campmobilplätze ab 25 $.

Smythe's Cottage & Tavern: 303 Fauquier St., Fredericksburg, Tel. 373-1645, Di geschl. In der ehemaligen Schmiede werden heute Rebhühner und andere ländliche Gerichte aus Virginia aufgetragen, Hauptgerichte ab 11 $.

Sammy T's: 801 Caroline St., Fredericks- burg, Tel. 371-2008. Diner im Stil des frü- hen 20. Jh., 40 Sorten Bier, Gerichte ab 5 $.

Fredricksburg Carriage Tours: Tel. 752-5567. Die 45-minütigen Rundfahrten durch das historische Orts- zentrum starten vor dem Visitor Center.

Speisesalon der Kenmore Plantation in Fredericksburg

NICHT VOM WINDE VERWEHT – BÜRGER-KRIEGSSCHLACHTFELDER IN VIRGINIA

Insgesamt zehn Monate kämpften der Oberbefehlshaber der Unionstruppen, General Ulysses S. Grant, und der Kommandeur der Armee von Virginia, General Robert E. Lee, um Petersburg, einen Straßen- und Eisenbahnknotenpunkt 50 km südlich von Richmond. Die längste Belagerung des Krieges kostete 42 000 Nordstaatler und 28 000 Konföderierten das Leben. Als Petersburg fiel, gab der Süden auch seine Kapitale Richmond verloren, evakuierte die Stadt und setzte ihre Depots in Brand. Eine Woche darauf, am 9. April 1865, kapitulierte General Lee mit den Resten seiner Armee in dem aussichtslos gewordenen Kampf im Court House von Appomattox vor General Grant, nicht weit vom virginischen Städtchen Lynchburg. Der vierjährige Bürgerkrieg zwischen den 11 abtrünnigen Bundesstaaten Virginia, North Carolina, South Carolina, Georgia, Florida, Alabama, Mississippi, Louisiana, Tennessee, Arkansas und Texas und dem Rest der Union war zu Ende. 4 Mio. afrikanische Sklavenarbeiter waren frei, die Wirtschaftskraft des Südens zerstört, etwa 700 000 Tote, Vermisste und Verwundete auf beiden Seiten zu beklagen, mehr als in jedem anderen militärischen Konflikt, an dem die USA beteiligt waren.

Zu Beginn des Krieges, im Frühjahr 1861, sahen beide Seiten einige leichte Scharmützel und ein für sich schnelles positives Ende voraus. Die Konföderierten meinten, die Union könnte den Austritt der Südstaaten letztlich nicht verweigern. Der Norden war sich sicher, die unbotmäßigen Sezessionisten durch die Demonstration überlegener Militärtechnik schnell wieder in den gemeinsamen Bundesstaat zu zwingen. Am munteren Spektakel der ersten Schlacht beider Armeen bei Manassas am Flüsschen Bull Run wollten sich Hunderte mit Kutsche und Picknickkorb aus dem nahen Washington angereiste Ausflügler bei Speis und Trank verlustieren. Doch am Abend, als die schlecht ausgebildeten und unkoordiniert kämpfenden Unionstruppen unter General Irvin McDowell von den Südstaatlern und General P. G. T. Beauregard vor sich hergejagt wurden, flüchteten sie in Panik zurück in die Hauptstadt.

Da mit Washington D.C. und mit Richmond die politischen Zentren beider Parteien nur etwa 140 km voneinander entfernt lagen, verwundert es nicht, dass nicht nur die erste und die letzte Schlacht, sondern nahezu vier Fünftel aller Kriegshandlungen des Bürgerkrieges auf dem Boden von Virginia ausgetragen wurden. Unzählige Erinnerungsparks, Tafeln und Denkmäler dokumentieren Kämpfe, erinnern an ›heroische Taten‹ oder ehren einzelne Soldaten. National Memorials sowie National Battlefields, in denen alte Geschützstellungen, Schanzen und Schützengräben rekonstruiert sind und National Park Ranger Erläuterungen zum Verlauf und den Hintergründen der Kämpfe vor bald 150 Jahren geben, findet man

Originalgeschütze auf einem der viclen Militärparks in Virginia

bei Petersburg, Richmond und Appomattox, bei Spotssylvania, Chancellorsville und Fredericksburg, dazu bei Manassas, außerdem an der Grenze zu Kentucky hei der Cumberland Gap sowie bei Harper's Ferry, an der Mündung des Shenandoah in den Potomac im Länderdreieck von Virginia, West Virginia und Maryland. Zu reenactments, Rekonstruktionen einzelner Schlachten und Gefechte, versammeln sich alljährlich Traditionsvereine, in blaue (Nordstaaten) oder graue (Südstaaten) Uniformen gekleidet. Sie spielen die historischen Kämpfe mit Pulvordampf, aber ohne Tote und Verwundete nach. Auf sorgfältig ausgearbeiteten Virginia Civil War Trails können Besucher die militärischen Schauplätze im Shenandoah Valley, von Nord-Virginia oder der Peninsula Campaign von 1862 zwischen York und James River bereisen. ›Ante Bellum‹, vor dem Krieg, heißt in Virginia und anderen ehemaligen Südstaaten noch immer vor dem Bürgerkrieg. So erfährt der viel zitierte Satz des Schriftstellers und Literaturnobelpreisträgers William Faulkner aus Mississippi aus dem Roman ›Requiem für eine Nonne‹ auch in Virginia immer wieder seine Bestätigung: »Die Vergangenheit ist niemals tot. Sie ist nicht einmal vergangen.«

179

RICHMOND UND DIE TABAKPLANTAGEN AM JAMES RIVER

In Richmond, der Hauptstadt Virginias, steht das von Thomas Jefferson entworfene Kapitol von Virginia, das einer ganzen Generation von US-Parlamentsgebäuden als Vorbild diente. Das Museum of the Confederacy sowie der benachbarte Sitz ihres Präsidenten, Monumente und rekonstruierte Schlachtfelder erinnern an die Zeit des Bürgerkrieges. Auch die Tabakplantagen am James River lassen die Kolonialzeit wieder lebendig werden.

Richmond

Atlas: S. 236, A 2/3

Richmond präsentiert sich als moderne Metropole mit Tradition, mit einer aufragenden Skyline, die zwar nur wenig romantisches Südstaatenflair ausstrahlt, in deren Schatten jedoch wieder belebte Stadtviertel und sorgsam restaurierte historische Gebäude sowie hervorragende Museen eine unverwechselbare Atmosphäre schaffen.

Die Monument Avenue, die mit repräsentativen Stadtvillen gesäumt von Nordwesten durch den Fan District ins Zentrum führt, hat ihren Namen von Reiterstatuen berühmter ›Bürgerkriegshelden‹ von Virginia. Erst 1995 setzte der längst mehrheitlich schwarze Stadtrat durch, dass in der Prachtallee auch für den schwarzen, an Aids verstorbenen Sportstar Arthur Ashe ein Denkmal errichtet wird, das erste mit einem Tennisschläger statt einem Säbel in der Hand.

Geschichte

Schon im Jahre 1609, kurz nach der Gründung der britischen Kolonie, segelte Kapitän John Smith den James River flussaufwärts, bis eine Reihe von Stromschnellen ihm den weiteren Weg versperrten. An dieser Stelle ließ 1737 William Byrd II. den Plan für eine Niederlassung entwerfen, die er nach der englischen Stadt Richmond on Thames benannte.

Um 1780 zogen Regierung und Abgeordnetenhaus von Virginia aus dem kolonialen Williamsburg in den aufstrebenden Handelsplatz für Tabak und andere Güter. Im Unabhängigkeitskrieg eroberte der britische General Cornwallis kurz vor seiner entscheidenden Niederlage 1781 bei Yorktown für kurze Zeit die Stadt. Fast genau 80 Jahre später machten die von der Union abgefallenen Konföderierten Staaten Richmond zur Hauptstadt ihres Bundes. Die nächsten vier Jahre wurden die meisten Schlachten des Bürgerkrieges zwischen Washington D.C. im Norden und Richmond ausgefochten. Zehntausende füllten Lazarette, Gefangenenlager und Militärfriedhöfe, bis es dem Unionsgeneral Ulysses S. Grant 1865 nach mehrmonatiger Belagerung gelang, die Stadt von ihren Versorgungslinien abzuschneiden und zu erobern. Mit dem Fall der Hauptstadt Richmond war auch das Schicksal der Südstaaten besiegelt. Kurz darauf kapitulierte deren kommandierender General Robert E. Lee mit seiner Armee.

Besichtigung

State Capitol [1]: Das antikisierende Gebäude im Zentrum trägt die Handschrift des früheren Gouverneurs von Virginia und späteren Präsidenten der USA, Thomas Jefferson, der sich durch den römischen Tempel Maison Carré im südfranzösischen Nîmes zur Konstruktionszeichnung anregen ließ und gleichzeitig ein Vorbild für die Parlamentsbauten vieler Bundesstaaten schuf. In der Rotunde, direkt unter der Kuppel, steht eine vom französischen Bildhauer Houdon geschaffene lebensgroße Marmorfigur von George Washington, die einzige, für die der erste Präsident je Modell gestanden hat. Aus Wandnischen blicken die Büsten von Lafayette und der sieben aus Virginia stammenden Präsidenten der USA (Ecke 9th St./Grace St., Tel. 698-1788, Führung April–Nov. 9–17 Uhr, sonst Mo–Sa 9–17, So 13–17 Uhr, Eintritt frei).

White House and Museum of the Confederacy [2]: Jefferson Davis, der erste und einzige Präsident der Konföderierten Staaten von Amerika, lebte während der Bürgerkriegsjahre nicht weit vom Kapitol entfernt in einer Privatvilla. Sie ist fast vollständig restauriert und gibt im angeschlossenen Museum einen Einblick in die kurzlebige Südstaatenrepublik. Die gesammelten Memorabilia beleuchten vor allem die kriegerischen Ereignisse, weniger ihre ökonomischen und politischen Hintergründe (1291 E. Clay St., Tel. 649-1861, Mo–Sa 10–17, So 12–17 Uhr, Führung, Eintritt).

John Marshall House [3]: Zu den brillanten politischen Köpfen Virginias und der jungen USA gehörte auch John Marshall. Der zeitweilige Außenminister und Botschafter präzisierte als langjähriger Oberster Richter des Staates vor allem die Rolle einer unabhängigen Justiz als wichtige Kraft in einem demokratischen Staat. In seinem 1788 errichteten, restaurierten Wohnhaus ist das Leben des ›Chief Justice‹ dokumentiert (818 E. Marshall St., Tel. 648-7998, April–Sept. Di–Sa 10–17 Uhr, Okt.–Dez. Di–Sa 10–16.30 Uhr, Eintritt).

Maggie L. Walker House [4]: Nicht weniger talentiert, doch als Frau und farbige Tochter einer ehemaligen Sklavin unter ungleich schlechteren Startbedingungen hat sich Maggie Walker Anfang des 20. Jh. zur Präsidentin einer Versicherung und einer Bank emporgearbeitet, die nebenbei noch eine Zeitung herausgab und ein Kaufhaus betrieb. Sie lebte 1904–1934 in dem zu einem Museum umgestalteten Haus, das Aufschluss über ihr erstaunliches Leben gibt (110 E. Leigh St., Tel. 771-2017, www.nps.gov/malw, Mi–So 9–17 Uhr, Eintritt frei).

Virginia War Memorial 5: Das Kriegerdenkmal ehrt die gefallenen Virginier im Ersten und Zweiten Weltkrieg, im Korea-, im Vietnam- und im Golfkrieg. Die aus Glas gefertigte Figur einer klagenden Mutter und der hohe Glockenturm stehen an der Belvidere Street unmittelbar nördlich der Robert E. Lee Bridge.

Riverfront Canal Walk 6: Robert E. Lee spielte auch eine Rolle vor der Einweihung des Richmond Riverfront Canal Walk, sträubten sich doch schwarze Abgeordnete lange Zeit gegen ein Wandbild des Bürgerkriegsgenerals an der Flutschutzmauer, die Persönlichkeiten aus der Stadtgeschichte abbildet. Der 1999 eingeweihte 1,5 km lange Spazierweg am James River und Kanawha Canal führt an Schleusen entlang, die den Schiffen einst halfen, die Stromschnellen des Flusses zu überwinden. Wildwasserkanus und Gummiflöße jagen im Frühjahr durch die schäumenden Fluten, auf der vorgelagerten Brown's Island ertönen später Sommerkonzerte. Weniger friedlich waren die Produkte der **Tredegar Iron Foundry**, die der Konföderierten Armee einst Kanonen am Fließband lie-

Sehenswürdigkeiten

1 State Capitol
2 White House and Museum of the Confederacy
3 John Marshall House
4 Maggie L. Walker House
5 Virginia War Memorial
6 Riverfront Canalwalk
7 National Battlefield Park
8 Edgar Allan Poe Museum
9 St. John's Church

Hotels

10 The Jefferson/Restaurant Lemaire
11 Linden Row Inn
12 Mr. Patrick Henry Inn
13 William Catlin House B & B

Essen und Trinken

14 The Tobacco Company
15 The Frog and the Redneck
16 Mama Zu's
17 Restaurant Avalon

ferte. Heute hat hier das Besucherzentrum der Bürgerkriegsschlachtfelder Platz gefunden.

Richmond National Battlefield Park 7: Die erbitterten Kämpfe während des Bürgerkrieges um die Stadt sind auf verschiedenen Schlachtfeldern und im o. g. Besucherzentrum dokumentiert – die vergeblichen Angriffe des Unionsgenerals McClellan 1862 ebenso wie die blutige, aber erfolgreiche Feldzug von General Grant und die verlustreiche Schlacht bei Cold Harbor 1864, bei der in wenigen Minuten 7000 Unionssoldaten fielen (Visitor Center,

3215 E. Broad St., am Riverfront Canal Walk, Tredegar Iron Works/Höhe 5th St., Tel. 226-1981, www.nps.gov/rich, 9–17 Uhr).

Edgar Allan Poe Museum 8: Der knapp dreijährige Edgar Allan Poe wuchs in Richmond bei einer Pflegefamilie auf, nachdem seine Mutter 1811 verstorben war. Mit 17 Jahren schrieb er sich an der Universität von Charlottesville ein. 1835 kehrte Poe für zwei Jahre nach Richmond zurück, als Literaturkritiker beim Southern Literary Messenger. Doch sein exzessiver Alkoholkonsum ließ ihn trotz brillanter Arti-

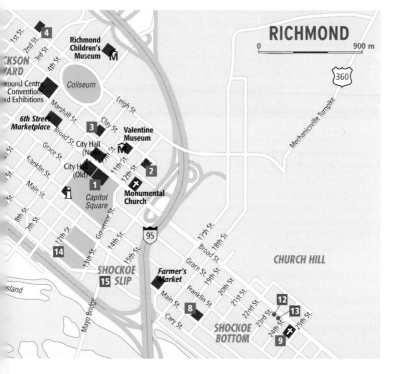

kel bei den Herausgebern bald als untragbar erscheinen. Im Old Stone House, in dem das Poe-Museum untergebracht ist, hat Poe nie gewohnt, es wurde später als Museum ausgebaut. Der Raven Room ist mit ausdrucksstarken Illustrationen zu seinem berühmtesten Gedicht ausgeschmückt (1914 E. Main St., Tel. 648-5523, Di–Sa 10–16, So/Mo 12–16 Uhr, Eintritt).

St. John's Episcopal Church 9: Die Kirche stammt bereits von 1741. Die Revolutionäre des Bundesstaates, unter ihnen Thomas Jefferson, George Washington, George Mason und Richard Henry Lee, trafen sich 1775 im Schutz des Gotteshauses, um über die Strategie gegen die britische Kolonialmacht zu beraten. Patrick Henry endete seinen Diskussionsbeitrag für die Aufstellung einer bewaffneten Miliz mit dem inzwischen legendären Ausruf »Give me liberty, or give me death!« (2401 E. Broad St./Ecke 24th St., Tel. 648-5015, Mo–Sa 10–16, So 13–16 Uhr, Eintritt frei).

Außerhalb des Zentrums

Virginia Historical Society: Wer sich umfassend über die Vergangenheit von Virginia informieren möchte, ist bei der Historischen Gesellschaft bestens aufgehoben. Informative Dokumente und

Skyline von Richmond am James River

dem ehemaligen russischen Zaren-schatz (2800 Grove Ave., im Fan Dis-trict, Tel. 367-0844, www.vmfa.state.va.us., Di–So 11–17, Do 11–20 Uhr, Eintritt).

Paramount Kings Dominion: Wer mit Kindern unterwegs ist, wurde von ihnen sicherlich bereits auf Karussels und Achterbahnen aufmerksam ge-macht, die man bei der Anfahrt auf Richmond aus nördlicher Richtung von der Straße erkennen kann. Sie gehören zu einem ausgedehnten Vergnügungs-park mit Kulissen aus bekannten Hol-lywood-Filmen wie ›Mission Impossi-ble‹, ›James Bond‹ oder ›Beverly Hills Cop‹ (I-95, Doswell Exit, Tel. 876-5000, www.kingsdominion.com, Juni So–Fr 10.30–20, Sa 10–22 Uhr, Juli–Aug. 10–22 Uhr, April/Mai u. Sept./Okt. Sa/So 10.30–18 Uhr, Eintritt ab 32 $).

Vorwahl: 804

Richmond Convention & Visitors Bureau: 550 E. Marshall St., Tel. 782-2777, Fax 780-2577, www.rich mondva.org.

andere Exponate umfassen 16 000 Jahre virginischer Geschichte. Dabei werden auch kontroverse Themen aus der Bürgerkriegsvergangenheit des Staates umfassend und interessant be-handelt (428 N. Boulevard/Ecke Ken-sington Ave., im Fan District, Tel 358-4901, www.vahistorical.org, Mo–Sa 10–17, So (nur Galerie) 13–17 Uhr, Eintritt).

Virginia Museum of Fine Arts: Nicht weit entfernt von der Historical Society liegt das besonders schön ge-staltete Kunstmuseum mit einer erle-senen Kollektion. Ihr Glanzstück sind ohne Zweifel fünf der weltweit nur 50 existierenden Fabergé-Eier, Meister-werke der Goldschmiedekunst aus

Arts Café and Cappuccino Bar

In der Cafeteria des Museums of Fine Arts kann man nach dem Kunstgenuss bei leichten Speisen, Erfrischungen und Kaffee eine Pause einlegen (Di–So 11.30–16 Uhr, Tel. 340-1580).

185

DR. KAY SCARPETTA – KRIMI-STAR UND CHEFPATHOLOGIN VON VIRGINIA

Patricia Cornwells weltweite Fangemeinde zählt nach Millionen, ihre Honorare inzwischen auch. In mehr als 50 Ländern Nordamerikas, Europas und Südostasiens verkaufen sich ihre Kriminalromane blendend. Die Autorin hat Richmond, die Hauptstadt Virginias, in vielen Ländern erst bekannt gemacht. Die Heldin der grausigen Geschichten ist die oberste Gerichtmedizinerin des Bundesstaates Virginia. Ihre Hinweise erhält sie beim Sezieren der Leichen, bei der Analyse ihres Mageninhalts, der Bestimmung von Veränderungen des verwesenden Körpers. Dr. Kay Scarpetta ist Juristin und Ärztin zugleich, ihre verzwickten Fälle löst sie mit Hilfe des ungehobelten Captains der örtlichen Polizei, Steve Marino. Zuweilen wird sie unterstützt von ihrer Nichte Lucy und dem FBI-Profiler Benton Leslie, dem die forensische Pathologin erst in heimlicher, dann in verzweifelter Liebe zugetan ist.

Vielleicht ist ein Schlüssel ihres immensen Erfolges, dass Patricia Cornwell überzeugend über das schreiben kann, was sie selbst erlebt hat. Schließlich hat sie mehrere Jahre als Polizeireporterin für den ›Charlotte Observer‹ in North Carolina gearbeitet und war bei der Gerichtsmedizin und als freiwillige Polizistin in Richmond tätig. Patricia Cornwell gilt als gute Schützin und Hubschrauberpilotin. Ihre Hauptfigur Kay Scarpetta hat viel von einem alter ego der Autorin. Beide sind Mitte 40, ledig, attraktiv, hart im Nehmen und gleichzeitig verletzlich, mit einer komplizierten emotionalen Verfassung. Sie teilen eine Vorliebe für deutsche Nobelautos, die italienische Küche sowie einen guten Scotch. Doch die Bestseller-Autorin ist selbst im heimatlichen Richmond nicht unumstritten. Kritiker werfen ihr vor, Akten von Mordopfern für ihre Romane ausgewertet zu haben, halten die Entwicklung der Hauptfiguren über die Bücher und Jahre für zu dürftig, beklagen, dass die Struktur der Plots immer demselben Muster folgen. Anstoß erregt auch ihr aufwändiger Lebensstil und ihre offene Sympathie für eine härtere Strafgesetzgebung, ihre unkritische Haltung zum FBI sowie ihre Nähe zur republikanischen Partei.

Eine Waffensammlung, Bodyguards bei Lesereisen und mit neuester Alarmtechnik gesicherte Häuser, eigene Hubschrauber, die konfliktreiche Beziehung zur Frau eines FBI-Agenten, das Eingeständnis, viele Jahre als manisch-depressive Patientin in Behandlung gewesen zu sein, Passagen in ihren Büchern, die eine männlich dominierte Gesellschaft verdammen, ihr Engagement für Menschen mit traumatischen Kindheitserfahrungen und Einrichtungen gegen Analphabetismus zeigen eine vielschichtige Persönlichkeit, die nicht in ein schlichtes Schema einzuordnen ist. Vielleicht ist es neben ihrer Fähigkeit, die Leser in ihre schaurigen Fälle krimineller und gesellschaftlicher Paranoia geradezu hineinzuziehen, gerade die Widersprüchlichkeit in ihrem Lebensstil und ihrer Arbeit, die sie und ihre Romane für Millionen so attraktiv macht.

The Jefferson [10]: Ecke Franklin St./Adams St., Tel. 788-8000, Fax 225-0334, www.jefferson-hotel.com. Das traditionsreiche Flaggschiff der Hotellerie von Richmond aus dem Jahr 1895 erstrahlt in altem Glanz, Spitzenrestaurant Lemaire, DZ 230 – 270 $.

Linden Row Inn [11]: 100 E. Franklin St., Tel. 783-7000, Fax 684-7504, www.lindenrowinn. Geschmackvolle Räume in historischen Kutschenhäusern im Zentrum, ausgezeichnetes Restaurant, DZ 99–189 $.

Mr. Patrick Henry Inn [12]: 2300 E. Broad St., Tel. 644-1322. Gasthof mit nett eingerichteten Zimmern, Taverne und vorzüglichem Restaurant, DZ 95–125 $.

William Catlin House B & B [13]: 2304 E. Broad St., Tel. 780-3746. Gepflegte Herberge in Greek-Revival-Villa, Zimmer mit und ohne eigenem Bad, aber immer mit Frühstück, DZ 85–95 $.

Camping:

Pocahontas State Park Campground: 10300 Beach Rd., Tel. 796-4255, Naturpark 15 km südl. der Stadt, I 95, Exit 6, Zelte ab 11 $, Campmobile ab 22 $.

The Tobacco Company [14]: 1201 E. Cary St., Tel. 782-9431, tgl. geöffnet. Stimmungsvolles Lokal mit amerikanischer Küche in ehemaligem Tabaklagerhaus, 15–24 $.

The Frog and the Redneck [15]: 1423 E. Cary St., Tel. 648-3764, So geschl. Eines der besten Restaurants in Virginia, französisch-amerikanische Küche, 14–22 $.

Mama Zu's [16]: 501 Pine St., Tel. 788-4205, tgl. geöff. Trendiges italienisches Restaurant in eher schlichtem Ambiente, tgl. wechselnde Karte, köstlich, 6–18 $.

Avalon [17]: 2619 W. Main St., im Fan District, Tel. 353-9709, tgl. geöffnet. Regionale amerikanische Küche mit Früchten und Gemüsen der Saison, beliebte Bar am späteren Abend, 6–19 $.

In Shockoe Slip und Shockoe Bottom, den lebendigsten Szenevierteln der Stadt, sind zwischen 13th und 18th St. zahlreiche Musikklubs und Bars zu finden.

Dogwood Dell: im Byrd Park, Ecke Idlewild Ave./Boulevard, Tel. 780-8683. Sommervergnügen mit Konzerten und Theateraufführungen unter freiem Himmel, Decke und Picknickkorb mitbringen!

Carpenter Center for the Performing Arts: 600 E. Grace St., Tel. 782-3900. Ehemaliger orientalisch dekorierter Kinopalast aus den 30er Jahren, heute Theater-, Musical- und Konzertaufführungen.

Juni: Virginia State Horse Show, Leistungsschau mit Vollblütern, Arabern und anderen Pferdearten, Tel. 228-3200.

September: Virginia State Fair, Leistungsschau mit landwirtschaftlichen Produkten, Essensständen, Kulturveranstaltungen, Tel. 228-3299.

Historic Richmond Tours: 707 A. E. Franklin St., Tel. 780-0107. Täglich geführte Touren durch die reiche Stadtgeschichte.

Flugzeug: Richmond International Airport (Byrd Field), Airport Dr., östl. der Stadt, Tel. 226-3052, wird von verschiedenen US-Airlines angeflogen.

Bahn: Amtrak-Station, 7519 Staples Mill Rd., Tel. 1-800-872-7245. Bahnverbindungen nach Washington und New York im Norden sowie Atlanta und Orlando im Süden.

Bus: Greyhound Busterminal, 2910 N. Boulevard, Tel. 1-800-231-2222. Busse in alle Himmelsrichtungen.

Taxi: Yellow Cab, Tel. 222-7300, gehört zu den zuverlässigen Taxi-Unternehmen.

187

Mietwagen: Die gängigen Mietwagenunternehmen, wie Hertz, unterhalten Stationen am Airport (Ready Rd., Tel. 222-7228) oder in der Innenstadt (500 E. Broad St., Tel. 222-7228).

Die Tabakplantagen am James River

Atlas: S. 236, B 3

Bereits ab 1613, wenige Jahre nach Gründung der britischen Kolonie Virginia im nahen Jamestown, siedelten Pflanzer am Ufer des James River. Auf ihren Plantagen bauten zunächst Vertragsarbeiter aus England, die sich damit die Überfahrt in die Neue Welt verdienten, und später Sklaven Tabak an. Sie verhalfen der jungen Kolonie zum ersten Exportgut und den Großgrundbesitzern zu bedeutendem Reichtum.

Wie Perlen einer Kette liegt ein knappes Dutzend der historischen Plantagenvillen am Nordufer des James River, verbunden durch den auch Plantation Route genannten John Tyler Highway (VA 5). Sie befinden sich noch immer im Privatbesitz. Etwa die Hälfte von ihnen ist als Museum restauriert und zu besichtigen. Sie haben die Indianerkämpfe überstanden und, trotz der Nähe zu den blutigen Schlachten, auch die Zerstörungen des Unabhängigkeitskrieges, des erneuten Krieges gegen Großbritannien um 1812 und vor allem des Bürgerkrieges im 19. Jh.

Shirley

Atlas: S. 236, B 3

Shirley, im Jahr 1613 gegründet, gehört zu den ältesten Plantagenvillen in den USA. Sie befindet sich seit 1660 im Besitz der Familie Hill-Carter. Als Glanzstück des prächtigen, mit Antiquitäten eingerichteten Landsitzes von 1723 schwingt sich eine aus Walnussholz geschnitzte Treppe ohne erkennbare weitere Stützbalken bis in die zweite Etage. Die ebenfalls im 18. Jh. entstandenen Nebengebäude, ein Küchenhaus, die Wäscherei sowie zwei Lagergebäude, davon eines mit einem Eiskeller, bilden einen Innenhof (502 Shirley Plantation Rd., Tel. 829-5121, www.shirleyplantation.com, 9–17 Uhr, Eintritt).

Berkeley

Atlas: S. 236, B 3

Auf dem Anwesen wohnte Benjamin Harrison V., ein Unterzeichner der amerikanischen Unabhängigkeitserklärung und dreimaliger Gouverneur von Virginia, und später sein Sohn William Henry Harrison, der neunte US-Präsident. Dessen Enkel, Benjamin Harrison, übernahm 1889 ebenfalls das Präsidentenamt. Die noble Harrison-Familie gehörte in England zu den Finanziers der ersten Auswanderer in die Neue Welt und dort bereits kurz darauf zu den vermögendsten Grundbesitzern. Nach dem Bürgerkrieg zog die Familie von ihrem ramponierten Stammsitz weg. Anfang des 20. Jh. ließ ausgerechnet ein Bürgerkriegsveteran der Unionsarmee die zweistöckige Backsteinvilla zu altem Glanz restaurieren (12602 Harrison Landing Rd., Tel. 829-6018, www.berkeleyplantation.org, Eintritt).

Westover

Atlas: S. 236, B 3
Die Plantage ist benannt nach Henry West, dem vierten Lord Delaware. William Byrd II. ließ das harmonisch am Hang zum Flussufer angelegte Gebäude um 1730 erbauen und richtete hier seine Privatbibliothek mit 4000 Bänden ein. Unterirdisch angelegte Fluchtwege, welche die Bewohner bei Indianerangriffen in Sicherheit bringen sollten, führen von einem trockenen Brunnen direkt zum Fluss (7000 Westover Rd., Tel. 829-2882, Grundstück 9–18 Uhr, Haus nur zur Garden Week im April, Eintritt).

Evelynton

Atlas: S. 236, B 3
Evelynton gehörte einst zur ausgedehnten Westover Plantation und war benannt nach Evelyn, der Tochter von Byrd. Ihr Geist soll noch immer ruhelos im Haus spuken, seit sie an gebrochenem Herzen starb, da sie ihre große Liebe nicht heiraten durfte. Die während des Bürgerkrieges niedergebrannten Plantagengebäude wurden in den 30er Jahren des 20. Jh. nach alten Zeichnungen perfekt wieder aufgebaut und eingerichtet (6701 John Tylor Hwy., Tel. 829-5075, www.evelyntonplantation. org, 9–17 Uhr, Eintritt).

Sherwood Forest

Atlas: S. 236, B 3
Seit John Tyler die Plantage als Wohnsitz nach seiner 1845 endenden US-Präsidentschaft erwarb, wohnen hier noch immer Mitglieder der Familie Tyler. Sherwood Forest hatte vorher William Henry Harrison von der nahe gelegenen Berkeley Plantation gehört, dem Vorgänger John Tylers im Präsidentenamt. Das um 1730 errichtete und mit Originalmöbeln aus der Zeit von Präsident John Tyler eingerichtete Haupthaus wurde immer wieder ausgebaut und erweitert. Es misst heute fast 100 m Länge (14501 John Tyler Hwy., Tel. 829-5377, www.sherwoodforest.org, 9–17 Uhr, Eintritt).

Vorwahl: 804

🛏 **Edgewood Plantation:** 4800 John Tyler Hwy., Tel. 829-2962, Fax 829-2962. Elegante Herberge in einer Plantagenvilla von 1848, zum Teil auch Kaminzimmer, DZ inklusive Frühstück ab 158 $.
North Bend Plantation Bed & Breakfast: 12200 Weyanoke Rd./SR 619, Tel. 829-5176, Fax 829-6828. Geschmackvolle Unterkunft im Greek-Revival-Stil aus dem Jahr 1819, mit umlaufenden Veranden, DZ 135 $.

🍴 **Indian Fields Tavern:** 9220 John Tyler Hwy., nahe Sherwood Forest, Tel. 829-5004, Mo–Sa 11–15.30, tgl. 17–21 Uhr. Lokale Spezialitäten, Salate und Snacks, ab 7 $.
Coach House Tavern: auf der Berkeley Plantation, Tel. 829-6003, 11–15 Uhr, im Sommer auch Fr/Sa 18–21 Uhr. Diverse leckere Lunch Snacks, Suppen und Salate, ab 8 $.

🎭 **Ende November:** Virginia Thanksgiving Festival, Berkeley Plantation. Erntedankfest wie zu kolonialen Zeiten, Tel. 272-3226.

189

TOBACCO ROAD – TABAKANBAU IN VIRGINIA UND MARYLAND

In der Lagerhalle für Rohtabake duftet es wie in der Vorweihnachtszeit: etwas nach Marzipan, nach Pflaumen, nach Würzigem, das nicht eindeutig zuzuordnen ist. Die Tabakballen aus verschiedenen Anbaugebieten, darunter vor allem Virginia-Tabak aus Virginia, North Carolina und Georgia sowie Burley aus Tennessee und Kentucky, kommen zur Aufbereitung in eine Halle mit konstantem Klima von ca. 25° Celsius und 60 % Luftfeuchtigkeit. In Lösetrommeln werden die getrockneten und gepressten Tabakblätter bedampft und aufgelockert, dann mit Heißluft bestrichen. Auf Fließbändern geht es weiter zum Schneiden, dann wird die Feuchtigkeit wieder entzogen. Die Zugabe von Duftstoff-Cocktails, *flavours*, nach geheimen Rezepturen macht aus dem eigentlich bereits rauchfertigen Tabak eine unverwechselbare Marke. Nun treten die Zigarettenmaschinen, meist in Hamburg-Bergedorf hergestellt, in Aktion. Ein Endlosband aus feingeschnittenem Tabak wird mit rasender Geschwindigkeit von feinem Papier umhüllt, auf Länge geschnitten, mit einem Filter aus Acetat zusammengefügt und dem Markennamen bedruckt, bis zu 14000 Mal pro Minute. Allein im Philip Morris-Werk von Richmond stellen 6400 Beschäftigte pro Tag knapp 700000 Marlboro-Zigaretten her.

Maryland und Virginia, dazu das südlich angrenzende North Carolina, gehören zu den Stammlanden von ›Big Tobacco‹. Schon die ersten spanischen Entdecker notierten in ihren Tagebüchern, dass die Einheimischen klein geschnittene Tabakblätter bei zeremoniellen Veranstaltungen in Pfeifen rauchten. Nur vier Jahre nach Gründung der britischen Kolonie Jamestown in Virginia gelang es 1611 John Rolfe, einem ihrer führenden Mitglieder, Tabaksamen von den Indianern einzutauschen und zu kultivieren. Das nach Europa exportierte aromatische Kraut löste dort einen wahren Tabakrausch aus. Die Pflanzer in Virginia und ihre Finanziers in London kamen mit dem Verkauf wachsender Tabakerträge zu Wohlstand und Reichtum. Schon 1617 exportierte man 10000 kg, diese Rekordmarke wurde im Jahr darauf verdoppelt, 10 Jahre später waren daraus bereits 250000 kg geworden. »Die Kolonie Virginia ist auf Rauch gebaut«, pflegte man im fernen England zu sagen.

Noch heute erzählen Ortsnamen, wie Upper Marlboro und Lower Marlboro am Patuxent River oder Port Tobacco am gleichnamigen Flüsschen, von der überragenden Bedeutung, die Tabakanbau und -verarbeitung noch vor nicht langer Zeit hier hatten. Richmonds Stadtteile Shockoe Slip und Shockoe Bottom mit ehemaligen großen Lagerhäusern waren früher Zentren des Tabakhandels. Petersburg, 50 km südlich von Richmond, entstand einst als Inspektionsstation für die Tabakernte an einem Nebenfluss des James River. Weiter im Südwesten, Richtung Danville, wachsen Virginia-Tabake noch immer auf ausgedehnten Feldern. Begleitet vom kaum zu verstehenden, bis zu 400 Wörter pro Minute schnellen Singsang des Auktionators wechseln millionenschwere Tabakpartien bei öffentlichen Auktionen in Virginia und Maryland auch heute die Besitzer.

Seitdem die oberste gesundheitspolitische Instanz der USA, der United States Surgeon General, 1964 auf den Zusammenhang von Rauchen mit Krebs und anderen Krankheiten hingewiesen hat, steht ›Big Tobacco‹ unter Druck. Immer neue Untersuchungen über Gesundheitsrisiken, dazu Schadensersatzklagen in mehrstelliger Milliardenhöhe von erkrankten Rauchern, staatlichen Institutionen und Krankenkassen gegen die Tabakkonzerne haben die Werbung für Zigaretten und die Zahl der Raucher in den USA auf immerhin noch 40 Mio. reduziert. Rauchen ist in den USA in öffentlichen Räumen, Flugzeugen, Bahnhöfen oder am Arbeitsplatz generell untersagt. Rauchende Angestellte treffen sich zu hastigen Pausen vor der Tür von Bürohochhäusern, viele nutzen das eigene Auto als geschützte Raucherzone. Nun begegnet man in Maryland und Virginia Rauchern noch immer mit größerer Toleranz als im Raucher feindlichen Kalifornien. In den vielen Restaurants finden Raucher eine Abteilung, in der Aschenbecher auf den Tischen auf erlaubten Tabakgenuss hinweisen. Und da jeder Trend einen Gegentrend provoziert, ist der Verkauf von Zigarren bei sinkenden Zigarettenkonsum noch gestiegen. In Cigar and Cocktail Lounges von Hotels und Restaurants blasen Genießer ungestört und ohne andere zu belästigen Ringe aus Tabakrauch in die Luft.

Das Port Tobacco Courthouse und Museum zeigt die Anfänge der Tabakproduktion

VON JAMESTOWN ZUR MÜNDUNG DES JAMES RIVER

Die abwechslungsreiche Halbinsel am James River umfasst das historische Dreieck zwischen Jamestown, der restaurierten Kolonialhauptstadt Williamsburg und Yorktown. Außerdem ziehen die lebhaften Hafenstädte an der ›Hampton Roads‹ genannten Flussmündung mit ihren maritimen Attraktionen die Besucher an.

Atlas: S. 236/237, C 3–D 4

Die Halbinsel zwischen dem York River im Norden und dem James River im Süden hat es in sich. Mit der ersten britischen Ansiedlung in Jamestown, der kolonialen Metropole Williamsburg und den Schanzen von Yorktown bieten sich Besuchern bereits außergewöhnliche historische Attraktionen. Doch weiter im Süden breitet sich, von Wäldern, Wiesen, Äckern und Wasserflächen unterbrochen, ein Konglomerat von Städten aus, das sich jenseits der Wasserstraße von Hampton Roads bis Virginia Beach am Atlantik fortsetzt. Feine Nasen riechen bereits die salzhaltige Luft oder spüren zumindest die maritime Atmosphäre in den vorzüglichen Museen und Ausstellungen um Schifffahrt und Meer.

Das historische Dreieck

Der Colonial Parkway, eine Panoramastraße ohne die sonst üblichen Reklametafeln, verbindet Jamestown, Williamsburg und Yorktown, die drei Eckpunkte des Historic Triangle.

Jamestown

Atlas: S. 236, C 3

Im Jahre 1607 tauchten drei englische Segler nach einer langen, beschwerlichen Reise an der Mündung des James River auf. Ihre Besatzung bestand aus 104 Matrosen, Landarbeitern und Handwerkern, alle in Diensten der Virginia Company of London, einer privaten Kapitalgesellschaft. Nachdem 1585 ein erster Versuch gescheitert war, auf den Outer Banks des heutigen North Carolina eine britische Kolonie Virginia zu gründen, ließ sich der zweite Versuch besser an. Ohne die Hilfe der Powhatan hätten die Siedler aber auch hier nicht einmal den ersten Winter überlebt. Auch so starben von 7300 Menschen, die von der Company bis 1625 über den Atlantik geschickt wurden, mehr als 6000 an Krankheiten, Unfällen oder bei Konflikten mit den einheimischen Indianern. Die meisten der meist mittellosen Siedler bezahlten die Überfahrt als Vertragsarbeiter mit der Verpflichtung, dort mehrere Jahre auf den Plantagen ihrer Finanziers zu schuften. So setzte sich das Prinzip der Sklavenarbeit in Virginia erst allmählich durch, obwohl bereits 1619 ein holländischer Sklavenhändler erstmals seine ›Ware‹ direkt vom Schiff in Jamestown verkaufte. Im selben Jahr erreichte das erste Schiff mit weiblichen Auswanderern die junge Kolonie, da die Verbindungen der weißen Siedler mit indianischen Frauen in den Augen der Verantwortlichen bereits bedenkliche Ausmaße angenommen hatte.

Jamestown Island: So nannte sich die durch einen schmalen Wasserarm vom Festland getrennte ursprüngliche Siedlung des historischen Jamestown. Sie wird als National Historical Park von Rangern betreut. Einige aus Ziegelsteinen gemauerte Fundamente von Wohnhäusern und der Kirche dokumentieren die ehemaligen Grundrisse der Gebäude. Das ausgezeichnete Visitor Center gibt einen anschaulichen Überblick zu den Lebensbedingungen der Pioniere und Indianer (Ecke Jamestown Rd./VA 31 und Colonial Pkwy., Tel. 898-2410, www.nps.gov/colo, 8.30–Sonnenuntergang, Visitor Center 8.30–17 Uhr, Eintritt).

Jamestown Settlement: Dies ist das benachbarte populäre Gegenstück zur archäologischen Ausgrabungsstätte. Es umfasst eine von einem Palisadenzaun umschlossene nachgebaute Siedlung, die trotz ihres historisches Anspruchs sehr um Anschaulichkeit bemüht ist. Im Sommer agieren hier

›Handwerker‹ in der historischen Kulisse des Jamestown Settlement

kostümierte Bewohner. Ein Powhatan-Dorf sowie die Nachbauten der drei ersten Siedlerschiffe Susan Constant, Godspeed und Discovery erfreuen die vielen Besucher (Jamestown Rd., am Flussufer, Tel. 253-4838, www.history-isfun.org, 9–17 Uhr, Eintritt).

Williamsburg

Atlas: S. 236, C 3

Im Jahre 1699 ließ der königliche Gouverneur von Virginia, Francis Nicholson, die Hauptstadt von der sumpfigen Küste weiter ins Landesinnere der Halbinsel verlegen. Eine neue, repräsentative Regierungsmetropole entstand, nahe bei dem bereits bestehenden College of William and Mary mit respektablen Gebäuden für die Administration und die Abgeordneten. Williamsburg, benannt nach dem britischen König Wilhelm von Oranien, war vor allem während der Sitzungsperioden des House of Burgesses und des Governor's Council bevölkert, also für je drei Wochen im April und im Oktober, und die Einwohnerzahl verdoppelte sich dann auf knapp 4000. Danach kehrten die Grundbesitzer auf ihre Plantagen zurück, und die Gasthöfe lehrten sich wieder, viele Geschäfte schlossen. Nachdem die republikanischen Amerikaner die Hauptstadt Virginias um 1780 erneut, diesmal nach Richmond verlegten, versank der einstige königliche Verwaltungssitz in Vergessenheit. Erst als der örtliche Pfarrer W. Goodwin in den 20er Jahren des 20. Jh. den Multimillionär John D. Rockefeller für das Projekt, die alte Kolonialhauptstadt zu restaurieren, zu begeistern verstand und dieser mit einer Einlage von 68 Mio. Dollar eine sehr erfolgreiche Stiftung ins Leben rief, nahm die verwegene Idee tatsächlich Gestalt an.

Colonial Williamsburg: Das historische Zentrum erstreckt sich über eine Fläche von 70 ha, fast 600 Gebäude wurden entweder restauriert oder nach alten Plänen komplett neu aufgebaut. Entlang der zentralen Längsachse, der Duke of Gloucester St. zwischen dem Kapitol und dem Wren Building des College of William and Mary, reihen sich die meisten historischen Gebäude: die Wetherburn's und die Raleigh Tavern, in der sich die Abgeordneten des House of Burgesses, unter ihnen auch George Washington, Thomas Jefferson oder Patrick Henry die Köpfe heiß redeten, ein Silberschmied, das Gerichtsgebäude, die Bruton Parish Church und die Ladenpassage des Merchants Square. Nach Norden öffnet sich die Grünfläche des Palace Green zum Amtssitz des königlichen Gouverneurs mit einer britischen Gartenanlage. Am schönsten ist es sicher, in der Nebensaison oder früh am Morgen die Prachtmeile hinunterzuschlendern, bevor die Busse mit Ausflüglern anreisen. Dann fühlt man sich um 300 Jahre zurückversetzt, zumal sich das moderne Williamsburg hinter einem Grüngürtel um die einzigartige Anlage zurücktritt (Colonial Williamsburg Foundation, Tel. 220-7645, www.history.org, Sommer 8.30–19 Uhr, Winter 8.30–17 Uhr, Eintritt in die Stadtanlage frei, Eintrittspass für die musealen Häuser).

Busch Gardens: Der Vergnügungspark am östlichen Stadtrand von Williamsburg bietet vor allem Familien mit Kindern eine Abwechslung ganz anderer Art. Er widmet sich der Darstellung europäischer Landschaften und Dörfer, darunter auch Deutschland mit dem Oktoberfest und einer Brücke über den ›Rhine River‹. Zu den Hauptattraktionen gehören Wildwasser- sowie haarsträubende Achterbahnanlagen (US 60, 1 Busch Gardens Blvd., Tel. 253-3350, www.buschgardens.com, Eintritt).

Yorktown

Atlas: S. 236, C 3
Der Name des kleinen Ortes am Ufer des York River ist verbunden mit dem kriegsentscheidenden Sieg der amerikanischen Armee, französischer Verbände sowie einer starken französischen Flotte über ein Hauptkontingent der britischen Kolonialtruppen unter General Cornwallis am 19. Oktober 1781. Die entwaffneten britischen Soldaten marschierten nach der Kapitulation aus ihren Stellungen zu den Klängen einer Militärkapelle, die ›The world turned upside down‹ spielte.

Yorktown Battlefield: Die alten Schanzen und Geschützstände werden gepflegt und sind mit den jeweiligen Nationalflaggen der Batterienbesatzungen markiert. Im Visitor Center sind noch einmal die Stellungen, die Entwicklung der Belagerung mit der schließlichen Kapitulation der Briten im Modell und in einem Film dargestellt (Südostende des Colonial Pkwy., Tel. 898-2410, www.nps.gov/colo., Battlefield 8.30–Sonnenuntergang, Visitor Center April–Mitte Juni und Mitte Aug.–

Okt. 8.30–17 Uhr, Mitte Juni-Mitte Aug. 8.30–17.30 Uhr).

Yorktown Victory Center: Das Multimedia-Museum vermittelt auch nur wenig militärisch vorgebildeten Besuchern plausible Einblicke in die Zusammenhänge des amerikanischen Revolutionskrieges, von Strategie und Taktik des Belagerungskampfes um Yorktown. Als Soldaten der Kontinentalarmee kostümierte Darsteller bevölkern im Sommer ein Armeelager, demonstrieren Exerzierübungen, unterhalten ein Feldlazarett und eine Feldküche (Colonial Pkwy., westl. von Yorktown, Tel. 887-1776, www.historyisfun.org, 9–17 Uhr, Eintritt).

Die Städte der Hampton Roads

Mit einer derart geballten Ladung historischer Attraktionen können die maritimen Städte beiderseits der Hampton Roads nicht aufwarten. Dennoch bieten sie einiges, um durchreisende Besucher zum Halten zu bewegen.

Newport News

Atlas: S. 236, C 4
Newport News ist vor allem wegen seiner Werften bekannt, in denen auch große ›Pötte‹ für die Handelsschifffahrt und die Navy vom Stapel laufen. In dieser Tradition bewegt sich auch das **Mariners' Museum,** eine umfangreiche Sammlung zu vielen Aspekten der Seefahrt, zu der sowohl technische Raritäten wie die künstlerische Verarbeitung des Lebens auf See und an der

195

Küste gehören (100 Museum Dr., Tel. 757/591-7738, www.mariner.org, 10–17 Uhr, Eintritt).

Virginia Living Museum: Es zeigt in einer übersichtlichen Anlage, an der besonders Kinder ihre Freude haben, rund um einen kleinen See sowie in Aviarien und Terrarien Flora und Fauna des James River (524 J. Clyde Blvd., Tel. 595-1900, Sommerhalbjahr 9–18, Do 9–21, So 12–18 Uhr, sonst Mo–Sa 9–17, Do auch 19–21 Uhr, So 12–18 Uhr, Eintritt).

Virginia War Museum: Von außen sieht das Museum wie ein Bunker und martialischer aus, als es sich von innen darstellt. Liebhaber von Uniformen und von historischen Waffen kommen in der umfangreichen Sammlung, die nicht kriegsverherrlichend ist, auf ihre Kosten (9285 Warwick Blvd., Tel. 247-8523, Mo–Sa 9–17, So 13–17 Uhr, Eintritt).

Hampton

Atlas: S. 237, D 4
Vom historischen Hampton – es wurde bereits 1610 von britischen Siedlern gegründet – ist fast nichts erhalten. Dagegen zieht das **Virginia Air & Space Center** mit einer futuristischen turmhohen Glasfassade, hinter der Raketen, Satelliten und Raumkapseln der NASA an Stahlseilen im Raum schweben, die meisten Besucher an. Das Raumfahrzentrum, das auch IMAX-Filme auf einer Riesenleinwand zeigt, ist auch offizielles Besucherzentrum des benachbarten Langley Forschungszentrums der NASA (600 Settlers Landing/Ecke King St., Tel. 727-0900, www. vasc.org, Sommerhalbjahr Mo–Mi 10–17, Do–So 10–19 Uhr, sonst 10–17 Uhr, Eintritt).

Fort Monroe: Die nach dem Präsidenten James Monroe benannte Festung, ist auf einer küstennahen Insel an der Mündung des James River in die Chesapeake Bay gelegen und über eine Brücke zugänglich. Sie gehört zur Kette sternförmiger Küstenforts am Atlantik. Im Gegensatz zu den meisten anderen wird diese Festung seit ihrem Bau 1819–1834 bis heute ununterbrochen von der Armee genutzt, gegenwärtig als Hauptquartier von TRADOC, einer Abteilung, die sich vor allem mit der Entwicklung und dem Training von militärischen Befehlsroutinen beschäftigt. Hier waren schon Robert E. Lee und Edgar Allan Poe stationiert. Unfreiwillig hielt sich Jefferson Davis, der gefangen genommene Präsident der Südstaaten bis 1867 in einer der Kasematten des Forts auf, bis er ohne Gerichtsverfahren freigelassen wurde. Seine Zelle und angrenzende Räume sind als **Casemate Museum** mit Bürgerkriegs- und anderen militärischen Memorabilia für Besucher eingerichtet (Mercury Blvd./VA 258, Tel. 727-3391, 10.30–16.30 Uhr, Eintritt frei).

Norfolk

Atlas: S. 237, D 4
Die bedeutende Hafenstadt liegt am Südufer der Hampton Roads, von der nördlichen Halbinsel über eine Brücken-Tunnel-Verbindung bequem zu erreichen. Schon auf der Fahrt über das Wasser erkennt man die grauen Umrisse vieler Kriegsschiffe. Touren per Bus und mit dem Schiff bringen In-

teressierte dichter an die mehr als 100 Zerstörer, Kreuzer, Unterseeboote und Flugzeugträger der US-Atlantikflotte, die auf der **Norfolk Naval Base** zwischen ihren weltweiten Einsätzen gewartet werden (Visitors Office, Hampton Blvd., nördl. von Gate 5, Tel. 444-7955, www.navstanorva.navy.mil, zz. keine Führungen).

Chrysler Museum of Art: Sicher ist dieses Museum die wichtigste kulturelle Attraktion der Region. Mit einer zeitlichen Spannbreite von altägyptischen Kulturen bis heute, mit einer Bildergalerie vor allem französischer und italienischer Meister vieler Epochen sowie einer repräsentativen Kollektion neuer amerikanischer Malerei gehört es zu den herausragenden Kunstmuseen der amerikanischen Ostküste (425 W. Olney Rd., Tel. 644-6200, www.chrysler. org, Di–Sa 10–17, So 13–17 Uhr, Eintritt).

Douglas MacArthur Memorial: Inmitten der Stadt, nahe der zentralen City Hall Ave., steht das Mausoleum. Es ist zugleich Museum für den General und ›Helden‹ des Zweiten Weltkrieges und umstrittenen amerikanischen Kommandeur im Koreakrieg, der wegen Insubordination von Präsident Truman aus dem Dienst entlassen wurde (Mac Arthur Sq., Tel. 441-2965, Mo–Sa 10–17, So 11–17 Uhr).

Portsmouth

Atlas: S. 237, D 4

Wer von Norfolk auf der Brücke oder mit der Fähre den Elisabeth River überquert, befindet sich bereits in Portsmouth, in dessen Zentrum einige Straßenzüge mit nett restaurierten Häusern

---

Nauticus

Das National Maritime Center widmet sich der militärischen und zivilen Seefahrt. Touren an Bord des ausgemusterten, riesigen Schlachtschiffes Wisconsin, interaktive Displays und Experimente, wie eine virtuelle Fahrt mit einem U-Boot auf der Suche nach dem Monster von Loch Ness, konkurrieren mit anderen virtuellen Abenteuern, einer Tauchtour zwischen tausenden Quallen oder dem Navigieren eines Frachters unter der Golden Gate Bridge (1 Waterside Dr., Norfolk, Tel. 664-1000, www.nauticus.org, Sommerhalbjahr 10–17 Uhr, sonst Di–Sa 10–17, So 12–17 Uhr, Naval Museum Mo 9–16, Di–So 10–17 Uhr, im Sommer länger, Schlepper-Museum Sommerhalbjahr 7–19 Uhr, sonst Di–So 10–17 Uhr).

---

aus dem 18. und 19. Jh. zu einem kurzen Bummel einladen. An der Küste sind verschiedene Armee- und Marinekommandos stationiert.

Great Dismal Swamp: Südlich von Portsmouth erreicht man schnell das 43 000 ha große Naturschutzgebiet, das sich bis nach North Carolina erstreckt. Trotz verschiedener Versuche, das Sumpfgebiet trockenzulegen, und extensivem Holzeinschlag in den letzten zwei Jahrhunderten präsentieren sich weite Teile wie unberührte Natur – mit Sumpfzypressen, Pinien, Kiefern, Farnen, in denen Rotwild, Luchse, sogar Schwarzbären sowie eine reiche

197

Vogelwelt mit mehr als 150 Arten existieren (VA 32, südl. von Suffolk, Tel. 986-3705, Besucherzentrum/Plankenwege April–Sept. 6.30–20 Uhr, sonst 6.30–17 Uhr, Eintritt frei).

Virginia Beach

Atlas: S. 237, D 4
Die schnell wachsende Stadt wird durch den Atlantik nach Osten begrenzt. Mehr als 2 Mio. Wochenend- und Sommerausflügler im Jahr, selbst aus Richmond und Washington, werden von einer leistungsfähigen Freizeitindustrie mit weit über 10 000 Hotelzimmern, mit Hunderten von Restaurants und Imbissen, Diskos, Minigolfanlagen und anderen Freizeiteinrichtungen versorgt. Nördlich und südlich der zentralen Strandzone finden Urlauber auch im Hochsommer dennoch beschauliche Abschnitte mit munterem, aber nicht überfülltem Badeleben. Für bewölkte Tage stehen eine Vielzahl überdachter Attraktionen bereit, darunter das ausgezeichnete **Virginia Marine Science Museum** u. a. mit einem mehr als 1 Mio. Liter fassenden Tank, in dem Meeresschildkröten, Haie und Stachelrochen ruhelos umherkreisen (717 General Booth Blvd., Tel. 425-3474, 9–17 Uhr, im Sommer länger, Eintritt).

Wer die dichter besiedelte Region um die Hampton Roads auf der US 13 nach Norden verlässt, genießt eine gut 28 km lange Autofahrt über die Öffnung der Chesapeake Bay zum Atlantik. Der **Chesapeake Bay Bridge-Tunnel** (Einweggebühr 10 $) führt über und unter Wasser zwischen mehreren künstlichen Inseln mit Aussichtspunkten und Snack-Restaurants bis zur Ostküste auf der Delmarva-Halbinsel und unvermittelt in eine einsame, sehr ländliche Marschlandschaft.

Vorwahl: 757

Williamsburg Area Convention & Visitors Bureau: 201 Penniman Rd., Tel. 253-0192, Fax 229-2047, www.visitwilliamsburg.com.
Newport News Tourism Development Office: 2400 Washington Ave., 7th Fl., Tel. 926-3561, Fax 926-6901, www.newport-news.org.
Hampton Visitor Center: 710 Settlers Landing Rd., Tel. 727-1102, Fax 727-1310, www.hampton.va.us/tourism.
Norfolk Visitor Center: 4th View St., Exit 273, Tel. 441-1842, Fax 622-3663, www.norfolk.va.us.
Virginia Beach: Department of Visitor Development, 2101 Parks Ave., Suite 500, Tel. 437-4700, Fax 437-4747, www.vb-fun.com.

Williamsburg Inn: 136 Francis St., Williamsburg, Tel. 229-1000, Fax 220-7096, www.history.org/visit/accomodations. Prächtige Herberge, in der bereits diverse Präsidenten genächtigt haben, eigene Golfplätze, DZ ab 250 $.
The Boxwood Inn B & B: 10 Elmhurst St., Newport News, Tel. 888-8854, www.boxwood-inn.com. Gemütliches Bed & Breakfast mit freundlichen Gastgebern, nicht weit von allen Sehenswürdigkeiten, DZ ab 95 $.
James Madison Hotel: 345 Granby St., Norfolk, Tel. 622-6682, Fax 623-5949. www.jamesmadisonhotel.com. Walnussvertäfelungen und Kristallüster erinnern an die Glanzzeiten des noch immer eindrucksvollen Grandhotels, DZ ab 80 $.

Belvedere Motel: Ecke 36th St./Oceanfront, Virginia Beach, Tel. 425-0612, Fax 425-1397. Ordentliches vierstöckiges Gebäude direkt am Strand, einige Zimmer mit Kochecke, Pool, Coffee Shop, DZ 50–124 $.
Heritage Inn: 1324 Richmond Rd., Williamsburg, Tel. 229-6220, Fax 229-2774, www.heritageinnwmsb.com. Bequeme Zimmer im modernen Nachbarhaus, Lobby und Frühstückszimmer im herrschaftlichen Ziegelgebäude, DZ ab 42 $.
Camping:
KOA Colonial Williamsburg: 4000 Newman Rd., Williamsburg, Tel. 565-2734. Gut ausgestatteter Platz nahe der kolonialen Hauptstadt, Platz für Wohnmobile ab 34 $.

 Trellis Restaurant: Ecke Merchants Sq./Duke of Gloucester St., Williamsburg, Tel. 229-8610, 11.30–15, 17–21.30 Uhr. Köstlich zubereitete Speisen des Spitzenkochs Marcel Desaulniers, legendäres Dessert ›Death by Chocolate‹, mittags ab 8 $, abends 14–28 $.
Todd Jurich's Bistro: 210 W. York St., Norfolk, Tel. 622-3210, Mo–Do 11.30–14.30, 17.30–22, Fr bis 23, Sa nur 17.30–23 Uhr. Leichte Gerichte mit frischen Zutaten aus der Region, mittags ab 7 $, abends ab 15 $.
Lynnhaven Fish House: 2350 Starfish Rd., Virginia Beach, Tel. 481-0003, 11.30–22.30 Uhr. Fisch und Schalentiere in allen Variationen, frisch zubereitet, schöner Blick auf die Bay, mittags ab 6 $, abends ab 14 $.
Herman's Harbor House Seafood Restaurant: 663 Deep Creek Rd., Newport News, Tel. 930-1000, Mi–Fr 11.30–14.30, Mo–Sa 17–21, So 15–21 Uhr. Fische und andere Meerestiere, die besten Crab Cakes der Gegend, mittags ab 5 $, abends ab 10 $.

 Craft House: Merchants Sq., Williamsburg, Tel. 220-7747. Verkauft Reproduktionen von Williamsburg-Antiquitäten.

 Virginia Stage Company: Wells Theatre, 118 Tazewell St., Norfolk, Tel. 441-2764.

 Juni: Hampton Jazz Festival, internationale Top-Musiker spielen Jazz vom Feinsten, Tel. 757/838-4203.
Harborfest, Norfolk, Groß- und Kleinsegler, Schiffsparade, Musik und Essen, alles am Hafen, Tel. 757/441-2345.
September: American Music Festival, Virginia Beach, bekannte Entertainer spielen am Strand, Tel. 1-800-446-8030.
Oktober: Yorktown Day, Jahrestag des Sieges über England, mit historischem Truppenaufmarsch, Tel. 757/898-3400.
November/Dezember: 100 Miles of Light, Newport News, mehrere Dutzend Kulturveranstaltungen, die die dunkle Jahreszeit erhellen sollen, Tel. 926-7006.

 The Original Ghosts of Williamsburg Candlelight Tour: Berkeley Commons Ctr., Tel. 253-1058. Mit Laternen durchs abendliche Williamsburg.
Miss Hampton II: 764 Settlers Landing Rd., Hampton, Tel. 727-1102, Bootstouren durch die Hafenanlagen und die Naval Base.

Bus: Greyhound verbindet die Städte untereinander und mit dem Rest der USA, in Williamsburg, 468 N. Boundary St.; Tel. 229-1460; in Hampton, 2 W. Pembroke Ave., Tel. 722-9861; in Norfolk, 701 Monticello Ave., Tel. 625-7500; in Virginia Beach, 1017 Laskin Rd., Tel. 422-2998.
Bahn: Eine Bahnstrecke von Amtrak verbindet Newport News, 9304 Warwick Blvd., Tel. 245-3589, über Williamsburg, 468 N. Boundary St., Tel. 229-8750, mit Richmond.

DAS PIEDMONT PLATEAU UND DIE APPALACHEN

Die sanften Hügel des Piedmont Plateaus sind von Wäldern und Weinreben bewachsen. In dieser harmonischen Landschaft liegen Charlottesville und die Landsitze von drei bedeutenden US-Präsidenten. In den Appalachen lockt der Shenandoah National Park mit Wanderwegen und Wasserfällen, im Shenandoah-Tal breiten sich Obst- und Gemüseplantagen aus.

Im Piedmont Plateau

Charlottesville

Atlas: S. 235, D 1

›Jefferson Country‹ nennt man die pastorale Landschaft des Piedmont Plateaus um Charlottesville, den Sitz des Albemarle Landkreises. Die prägende Persönlichkeit des dritten US-Präsidenten, dessen naher Wohnsitz Monticello zu den vielbesuchten Attraktionen der Region gehört, ist fast 200 Jahre nach seinem Tode nicht verblasst. Auch jüngste Entdeckungen über einen Zweig der Familie, den Jefferson mit seiner schwarzen Haussklavin Sally Jennings begründet hatte, konnten seiner Popularität nichts anhaben.

Bereits zu Beginn des 19. Jh. begannen Plantagenbesitzer mit der Kultivierung von Weinreben. Auch Thomas Jefferson, der französische Weine noch aus seiner Zeit als Botschafter der USA in Frankreich schätzte, bemühte sich um den Anbau. Doch erst später, mit der Entwicklungshilfe vor allem italieni-

scher und französischer ausgewanderter Weinbauern, entwickelte der Wein an den östlichen Ausläufern der Appalachen die heutige Qualität. Etwa 50 Weingüter produzieren heute im nördlichen Virginia, von Charlottesville bis zur Grenze nach Maryland.

Die **Universität von Virginia** liegt im Zentrum von Charlottesville. Sie wurde 1819 von dem früheren US-Präsidenten Thomas Jefferson gegründet, als republikanisches Gegenstück zu den älteren Universitäten Harvard in Massachusetts und dem College of William and Mary in Williamsburg. Jefferson kümmerte sich nicht nur um die Lehrinhalte, sondern ebenfalls um das Gebäude, dessen Rotunde und Säulengänge auf seine Anregungen zurückgehen. Aus dem nahen Richmond schrieb sich 1826 ein junger Student namens Edgar Allan Poe in den Fächern klassische und moderne Sprachen und Literatur ein. Doch es hielt ihn nur ein Jahr. Der Edgar Allan Poe Room, sein restaurierter Wohnraum im Westflügel, kann besichtigt werden (Visitor

Center, Ivy Rd./US 250 bus., Tel. 924-7166, Führungen, Eintritt frei).

Monticello

Atlas: S. 235, D 1

Fast 40 Jahre ließ Thomas Jefferson seinen Plantagensitz immer wieder erweitern, bis er ihm mit seiner charakteristischen Kuppel, den Bibliotheks- und Arbeitsräumen sowie den Gartenanlagen perfekt erschien. Der Philosoph, Politiker, Architekt, Wissenschaftler, Musiker, Jurist gilt als Symbolfigur des amerikanischen Aufbruchs in die Demokratie und als einer der wichtigsten US-Präsidenten. Den Besuch von Monticello sollte keiner versäumen, der an

amerikanischer Geschichte interessiert ist. Auf seinem Grabstein stehen die Lebensleistungen, die ihm am wichtigsten erschienen: ›Autor der Amerikanischen Unabhängigkeitserklärung, Verfasser des Statuts von Virginia über die Religionsfreiheit, Vater der Universität von Virginia‹ (VA 53, Tel. 984-9822, www.monticello.org, März–Okt. 8–17 Uhr, sonst 9–16.30 Uhr, Führung, Eintritt).

Ash Lawn-Highland

Atlas: S. 235, D 1

Der Landsitz des fünften US-Präsidenten James Monroe, ein enger Freund von Thomas Jefferson, wird von seiner

Monticello, der Landsitz von Thomas Jefferson

Michie Tavern

Atlas: S. 235, D 1
Die historische Herberge versorgt bereits seit ca. 1784 Reisende mit Speis' und Trank. In Sommer demonstrieren Darsteller Tavernenleben und laden Besucher zum Tanz ein. Im Gastraum kann man ein koloniales Buffet mit gebackenen Hähnchen, Kartoffelmus und Soße, Bohnen, Maisbrot und anderen Speisen probieren (11.30–15 Uhr, ca. 12 $, Wein kostet extra; 683 Thomas Jefferson Pkwy./VA 683, Tel. 977-1234, www.michietavern. com, 9–17 Uhr, Führung, Eintritt).

früheren Universität, dem College of William and Mary in Williamsburg, unterhalten. Die Farm ist wie zu Lebzeiten des bürgerlichen Revolutionärs und republikanischen Politikers eingerichtet: mit zeitgenössischen Möbeln, Kücheninventar, Sklavenunterkünften und einem Räucherhaus. Monroe hat sich am Präsidentenamt nicht bereichert. Als er 1825 ins Privatleben zurückkehrte, waren seine Schulden so angewachsen, dass er die Plantage verkaufen musste (1000 James Monroe Parkway/CR 795, Tel. 293-9539, Fax 293-8000, http://monticello.avenue.org/ashlawn, März–Okt. 9–18, Nov.–Feb. 10–17 Uhr, Führung, Eintritt).

Montpelier

Atlas: S. 235, E 1
Der Wohnsitz gehörte James Madison, dem vierten Präsidenten der USA und gleichfalls mit Jefferson und Monroe befreundet. Später erwarb die Industriellenfamilie DuPont aus Delaware das Anwesen und ließ es bedeutend ausbauen. Der National Historic Trust der USA, dem Montpelier heute gehört, und der dort geschichtliche Forschungen und Ausgrabungen betreibt, verwaltet den Landsitz als Erinnerungsstätte für den ›Vater der Verfassung‹ James Madison (VA 20, 30 km nördl. von Charlottesville, 6 km südl. von Orange, Tel. 540/672-2728, April–Nov. 9.30–17 Uhr, sonst 9.30–16.30 Uhr, Führung, Eintritt).

Appomattox

Atlas: S. 234, C 3
Etwa 75 km südlich von Charlottesville steht das McLean House im Örtchen Appomattox Court House. Haus und Dorf sind zu einem National Historic Park umgestaltet, denn hier musste der militärische Befehlshaber der Südstaaten, General Robert E. Lee, mit seiner Armee von Nord-Virginia am 9. April 1865 in hoffnungsloser Position vor den Truppen des Unionsgenerals Ulysses S. Grant kapitulieren (VA 24, nordöstl. von Appomattox, Tel. 804/352-8987, www.nps.gov/apco, Juni–Aug. 9–17.30 Uhr, sonst 8.30–17 Uhr, Eintritt).

Vorwahl: 434

Charlottesville/Albemarle Convention & Visitors Bureau, Visitors Center: 108 Second Street, SE, Tel. 977-6100, Fax 977-6151, www.charlottesvilletourism.org. Wer mehrere Hauptsehenswürdigkeiten erkunden will, kann einen Presidents' Pass (22 $) erwerben,

der als Eintrittskarte für Monticello, Michie Tavern und Ash Lawn-Highland gilt.
Monticello Visitor Center: 600 College Drive, Tel. 984-9822, www.monticello.org, Nov.–Feb. 9–17, März–Okt. 9–17.30 Uhr.

The Boar's Head Country Inn Resort: 200 Ednam Dr., Tel. 296-2181, Fax 972-6024, www.boarshead-inn.com. Universitätsherberge in historischem Stil, alle Annehmlichkeiten eines exzellenten Hotels, phantastisches Restaurant, DZ 179–219 $.

Clifton, The Country Inn: 1296 Clifton Inn Dr., 10 km östl. von Charlottesville, Tel. 971-1800, Fax 971-7098, www.cliftoninn.com. Romantik und Luxus in Pflanzervilla von 1799, Parklandschaft, eines der besten Restaurants von Virginia, 5-Gänge-Menu ab 60 $, DZ ab 150 $.

The Inn at Monticello: 1188 Scottsville Rd., Tel. 979-3593, Fax 296-1344, www.innatmonticello.com. Dekorative Zimmer mit Kamin in weißer Holzvilla, gepflegte Gartenanlage, opulentes Frühstück, DZ 110–140 $.

Econolodge North: 2014 Holiday Dr., Charlottesville, Tel. 295-3185, Fax 293-7924, www.econolodge.com. Einfaches, ordentliches Kettenhotel, zentral zur Uni und den Sehenswürdigkeiten, ab 45 $.

The Old Mill Room: im ›Boar's Head‹, Tel. 972-2230. Regionale Spitzenküche in restauriertem Mühlengebäude, tgl. Frühstück, Lunch und Abendessen, abends ab 23 $.

Northern Exposure: 1202 W. Main St./Ecke 12th St., Tel. 977-6002, 11–22 Uhr. Eklektizistische Speisekarte mit Pizza, Cajun-Gerichten oder griechischem Hähnchen, alles lecker, sehr ›popular‹, mittags ab 6 $, abends ab 9 $.

Hardware Store: 316 E. Main St., Tel. 977-1518. Haushaltswaren- und Werkzeugladen aus dem frühen 20. Jh., heute teils originelle Geschäfte, auch ein Restaurant mit Snacks, virginischen Spezialitäten, mittags u. abends, ab 7 $.

Rund um die Universität Bars und Clubs, auch mit Livemusik, wie z. B. **Trax,** 122 11th St.

Ende Oktober: Virginia Film Festival, wichtiges Filmereignis im Land, Tel. 804/982-5277, www.vafilm.com.

James River Runners: bei Scottsville, 36 km südl. von Charlottesville, 10082 Hatton Ferry Rd., Tel. 286-2338. Kanutouren und Fahrten mit Gummiflößen auf dem James River.

Bahn: Amtrak-Station, 819 W. Main St., Tel. 296-4559.
Bus: Greyhound Station, 310 W. Main St., Tel. 295-5131.

In den Appalachen

Atlas: S. 230/231, C/D 2–4
Shenandoah, Tochter der Sterne, nannten die Powhatan Indianer ihr wildroiches Jagdrevier westlich der Chesapeake Bay. Nach ihnen beackerten weiße Einsiedler die ertragreichen Talböden in den Appalachen, das Holz der hochwachsenden Eichen wurde als nächstes zum Objekt der Begierde. Erst in den 30er Jahren des 20. Jh. begann man, sich der ehemaligen Naturschönheiten zu erinnern. Mit öffentlicher Finanzierung im Rahmen des New Deal von Präsident Roosevelt forsteten Arbeiter die abgeholzten Berghänge auf, legten Wanderwege und Schutzhütten an.

203

Shenandoah National Park

Atlas: S. 231, D 3/4

Der Nationalpark erstreckt sich zwischen Front Royal und Waynesboro über einen besonders schönen Abschnitt des Mittelgebirges. Der **Skyline Drive**, eine Panoramastraße auf dem Gebirgskamm, zieht sich, unterbrochen von Aussichtspunkten und Startplätzen für Wanderwege, etwa 160 km von Nord nach Süd. Südlich des Nationalparks schließt sich mit dem **Blue Ridge Parkway** eine ebenfalls vom National Park Service betreute Panoramastraße an, die erst am Great Smoky Mountains National Park in North Carolina endet (Verwaltung, Rt. 4, Luray, Tel. 999-3500, www.nps.gov/shen, Eintritt 10 $ pro Auto/Woche).

Im Tal des Shenandoah

Atlas: S. 230/231 C/D 2–4

In **Staunton,** einer Kleinstadt im Shenandoah-Tal, wurde 1856 der 28. US-Präsident Woodrow Wilson als Sohn eines presbyterianischen Geistlichen geboren. Sein zu einem Museum umgestaltetes Geburtshaus erinnert an den Sohn der Stadt (24 N. Coalter St., Tel. 885-0897, März–Nov. 9–17 Uhr, sonst 10–16 Uhr, Eintritt). Das Museum of American Frontier Culture lässt die Zeiten der Besiedlung wach werden, als das Land hinter dem ersten Gebirgszug der Appalachen noch als Wilder Westen und Grenze der weißen Zivilisation galt. Farmen aus Deutschland, Irland und England, im Sommer

von kostümierten Darstellern bewohnt, demonstrieren die Herkunft der ersten Siedler (1250 Richmond Rd., Tel. 332-7850, Dez.–Mitte März 10–14, sonst 9–17 Uhr).

Harrisonburg ist Marktort und ein Zentrum für die vielen Farmen der Umgebung. Unmittelbar nördlich des Ortes erhebt sich der schmale Rücken des Massanutten-Gebirges, der das Tal in eine östliche und eine westliche Hälfte teilt. Etliche Bauernhöfe werden von Mennoniten bewirtschaftet, deren Pferdekutschen auf den Landstraßen zum

Blick vom Blue Ridge Parkway

gewohnten Bild gehören. Das Virginia Quilt Museum zeigt schöne Exemplare der Kunst, aus Stoffresten Decken mit dekorativen Mustern zu gestalten (301 S. Main St., Tel. 433-3818, Mo, Do–Sa 10–16, So 13–16 Uhr, Eintritt).

In **New Market** erinnert die Ruhmeshalle des Battlefield Historical Park an die vielen Kämpfe und Gewaltmärsche, die das Shenandoah-Tal während des Bürgerkrieges gesehen hat (9500 Collins Dr., Tel. 740-3102, 9–17 Uhr, Eintritt). Der Sieg einer Einheit jugendlicher Kadetten des Virginia Military Institute über reguläre Unionstruppen kurz vor Ende des Krieges wird noch immer mit Aufwand und einer Darstellung des Kampfverlaufes begangen (s. Veranstaltungstipps).

Der Ort **Luray** in der östlichen Talhälfte wurde zu Beginn des 19. Jh. von Schweizern und Deutschen besiedelt. Die Luray Caverns im Westen gelten als die schönsten der vielen Tropfsteinhöhlen im Tal. Eine ›Stalacpipe Organ‹ in einer der Höhlen nutzt besonders geformte Stalaktiten als Musikinstrument, mit dem regelmäßig unterirdische Kon-

zerte gegeben werden (US 211, Tel. 743-6551, www.luraycaverns.com, Sommerhalbjahr 9–19 Uhr, sonst Mo–Fr 9–16, Sa/So 9–17 Uhr, Eintritt).

Winchester im Nordwestzipfel Virginias liegt inmitten weitläufiger Apfelplantagen, deren Blüte und Ernte Anlass mehrtägiger Feste sind (s. Veranstaltungstipps). Während des Bürgerkrieges ging es hier weniger friedlich zu. Winchester soll nicht weniger als 72 Mal abwechselnd von Nord- und Südstaaten besetzt gewesen sein. Einige Häuser im verkehrsberuhigten Stadtzentrum stammen noch aus dem 18. Jh., der Gründungszeit des Ortes.

Vorwahl: 540

Shenandoah Valley Travel Association: New Market, Tel. 740-3132, Fax 540-740-3100, www.shenandoah.org.
Winchester Frederick County Visitors Center: 1360 S. Pleasant Valley Rd., Tel. 662-4135, Fax 722-6365, www.winchesterva.org.

Skyland Resort (Mile 41,8) und **Big Meadows Lodge** (Mile 51,2): Skyline Dr., Shenandoah NP, Reservierung über ARAMARK, Tel. 1-800-778-2851, www.visitshenandoah.com. Traumhaft auf dem Bergkamm gelegene, rustikale Lodges, langfristig ausgebucht, einfache Speisegaststätten, DZ ab 60 $.
Luray Cavern Motel West: 1001 US Hwy. 211 W, Luray, Tel. 743-4536, Fax 743-6634. Kleines Motel vis-à-vis der Tropfsteinhöhlen, geräumige Zimmer, schöner Blick, ab 42 $.
Camping:
Big Meadows Campground: Shenandoah National Park, Mile 51,2, Skyline Dr., Platzmiete pro Tag 17 $.

The Farm House Restaurant: 328 Hawksbill Park Rd., Stanley, gehört zur Jordan Hollow Farm Inn, Tel. 778-2285, tgl. geöff. Feine ländliche Küche, alles frisch, Hauptgerichte zwischen 14–23 $.
Dean's Steak House: 708 Royal Ave., Tel. 635-1700, tgl. geöff. Salatbar, gute Steaks, ab 10 $.
Mill Street Grill: 1 Mill St., südl. der US 250, Staunton, Tel. 886-0656, Mo–Sa 16–22, So ab 11.30 Uhr. Gemütliches Speiserestaurant, Spezialität: Gegrilltes, Hauptgerichte ab 9 $.
Wright's Dairy Rite: 356 Greenville Ave./US 11, Staunton, Tel. 886-0435, 7–22 Uhr. Diner als Drive Inn und für drinnen, das Essen wird stets per Haustelefon bestellt, 6 $.

Wayside Theatre: 7853 Main St., Middleton, Tel. 869-1776, www.waysidetheatre. Eigene Inszenierungen zeitgenössischer Autoren und Aufführungen von Tourneetheatern.
Shenandoah Shakespeare: 10 S. Market St., Staunton, Tel. 885-5588. Erfrischende Theatertruppe, spielt in ihrem Blackfriars Playhouse, wenn sie nicht gerade auf Tournee ist.

Mai: Civil War Living History Weekend, New Market, Bürgerkriegs-Reenactment, mit Regimentern und Pulverdampf, Tel. 540/740-3212.
Shenandoah Apple Blossom Festival, Winchester, fünf Tage Kunst, Kultur und Vergnügen, Tel. 703/662-3863.
September: Apple Harvest Festival, Winchester, Kunst und Kunsthandwerk und natürlich reife Äpfel, Tel. 540/662-4135.

Downriver Canoe Co.: 884 Indian Hollow Rd., Bentonville, Tel. 635-5526, www.downriver.com. Tagestouren mit Kanu, Kajak oder Gummiflößen auf dem South Fork oder mit Übernachtung.

DER NORDEN VON VIRGINIA

Sanft geschwungene Hügel mit Wiesen und Wäldern, Vollblutpferde hinter weißen Gattern, gemütliche Orte mit geschmackvollen Zentren, die zum Bummeln einladen – der Norden von Virginia erinnert an Parklandschaften Südenglands.

Harper's Ferry

Atlas: S. 231, E 2

Der Ort markiert die Grenze zwischen den Bundesstaaten Virginia, West Virginia und Maryland. Hier mündet der Shenandoah River in den Potomac, der sich im Laufe vieler Jahrtausende ein tief eingeschnittenes, bewaldetes Tal geschaffen hat. Der **Harper's Ferry National Historical Park** umfasst Gebäude und Straßenzüge am Nordufer des Shenandoah, direkt an der Flussmündung. Hier hatte der radikale Gegner der Sklaverei John Brown mit einer Schar Gleichgesinnter 1859 ein Armeedepot überfallen, wurde jedoch von Soldaten, unter ihnen der spätere Südstaatengeneral Robert E. Lee, gefangen gesetzt (Visitor Center, US 340, Harper's Ferry, West Virginia, Tel. 304/535-6223, 9–17 Uhr, www.nps.gov/hafe)

Leesburg und Umgebung

Atlas: S. 231, F 2

Im äußersten Norden von Virginia lebten bei Ausbruch des Bürgerkrieges viele Siedler, die aus dem nördlichen Pennsylvania eingewandert waren. Unter ihnen waren nicht wenige Quäker, die die Sklaverei strikt ablehnten. **Waterford Village,** eine alte Quäkersiedlung nordwestlich von Leesburg, sieht mit seinen Wohnhäusern und Scheunen aus wie aus der Vergangenheit.

Der prächtige, Anfang des 19. Jh. im Greek Revival erbaute Landsitz von **Morven Park** beherbergt heute ein Museum über die (Fuchs-)Jagd mit Hunden sowie eine Ausstellung von Pferdekutschen (17263 Southern Planter Lane, Leesburg, Tel. 777-2414, www.morvenpark.com, April–Okt Di–Fr 10–17, Sa 10–16.30, So 13–16 Uhr, Eintritt).

Die gepflegte, ländliche Idylle von Leesburg und Umgebung gehört heute zu den beliebtesten Zielen von Wochenendausflüglern aus dem nahen Washington. Das trifft auch auf die spektakulären Stromschnellen des Potomac River durch die Mather Gorge zu. Der Fluss bahnt sich schäumend seinen Weg vom Piedmont Plateau in die tiefer liegende Küstenebene, an beiden Ufer gesäumt von Naturparks mit Wanderwegen an den hohen Ufern. Der **Great Falls Park** liegt nur 22 km von der Hauptstadt entfernt. Wanderer passieren am Ufer die Überreste des alten Patowmack-Kanals, der einst

Harper's Ferry am Zusammenfluss von Potomac und Shenandoah River

Lastkähnen half, die Strudel zu umschiffen (Old Dominion Dr./VA 738, Tel. 285-2966, www.nps.gov/gwmp/grfa, Sonnenaufgang bis -untergang, Eintritt).

Bei Langley/McLean liegt das zumindest aus vielen Romanen und Spionagefilmen bekannte **Hauptquartier der CIA**. Seit neuestem hat der Geheimdienst auch ein Museum eingerichtet, jedoch leider nicht für die Öffentlichkeit. Das Zentralgebäude der CIA wurde jüngst nach George Bush sr., dem früheren und Vater des 43. US-Präsidenten George Bush jr. benannt, der einige Jahre auch als CIA-Direktor fungierte (SR 123, www.odci.gov).

Wenige Kilometer weiter im Süden sind von Frühling bis Herbst die Tore zur weitläufigen **Wolf Trap Farm Park for the Performing Arts** weit geöffnet, dem einzigen Nationalpark, der sich der darstellenden Kunst widmet. Auf mehreren Bühnen, darunter dem Open-Air-Filene Center II mit 3900 Plätzen und 3000 weiteren auf der Picknickwiese, singen, spielen und musizieren weltbekannte Interpreten und Nachwuchstalente (1624 Trap Rd., Vienna, Tel. 255-1868, www.nps.gov/wotr).

Manassas

Atlas: S. 231, F 3

Auch wenn ein Blitz angeblich nicht zweimal an derselben Stelle einschlagen soll, hat es Manassas am Flüsschen Bull Run tatsächlich doppelt erwischt. Die erste größere Schlacht des Bürgerkrieges am 21. Juli 1861 wie auch die Attacke des Unionsgenerals Pope auf die Stellungen der Konföderierten unter General ›Stonewall‹ Jackson endeten mit einer Niederlage des Nordens. Im Besucherzentrum des **Manassas National Battlefield Park** sind die Kämpfe genau nachgezeichnet. Kanonen, Stellungen und Ehrenmäler für Einheiten und gefallene Offiziere auf dem weitläufigen Gelände werden noch immer gehegt und gepflegt (6511 Sudley Rd., Tel. 361-1339, www.nps.gov/mana, Visitor Center 9–17 Uhr, Schlachtfeld Sonnenaufgang bis -untergang, Eintritt).

Vorwahl: Leesburg 703

🔲 **Loudon Tourism Council:** 108-D South St., SE, Leesburg, VA 20175, Tel. 771-4825, Fax 771-4973, www.VisitLoudon.org.

🛏 **Inn at Stringfellow Farm:** 19246 Ebenezer Church Rd., Round Hill, Tel. 540/554-8652, Fax 554-8722, www.bbonline.com/va/stringfellow. Feine Unterkunft, kostbar möbliert, in harmonischer Landschaft, 8 Zimmer und Suiten, DZ ab 150 $.

Harper's Ferry Guest House: 800 Washington St., Harper's Ferry, Tel. 304/535-6955, www.harpersferry-wv.com/BandB. Gemütliches Bed & Breakfast nicht weit von der Mündung von Shenandoah River in den Potomac, DZ 75–95 $.

Holiday Inn at Historic Carradoc Hall: 1500 E. Market St. (VA 7) am östl. Rand von Leesburg, Tel. 771-9200, Fax 771-1575, www.leesburgvaholidayinn.com. Modernes Motel mit historischer Lobby, DZ ab 75 $.

🍴 **Tuscarora Mill:** 203 Harrison St. SE/Market Station, Leesburg, Tel. 771-9300, Mo–Do, So 11.30–21, Fr/Sa 11.30–22 Uhr. Gepflegte Atmosphäre, meist gut gelaunter Service, amerikanische Küche auch mit Anleihen aus Übersee, ab 15 $.

Coach Stop Restaurant: 9 Washington St., Middleburg, Tel. 540/687-5515, Mo–Sa 7–21, So 8–21 Uhr. Zu Frühstück, Lunch und Dinner gut gefüllt, vor allem mit Einheimischen, regionale Küche, Hauptgerichte abends ab 13 $.

Country Café & General Store: 711 Washington St., Rt. 3, Harper's Ferry, Tel. 304/535-2327. Frühstück und Lunch wie zu Großmutters Zeiten, 5–15 $.

🎗 **August:** Virginia Wine Festival, Plains, 20 Weingüter stellen aus und laden zum Verkosten ein, Tel. 1-800-520-9670.

Anfang Oktober: Waterford Arts and Crafts Fair, örtliche Künstler und Kunsthandwerker stellen ihre Produkte aus, Tel. 540/882-3018.

REISEINFOS VON A–Z

Alle wichtigen Informationen rund ums Reisen auf einen Blick – von A wie Anreise bis Z wie Zeitungen

Extra: Ein Sprachführer mit wichtigen Redewendungen im Alltag und den häufigsten Begriffen auf der Speisekarte

Nachtleben in Georgetown,
Washington D.C,

REISEINFOS VON A BIS Z

Alkohol

Bier und Wein gibt es in den meisten Supermärkten, Hochprozentiges nur an der (lizensierten) Bar oder im Liquor Store. Erst mit 21 Jahren darf man alkoholische Getränke erwerben sowie Bars und Musikklubs aufsuchen, in denen Spirituosen ausgeschenkt werden. Alkohol am Steuer ist untersagt.

Anreise

Der Flug von Europa dauert etwa 8 bis 10 Stunden. Washington D.C. (IAD) und Baltimore (BWI) werden direkt, viele kleinere Airports mit Umsteigeverbindungen angeflogen. Im ersten Einreiseflughafen in die USA werden Pass und Gepäck kontrolliert. Auch beim Umsteigen erhält man sein Gepäck für den Weg durch den Zoll kurz zurück und gibt es gleich danach wieder auf.

Apotheken

Pharmacies in den Städten oder eigene Abteilungen in Drugstores und Supermärkten, die verschreibungspflichtige Medikamente (Prescriptions) ausgeben, findet man flächendeckend. Bei vielen Rezepten muss man etwas Wartezeit einplanen, da die Apotheker die Medikamente genau nach Verschreibung abfüllen.

Ärztliche Versorgung

Die ärztliche Versorgung ist ausgezeichnet und auch auf dem Lande ausreichend. In der Capitol Region befinden sich einige der besten Kliniken des Landes. Da die ärztlichen und Pflegeleistungen jedoch sehr teuer sind, sollten Reisende auf ausreichenden Versicherungsschutz achten.

Autofahren

Ein gut ausgebautes Straßennetz und Höchstgeschwindigkeiten zwischen 25 (40 km/h) und 45 (72 km/h) Meilen in Ortschaften sowie zwischen 65 (104 km/h) und 70 (113 km/h) Meilen auf Interstate Highways lassen beim Fahren selten Stress aufkommen, es sei denn, man gerät in die Rushhour von Städten wie Washington D.C. oder Baltimore. Am Steuer gilt Alkoholverbot.

Behinderte auf Reisen

Abgeflachte Gehwege an Kreuzungen, behindertengerechte Zugänge in Behörden oder bei Sehenswürdigkeiten sowie andere Erleichterungen helfen Menschen mit körperlichen Behinderungen besser als in vielen anderen Urlaubsländern. Wer seinen Mietwagen rechtzeitig bestellt, erhält ein entsprechend ausgestattetes Fahrzeug.

Diplomatische Vertretungen der USA

Botschaft der USA, Clayallee 170, 14195 Berlin, Tel. 01 90-88 22 11, www. us-botschaft.de
Botschaft der USA, Boltzmanngasse 16, 1091 Wien, Tel. 01/3 13 39, Fax 01/ 3 10 06 82
Botschaft der USA, Jubiläumstr. 93, 3005 Bern, Tel. 0 31/3 57 70 11, Fax 0 31/3 57 73 44

Diplomatische Vertretungen in den USA

Botschaft der Bundesrep. Deutschland, 4645 Reservoir Rd., Washington, D.C. 20007-1998, Tel. 202/298-8141, Fax 202/298-4249, 202/333-2653
Botschaft der Schweiz, 2900 Cathedral Ave., NW, Washington D.C. 20008, Tel. 202/745-79 00, Fax 202/387-25 64
Botschaft der Republik Österreich, 3524 International Court, NW, Washington D. C. 20008, Tel. 202/895-6710, Fax 202/895-6750

Drogen

Auch bei weichen Drogen (Marihuana usw.) sind die Strafen für Konsum und Handel verschärft: Rauchen führt zu mindestens 200 $ Geldstrafe, Besitz selbst geringer Mengen kann Gefängnisstrafe bedeuten. Noch drastischer werden Handel und Besitz von Heroin oder anderen Präparaten geahndet.

Einreise-, Ausreise- und Zollbestimmungen

Für einen touristischen Aufenthalt bis zu 90 Tagen benötigen deutsche, österreichische und Schweizer Staatsbürger kein Visum. Es genügt ein mindestens 90 Tage gültiger Reisepass sowie der Nachweis über ausreichende finanzielle Mittel. Bereits im Flugzeug werden Einreiseformular und Zollerklärung ausgefüllt, die dann im Flughafen beim Immigration Officer bzw. bei der Zollkontrolle abgegeben werden.

Die Einfuhr von Nahrungsmitteln, natürlich auch Drogen und Sprengstoffen ist strikt verboten. 200 Zigaretten, dazu 1 l Spirituosen dürfen über 21 Jahre alte Reisende zollfrei einführen, dazu Geschenke für max. 100 $. Bei der Rückreise sind ebenfalls 200 Zigaretten erlaubt, 1 l Spirituosen, außerdem Geschenke im Wert von ca. 180 €.

Elektrizität

120 Volt, 60 Hertz Wechselstrom. Elektrische Geräte müssen umschaltbar sein. Es ist zudem ein Adapter für US-amerikanische Flachstecker erforderlich.

Feiertage

An offiziellen Feiertagen schließen viele Geschäfte und alle Behörden. Sie sind häufig auf einen Montag gelegt und bewirken so ein langes Wochenende.

1. Januar	Neujahr
3. Mo im Januar	Martin Luther King jr. Day
12. Februar	Abraham Lincolns Geburtstag
3. Mo im Februar	Presidents' Day
Letzter Mo im Mai	Memorial Day/ Heldengedenktag
4. Juli	Unabhängigkeitstag
1. Mo im September	Labor Day/Tag der Arbeit
2. Mo im Oktober	Columbus Day
11. November	Veterans Day/ Kriegsveteranen
4. Do im November	Thanksgiving/ Erntedankfest
25. Dezember	Weihnachten

Fotografieren

Filme sind meist in Europa billiger, Entwicklung und Abzüge (oft auch über Nacht möglich) erhält man in den USA oft zu erstaunlich günstigen Preisen.

Frauen allein unterwegs

Allein reisende Frauen sind in der Capital Region keinen größeren Gefahren und Belästigungen ausgesetzt als in Europa. Frauen, die sich solo in Restaurants oder Bars aufhalten, werden von Männern häufig als Partner suchend behandelt. Wer dies nicht wünscht, sollte Annäherungsversuche nachdrücklich zurückweisen.

Geld

1 US$ = ca. 1 €. 1 US$ = 100 cents. Münzen: penny (1 cent), dime (10 cts.), quarter (25 cts.); Scheine: 1, 2, 5, 10, 20, 50, 100 US$. Viele Geschäfte und fast alle Hotels akzeptieren Kreditkarten (meist Visa und Master-/Eurocard). Kautionen für Mietwagen und Campmobile werden per Kreditkarte hinterlegt Wer über eine Geheimnummer verfügt, kann an Geldautomaten (ATM) Bargeld erhalten, an zunehmend mehr Automaten mit dem Maestro-Zeichen auch per EC-Cash-Karte. Ansonsten haben sich US$-Travellerschecks bewährt, mit denen man wie mit Bargeld bezahlt. Sie sind gegen Diebstahl versichert. Europäische Währungen lassen sich nur in Großstädten und zu ungünstigeren Kursen eintauschen. Öffnungszeiten der Banken sind meist 9–17 Uhr.

Gesundheitsvorsorge

Besondere Prophylaxe ist für die USA nicht nötig. Wegen der ausgezeichneten, jedoch teuren medizinischen Versorgung ist eine Auslandskrankenversicherung ratsam, die das Risiko voll abdeckt und auch einen medizinisch vertretbaren Rücktransport einschließt.

Informationsstellen

Washington D.C. Convention and Tourism Corporation, 1212 New York Ave., NW, Suite 600, Washington, D.C. 20005, Tel. 202/789-7000, Fax 202/789-7037, www.washington.org
Maryland Office of Tourism Development, Leuvenseteenweg 613, B-1930 Zaventem, Tel. 0032/2/7576390, Fax 0032/2/7576391; in den USA: 217 E. Redwood St., 9th Floor, Baltimore, MD 21202, Tel. 410/767-6294, Fax 410/333-6643, www.mdisfun.org
Virginia Tourism Organisation, 901 E. Byrd St., Richmond, VA 23219-4048, Tel. 804/786-2051, Fax 804/786-1919
Virginia Fremdenverkehrsbüro, Steinweg 3, 60313 Frankfurt, Tel. 06102/723407, Fax 17827. www.virginia.org
Presse- und Touristikdienst S. Nentwich, (nur Broschürenversand), Sporthallenstr. 7, D-64850 Schaafheim, Tel. 0800-96534264 (gebührenfrei)

Informationen im Internet

Zu den vielen im Text genannten Websites noch einige Ergänzungen:
www.nps.gov: offizielle Seite der Nationalparks, Links zu allen vom National Park Service betreuten Einrichtungen

www.tourstates.com: von dieser Seite kommt man zu den Touristseiten aller Bundesstaaten

www.usa.de: allgemeine Übersicht über Regionen, Attraktionen, Anbieter (deutsch)

www.washingtonpost.com: führende Tageszeitung der Hauptstadt

www.washingtonian.com: Szenemagazin mit vielen Veranstaltungstipps

Karten und Pläne

Die Bundesstaaten und Washington D.C. vergeben eine kostenlose Karte. Besser sind die Karten von Rand McNally (in vielen Buchhandlungen und Kiosken zu erwerben). Mitglieder des ADAC erhalten kostenloses Kartenmaterial und ein Tourbook der Mid-Atlantic Region in jedem Büro des Amerikanischen Automobilverbandes AAA (www.aaa.com).

Kinder

Fast überall locken spezielle Besichtigungen oder Attraktionen, die besonders Kinder und Jugendliche ansprechen: Kinder- und Technikmuseen, Bootsfahrten auf der Chesapeake Bay, Vergnügungsparks, wie Kings Dominion bei Richmond oder Busch Gardens bei Williamsburg, eine geführte Reittour bei der Skyland Lodge im Shenandoah National Park oder eine Vorführung von Park Rangern mit Raubvögeln.

Literaturtipps

Patricia Cornwell: Vergebliche Entwarnung. Droemer Knaur TB, München 1995. In einer kalten Winternacht in Virginia wird ein Mörder hingerichtet und daraufhin obduziert. Doch bald findet die Polizei Opfer von ähnlich verübten Verbrechen, wie die des Gehenkten.

Patricia Cornwell: Herzbube. Droemer Knaur TB, München 1997. Die Gerichtsmedizinerin von Virginia, Kay Scarpetta, muss ihre ganze Kunst aufbieten, um eine Reihe rätselhafter Pärchenmorde aufzuklären.

Patricia Cornwell: Das geheime ABC der Toten. Droemer Knaur TB, München 1997. Nur das geheime forensische Institut des FBI kann der Gerichtsmedizinerin Kay Scarpetta noch helfen, den Mord an einem kleinen Mädchen aufzuklären.

Patricia Cornwell: Brandherd. Hoffmann & Campe, Hamburg 2001. Als Brandstiftung getarnte Morde führen die Gerichtsmedizinerin Scarpetta zu einer lange zurückliegenden Ermittlung und einer persönlichen Katastrophe.

Dashiel Hammett: Der gläserne Schlüssel. Diogenes Vlg., Zürich 1976. Eine Senatorenwahl wird gekauft, der Sohn des Senators ermordet. Ned Beaumont, Spieler und abgebrühter Handlanger eines Bandenbosses im Baltimore der 20er Jahre, will den Fall aufklären. Er hat nichts zu verlieren.

John Barth: Der Tabakhändler. Rowohlt TB-Verlag, Reinbek 1995. Die amüsante und nicht sehr moralische Geschichte des Ebenezer Cooke, der gegen Ende des 17. Jh. die ihm in unkeuscher Liebe zugetane Schwester in England verlässt, um sein Erbe, eine Tabakplantage in Maryland, anzutreten. Auf dem Wege und dort erlebt er Abenteuer, Heim- und Versuchungen.

Christopher Buckley: Danke, dass Sie hier rauchen. Fischer TB-Verlag, Frankfurt/M. 1998. Nick Taylor, Sprecher der US-Tabakindustrie, wird nach diversen Drohungen tatsächlich zum Opfer eines skurrilen Mordanschlags. In der hysterischen Auseinandersetzung von ›Big Tobacco‹ und ›Gutmenschen‹, treffsicher und mit Sarkasmus geschildert, offenbart sich die amerikanische Gesellschaft als Spielball von Interessengruppen aller Art.

James A. Michener: Die Bucht. Droemer Knaur, München 1996. Groß angelegtes Panorama der Chesapeake Bay und ihrer Bewohner über vier Jahrhunderte, von den indianischen Ureinwohnern und den ersten Kolonisten zu den verfeindeten Nord- und Südstaaten.

Maßeinheiten, Temperaturen

1 inch (in.)	= 2,54 cm
1 foot (ft.)	= 12 in.
	= 30,48 cm
1 yard (yd.)	= 3 ft. = 91,44 cm
1 mile (mi.)	= 1760 yd.
	= 1,609 km
1 fluid ounce (fl.oz.)	= 29,57 ml
1 quart (qt.)	= 2 pt. = 0,95 l
1 gallon (gl.)	= 4 qt. = 3,791 l
1 pound (lb.)	= 16 oz.
	= 453,59 g

Temperatur-Umrechnung:
$$°C = (°F - 32) \times 5 : 9$$
$$°F = °C \times 9 : 5 + 32$$

Notruf

Gebührenfreie, einheitliche Notfall-Rufnummer: Tel. 911
Notrufnummer des Amerikanischen Automobilverbandes AAA: Tel. 1-800-AAA-HELP (1-800-222-4357).

Öffnungszeiten

Die meisten Büros, Banken und viele Geschäfte haben 9–17 Uhr geöffnet. Einkaufzentren *(malls)* sind häufig bis 21 Uhr offen, verschiedene Supermärkte schließen gar nicht.
Viele Museen haben am Donnerstag länger als 17 Uhr geöffnet.

Post

Eine Postkarte nach Europa kostet 70 cent, ein Brief von 0,5 oz. (= 14,2 g) kostet 80 cent, eine weitere oz. Gewicht 40 cent mehr. Luftpostsendungen sind ca. 10–14 Tage unterwegs. Teurere Expressdienste (UPS, Federal Express) befördern die Sendungen über Nacht.

Radio und Fernsehen

Die meisten Radio- und Fernsehstationen sind kommerziell. Nur der öffentliche Sender PBS sowie einige Kabelkanäle (gegen Gebühr), wie der Spielfilmsender HBO, sind fast werbefrei. Radiosender lassen sich nur in meist kleinem Radius empfangen, mit wenigen Sprachbeiträgen und meist permanent von Werbung unterbrochener Musik.

Rauchen

Raucher haben es zunehmend schwerer in den USA. Viele Restaurants und kleinere Hotels sind als Nichtraucheretablissements ausgewiesen, in ande-

217

ren sind zumindest Raucherecken erhalten geblieben. Auch alle Flüge in die USA sind Nichtraucherflüge.

Reisekasse

Der noch immer hohe Dollarkurs empfiehlt eine gute Planung. Wer nicht immer teuer Essen gehen will, findet in Kettenrestaurants von McDonalds bis Applebee's preisgünstigere Alternativen. In den meist phantastisch sortierten Supermärkten kann man sich zudem ein Picknick zusammenstellen. Factory Outlet Malls mit Geschäften, in denen Markenprodukte deutlich preiswerter angeboten werden, schonen die Reisekasse. Achtung: Bei den ausgewiesenen Preisen (auch in Hotels) kommen oft noch verschiedene Steuern von 6–14 % hinzu.

Reisegepäck

Nur wenige, elegante Restaurants verlangen Jackett und Krawatte bei Herren oder legen Wert darauf, dass keine Jeans getragen werden. Meist lebt und kleidet man sich rund um die Bay leger. Eine Ausnahme sind geschäftliche Besprechungen. In den Strandorten am Atlantik gilt Badekleidung im Restaurant als zu dürftig, daher oft der Hinweis ›no shirt, no shoes – no service‹. In den Höhen der Appalachen ist wegen der kühlen Abende auch im Hochsommer eine Jacke ratsam.

Sicherheit

Das Sicherheitsrisiko in den meisten ländlichen Gebieten, auch in vielen Großstadtvierteln ist gering. Besucher, die sich nicht auskennen, sollten jedoch nicht allein nach Einbruch der Dämmerung in den östlichen Stadtteilen von Washington und Baltimore auf Entdeckungstour gehen. Allgemein gelten die Regeln, Wohlstand nicht offen zur Schau zu tragen, Wertgegenstände nicht im Auto zu vergessen, wertvollen Schmuck besser daheim zu lassen.

Souvenirs

In vielen Museen und Galerien sowie im jeweiligen Visitor Center von State und National Parks erhält man Drucke, Bücher oder Plakate, die anderswo nicht zu haben sind. Wer viel Platz im Koffer hat, kann auch eine dekorative Flickendecke (Quilt) erwerben. Schiffsmodelle und andere maritime Mitbringsel halten die Küstenorte bereit. Rund um die Chesapeake Bay gibt es kunstvoll geschnitzte Lockvögel für die Jagd bzw. als dekoratives Zierstück zu kaufen.

Telefon

Ein Ortsgespräch von der Telefonzelle kostet 35 cent. Einige Hotels werben mit kostenlosen Ortsgesprächen, andere schlagen erhebliche Gebühren auf alle Gespräche, die vom Hotelzimmer geführt werden. Telefonkarten kann man in vielen Geschäften und Kiosken erwerben. Sie ermöglichen über eine Servicenummer bargeldloses und kostengünstiges Telefonieren. Bei Ferngesprächen innerhalb der USA muss zuerst eine 1, dann der dreistellige Area

Code, danach die Anschlussnummer gewählt werden. Wer mobil erreichbar sein will, muss ein Tri-Band-Handy besitzen und einen Vertrag bei einer Telefongesellschaft mit in Nordamerika weit verbreitetem Roaming Partner haben.

Gebührenfreie Vorwahl 800 bzw. 888. Vorsicht: Die Vorwahl 900 kann sehr teuer werden. Die Vorwahl nach Deutschland: 0 11 49, nach Österreich; 0 11 43, in die Schweiz: 0 11 41.

Trinkgeld

Trinkgeld *(tip)* ist ein wichtiger Bestandteil des Gehaltes im Dienstleistungssektor. Bei ordentlichem Service erwartet eine Bedienung im Restaurant oder ein Taxifahrer in der Regel 10–15 % des Rechnungsbetrages, das Zimmermädchen im Hotel freut sich über 2 $ pro Übernachtung, ein Gepäckträger über 1 $ pro Gepäckstück. Achtung: In einigen Restaurants wird eine Servicepauschale bereits auf der Rechnung ausgewiesen.

Unterkunft

Hotel
Washington und die Capital Region warten mit einer Vielzahl von Hotels in allen Preiskategorien auf. In der Hauptstadt und auch in Baltimore bieten Hotels häufig günstigere Wochenendpreise und Rabatte im Hochsommer an. An den Ausfallstraßen der Orte liegen die Unterkünfte vieler Hotelketten. Zimmer in Budgethotels, wie Motel 6, Econolodge oder Red Carpet Inn, gibt es zuweilen schon ab 30 $.

Bed & Breakfast
Beliebt sind Übernachtungen in individuell geführten Pensionen, die meist mit opulentem Frühstück angeboten werden. Häufig schläft man in umgebauten Villen, mit Kamin und Kristalllüster. Anders als in Großbritannien sind sie jedoch selten unter 75 $ zu buchen.

Jugendherberge
In der Capitol Region gibt es nur wenige Youth Hostels (www.hiayh.org/german). Über eine Liste verfügt das Deutsche Jugendherbergswerk, Postfach 1455, 32704 Detmold, Tel. 0 52 31-7 40 10.

Camping
In den landschaftlich reizvollen Regionen, in National und State Parks, gibt es als Alternative auch Campingplätze. Neben den staatlichen bieten auch viele private ihre Dienste an. Meist können sowohl Zelte aufgeschlagen bzw. an speziell ausgestatteten Plätzen auch Campmobile mit Strom- und Wasseranschluss geparkt werden. Das Preisniveau bewegt sich zwischen 14–40 $, je nach Lage und Ausstattung.

Verkehrsmittel

Flugzeug
Neben den Internationalen Airports verfügen alle mittleren und viele kleinere Städte über eigene Flughäfen, die von amerikanischen Gesellschaften, wie United, Delta oder USA-Airways bzw. deren Regionalcarriern, angeflogen werden. Wer Inlandsflüge buchen will, kann über das heimische Reisebüro Zeiten und Preise erfragen.

219

Bahn

Mehrere Strecken der halbstaatlichen Eisenbahngesellschaft Amtrak passieren die Capitol Region. Eine Strecke von New York nach Atlanta führt über Baltimore, Washington und Charlottesville, eine andere erreicht von Chicago das Städtchen Cumberland in Maryland und führt über Washington weiter nach Richmond und Petersburg. Eine dritte fährt von Cincinnatti nach Charlottesville und von dort weiter über Richmond zu den Städten der Hampton Roads. Fahrpläne und Preise erfährt man im Internet unter www.amtrak.com oder in Reisebüros.

Bus

Die bereits legendären Greyhound-Fernbusse verbinden noch immer die wichtigsten Städte miteinander. Ihre Terminals liegen meist recht zentral. Mit einem Ameripass kann man das Streckennetz günstiger nutzen. Informationen in Reisebüros oder im Internet unter www.greyhound.com.

Mietfahrzeuge

Um einen Mietwagen zu übernehmen, muss man mindestens 21 Jahre alt sein. Unter 25-jährige zahlen eine Zusatzversicherung von 5–10 $ pro Tag. Es ist kostengünstiger, den Mietwagen bereits im heimischen Reisebüro zu buchen. Dann sind zudem die sinnvollen Versicherungen und die Steuern im Preis enthalten. Für die kleinste Kategorie muss man pro Woche knapp 200 € anlegen, ein Minivan kostet etwa 500 €. An den Airports aller Städte, auch der mittelgroßen, sind die gängigen Mietwagenunternehmen vertreten.

Natürlich ist es ebenfalls möglich, mit dem Campmobil Städte und Natur rund um die Chesapeake Bay zu erkunden. Campmobile sollte man bereits über das Reisebüro in Europa mieten. Bessere Preise und mehr eingeschlossene Leistungen sind deutliche Vorteile.

Zeit

Washington und die Capital Region liegen in der Zeitzone der Eastern Standard Time. Zeitverschiebung: Mitteleuropäische Zeit minus 6 Stunden. Sommerzeit gilt in den USA vom letzten Sonntag im April bis zum letzten Sonntag im September.

Zeitungen und Zeitschriften

Die ›Washington Post‹ gilt als das führende Blatt der Region mit fundierten Berichten, mit Veranstaltungshinweisen und nicht zuletzt mit verlässlichen Restaurantkritiken. Die zweite Tageszeitung der Stadt, ›Washington Times‹, gehört zur Sekte des Reverend Sun Myung Moon, sie wird daher im Volksmund ›Moonies‹ genannt. Sie berichtet aus einem äußerst rechten Blickwinkel über die Ereignisse. Auch die ›New York Times‹, vor allem die Wochenendausgabe, verfügt über eine nennenswerte Leserschaft in Washington und in Baltimore. Dort hat die ordentlich gemachte ›Baltimore Sun‹ den größten Einfluss.

›Baltimore‹ nennt sich die wichtigste monatliche Stadtillustrierte in eben dieser Stadt, in Washington orientiert man sich im ›Washingtonian‹.

220

SPRACHFÜHRER

Im Alltag

Wie geht es Ihnen? (Floskel)	How are you doing?/How are you today?
Danke, gut.	Fine, and how are you?
Entschuldigen Sie,	Excuse me.
Tut mir Leid.	I´m sorry.
Woher kommen Sie?	Where are you from?
Ich komme aus ...	I´m from ...
Sprechen Sie Deutsch?	Do you speak German?
Freut mich, Sie kennen zu lernen.	Nice to meet you.
Wie heißen Sie?	What´s your name?
Wie gefällt es Ihnen hier?	How do you like it here?
Darf ich mich zu Ihnen setzen?	May I join you?
Ist dieser Platz frei?	Is this seat taken?
Hat mich gefreut, Sie kennen zu lernen.	It was nice meeting you/talking to you.
Wann treffen wir uns?	When shall we meet?
Was kostet das?	How much does this cost?
Wer? Was?	Who? What?
Wann? Welcher?	When? Which?
Wie viel?	How many, how much?
Wo ist ...?	Where is ...?
Entschuldigung, wo sind die Toiletten?	Excuse me, where are the restrooms?
Haben Sie ...?	Do you have ...?

Unterwegs

Flughafen	airport
Abfahrt/Abflug	departure
Ausgang	exit
Ausgebucht	fully booked
Rückbestätigen	to reconfirm
Gepäck	baggage/luggage
Koffer	suitcase
Handgepäck	carry-on luggage
Bahnhof/Bus	train/bus station
Schließfächer	lockers
Fernstraße	highway
Kreuzung	intersection
Parkplatz	parking lot
Geländewagen	four-wheel drive
Kleinbus	minivan
Wohnmobil	camper, RV (recreational vehicle)
Benzin	gas
Rechnung	bill/receipt
Zoll	customs
Verzollen	to declare
Zoll bezahlen	to pay duty

Im Hotel

Haben Sie Zimmer frei?	Do you have any vacancies?
Doppel-/Einzelzimmer	double/single room
Wohnung	apartment
mit Meerblick	with oceanview
Parterre	first floor
normales/mittelgroßes/sehr großes Doppelbett	twin/queensize/kingsize bed
Babybett	cot/crib
eigenes/gemeinsames Bad	private/shared bath

Dusche	shower
Raucher oder Nichtraucher?	smoking or non smoking?
Frühstück im Preis inbegriffen	breakfast included
Halbpension	half board
Wie viel kostet das?	How much does it cost?
Ermäßigung	discount
Empfang	reception
Reservierung	reservation
Bestätigungsnummer	confirmation number
Stornierung	cancellation
Nachricht	message
Wie kann ich telefonieren?	How do I make a phone call?
Zimmer räumen	to check out
Zimmerservice	room service
Bettlaken	sheets/linen
Handtuch	towel
Kleiderbügel	hanger
Klima-Anlage	air condition
Stecker	plug
Waschbecken	sink
Mülleimer	trash bin

Gesundheit

Notfall	emergency
Unfall	accident
Krankenwagen	ambulance
Krankenhaus	hospital
Sprechstunde	office hours
Praktischer Arzt	G. P. (general practitioner)
Zahnarzt	dentist
Frauenarzt	gynaecologist
Schwanger	pregnant
Ich fühle mich nicht wohl.	I don't feel well.
Krank	ill
Verletzung	injury
Entzündung	infection
Fieber	fever/temperature
Kopfschmerzen	headache
Magenschmerzen	stomach ache
Allergisch	allergic
Blut	blood
Schmerz	pain
Schmerzmittel	painkiller
Schlaftablette	sleeping pill
Medizin	medication
Rezept	prescription
Apotheke	Pharmacy
Röntgen	X-ray
Verbandszeug	first-aid kit

Bank, Post, Behörden

Währung	currency
Bankkonto	bank account
Geldautomat	ATM (automatic teller machine)
Geldbörse	wallet/purse
Geldschein	bill
Bar	cash
Kreditkarte	credit card
Reisescheck	traveller's check
Postamt	post office
Telefonbuch	telephone directory
Telefonvorwahl	area code
Postleitzahl	zip code
Briefmarke	stamp
Luftpostbrief	aerogram
Päckchen	package
Postlagernd	general delivery
Briefkasten	mailbox
Pass	passport/ID

Zeitangaben

Wie spät ist es?	What time is it?
Nachmittags	in the afternoon
Abends	in the evening

Halb sieben	half past six
Um 8 Uhr	at eight o'clock
Viertel vor 10	quarter to ten
Vor 18 Uhr	before 6 p.m.
Wochenende	weekend
Wöchentlich	every week
(Zu) früh	(too) early
(Zu) spät	(too) late
Zur Zeit	at the moment

Im Restaurant

appetizer	Vorspeise
bacon	Frühstücksspeck
boiled	gekocht
breakfast	Frühstück
broiled	gegrillt
bun	Brötchen, weich
check/bill	Rechnung
Cheers!	Auf Ihr Wohl!
clam chowder	Venusmuschelsuppe
cod	Kabeljau
cole slaw	Krautsalat
crabs	Krebse
cream	Kaffeemilch
cucumber	Gurke
desert	Nachtisch
dinner	Abendessen
doggy bag	höfliche Umschreibung, den Rest des Essens einzupacken
dressing	Salatsauce
eggs, sunny side up	Spiegeleier (Eigelb nach oben)
eggs, over easy	Spiegeleier (beidseitig gebraten)
entree	Hauptgang
For here or to go?	Zum hier essen oder mitnehmen?
fork	Gabel
french fries	Pommes frites

garlic	Knoblauch
ham	Schinken
hash browns	Bratkartoffeln
honey	Honig
icecream	Speiseeis
icecube	Eiswürfel
juice	Saft
knife	Messer
liquor	Spirituosen
lunch	Mittagessen
mashed potatos	Kartoffelpüree
menue	Speisekarte
muffin	Toastbrötchen
New York strip	Beefsteak
oysters on the half shell	Austern in der Schale
pancake	Pfannkuchen
pepper	Pfeffer
pineapple	Ananas
Please wait to be seated!	Bitte warten Sie, bis Sie an einen Tisch geleitet werden.
pumpkin	Kürbis
restroom/bathroom/ ladies, mens room	Toilette
salmon	Lachs
salt	Salz
scrambled eggs	Rühreier
shellfish	Schalentiere
shrimps	Krabben
spoon	Löffel
soup	Suppe
sugar	Zucker
sweetener	Süßstoff
tax	Mehrwertsteuer
tip	Trinkgeld
trout	Forelle
veal	Kalbfleisch
vegetable	Gemüse
vinegar	Essig
waiter/waitress	Kellner/Kellnerin

223

REGISTER

227

ATLAS

MARYLAND, VIRGINIA
ÜBERBLICK WASHINGTON D.C.

LEGENDE

1 : 1.100.000

0   40 km

≡≡≡	Autobahn, gebührenpflichtig	— — —	Fähre
━━━	Autobahn	- - - - -	Intracoastal Waterway
━━━	Schnellstraße	– – – –	Apalachian Trail
━━━	Fernstraße	✈	Internationaler Flughafen
━━━	Hauptstraße	✈	Nationaler Flughafen
───	Nebenstraße	★	Sehenswürdigkeit
—·—··—	Staatsgrenze	🖋	Wasserfall
—·—··—	Militärisches Sperrgebiet	🛈	Leuchtturm
—·—··—	Naturschutzgrenze	🌳	Nationalpark, Naturpark

Youghiogheny River Lake
Mt. Davis 964 m
Ursina
Harnedsville
Meyersdale
Pleasant Union

Fairchance
Farmington
Listonburg
Salisbury
Wellersburg
96

Pt. Marion
Flat Rock
Markleysburg
Addison
Keysers
Ridge
Grantsville
Barrelville
Corrigan

Core
Star City
Clifton Mills
Brandonville
Savage River S.F.
Avilton
Frostburg

Morgantown
Hazelton
Accident
Bittinger
New Germany
Cresaptown

Dellslow
Cuzzart
Hoyes
McHenry
Savage River S.F.
Lonaconing
Midland
Short Gap

Masontown
Lenox
Cranesville
Garrett S.F.
Deep Lake
Savage R. Res.
Rawlings
Fort

Arthurdale
Reedsville
Westernport
220
Dawson

Kingwood
Swanton
Piedmont
Jennings Randolph Lake
Keyser
Springfield

Halleck
Borgman
Terra Alta
Oakland
Altamont
Elk Garden
New Creek
Burlington

Newburg
Tunnelton
Corinth
Mountain Lake Park
Gortner
Redhouse
Potomac S.F.
Gormania

Grafton
Tygart L.
Macomber
Aurora
Nancy Hanks Mem.
Purgitsville

Clemtown
Etam
Erwin
Silver Lake
Bayard
Wilson
Mt. Storm L.
Mount Storm

Arden
Philippi
Nestorville
St.George
Thomas
Scherr
Medley
Old Fields
Kirby

Rangoon
Montrose
Hambleton
Hendricks
Davis
Blackwater Falls S.P.
Stony R. Res.
Maysville
Arthur
Arkansas

Belington
Kerens
Red Creek
Smoke Hole Caverns
Cabins
Rig
Moorefield

Harding
Junior
Sully
Spruce Knob
Hopeville
Petersburg
Lost City
Lost River

Norton
Elkins
Harman
Seneca Rocks
Dorcas
Lost River S.P.
Mathias

Coalton
Bowden
Wymer
Job
Onego
Seneca Rocks
Landes
Milam
Basye

Mabie
Cassity
Beverly
Whitmer
Seneca Caverns
WEST VIRGINIA
Bergton
Forestville

Dailey
Bemis
Glady
Riverton
Upper Tract
Fort Seybert
Quicks

Mill Creek
Spruce Knob 1458 m
Judy Gap
Franklin
Oak Flat
Brandywine
Fulks Run
Tim

Sinks of Gandy
Circleville
Cherry Grove
Cootes Store

Durbin
Thornwood
Harper
Sugar Grove
Rawley Springs
Singers Glen

Valley Head
Bartow
Blue Grass
Moyers
Mount Clinton
Edom

Nat'l Radio Astronomy Observatory
Hightown 813 m
Jack Mtn.
Reddish Knob 1619 m
Harrisonburg

Cass
Green Bank
Monterey
Doe Hill
Briery Branch
Dayton
Laird

Dunmore
Vanderpool
Head Waters
Natural Chimney
Mount Crawford
Penn

Seneca S.F.
McDowell
Mustoe
Mount Solon
Moscow
Weyers Cave

Campbelltown
Marlinton
Frost
West Augusta
Fort Defiance
Churchville
Verona
Grand C.

Minnehaha
S. 234
Deerfield
Buffalo Gap
New Hope

PENNSYLVANIA

MARYLAND

Greencastle
Zullinger
Waynesboro
Monterey
Emmitsburg

Amaranth
Dott

Chesapeake &

Hancock
Clear Springs
Wilson
Catoctin
Mtn. Park
Taneytown
Thurmont
Creagerstown

...land
Ohio Canal
Great
Cacapon
Berkley
Springs
Cherry Run
Marlowe
Williamsport
Hagerstown
Catoctin
Woodsboro
New...

Pinkerton Knob
540 m
Hedgesville
Falling Waters
Boonsboro
Gambrill
S.P.
Liber...

Paw Paw
Nat'l. Hist. Park

...gs   Levels
Unger
Martinsburg
Antietam
Nat'l. Battlefield
Middletown
Mt. Pleasar...
FREDER...
Mount...

Forks of
Cacapon
Glengary
Shepherdstown
Jefferson
Monrovia

...ches
Slanesville
Georges Pk.
Cross
Junction
Tablers
...mwood
Kearneysville
340
Hyatts-
town

Capon Bridge
Gainesboro
Rancon
Charles Town
Harper's Ferry
Lovettsville
Tuscarora
Dickerson

High View
Pinnacle
853 m
Gore
Hayfield
Albin
Clear Brook
Rippon
Hillsboro
Waterford
Lucketts
Germantown

Spring   Capon
Spring
Winchester
Berryville
Round Hill
Hamilton
Leesburg
Seneca Creek
S.P.
Potomac

Vardensville
Lebanon
Church
Stephens City
Middletown
Armel
Millwood
White
Post
Paris
Bluemont
Philomont
Oatlands
Ashburn
Middleburg
Arcola
Herndon
Potoma...
Great Falls
Park

Mount Olive
Strasburg
Cedarville
Sky Meadows
S.P.
Upperville
Middleburg

...umbia
...nace
Toms
Brook
Woodstock
Riverton
Front Royal
Manassas Gap
285 m
Delaplane
Washington-Dulles
International Airport
Halfway
Manassas Nat'l.
Battlefield Park
Chantilly
Ar...

Edinburg
Detrick
Bentonville
Linden
Markham
Marshall
The Plains
Catharpin
Annanda...

Jackson
...amburg
Browntown
Mt. Marshall
1010 m
Flint Hill
Chester Gap
Hume
Bethel
New
Baltimore
Gainesville
Manassas
Park
Manassas
Lorton

Caverns
Rileyville
Oak Hill
Orlean
Warrenton
Bristow
Woodbridge
Occoquan
Dale
City

...arket
Alma   Ida
Stanley
Washington
Sperryville
Amissville
Catlett
Independent Hill

Newtown
Swift Run Gap
710 m
Luray
Woodville
Jeffersonton
Opal
Quantico Marine Corps
Combat Dev. Command
Flying Circus
Airport Museum
Somerville
Garrisonville
Stafford

...Lydia   Hood
Madison
Pratts
Radiant
Etlan
Haywood
Rixeyville
Remington
Morrisville
Roseville
Brooke
Fairvie...
Beac...

Dyke
Nortonsville
Stanardsville
Rochelle
Locust Dale
Madison Mills
Unionville
Culpeper
Leon
Brandy Station
Stevensburg
Goldvein
Richardsville
Hartwood
Fredericksburg
Falmouth

Boston
National Park
Shenandoah
Mine Run
Wilderness
Flat Run
Four Mile
Fork

Free
Barboursville
Montpelier
Ruckersville
Orange
Lahore
Paytes
Spotsylvania
Post Oak
Messaponax
Jacks...
Guinea

S.235

231

A | B | C

Zullinger • Waynesboro
Monterey
Emmitsburg
Catoctin Mtn. Park
Two Taverns
Littlestown
Brodbecks
Stew town
Ady
Maryland Line • Manchester
Pretty boy Res.
• Shawsville
Jarrettsville
Hampstead
Hereford • Monkton
Topiary Gardens
1 Hagerstown
Thurmont
Taneytown
Creagerstown
Westminster
Cranberry
Fowlesburg
Sandyville
Butler
Cockeysville
Kingsville
Gunpowder Falls S.P.
Catoctin
New Windsor
Woodsboro
Libertytown
Reisterstown
Owings Mll.
Towson
Joppato
Boonsboro
Middletown
Mt. Pleasant
Mount Airy
FREDERICK
Monrovia
Cooksville
Liberty Res.
Patapsco Valley S.P.
BALTIMORE
Essex
Midd
Harper's Ferry
Jefferson
Brunswick
Hyatts-town
Damascus
Glenwood
Elioak
Lovettsville
Tuscarora
Cedar Grove
Patuxent River S.P.
Baltimore Washington International Airport
Glen Burnie
Taylorstown
Dickerson
Sunshine
NSA-Geheimdienst
Jacobsville
2 Waterford
Germantown
Gaithersburg
Ashton
Hamilton
Leesburg
Seneca Creek S.P.
Rockville
Silver Spring
Laurel
Gibso Island
Philomont
Potomac
Crofton
Arnold
Oatlands
Great Falls Park
Bowie
Annap
burg
Arcola
Herndon
Bethesda
WASHINGTON D.C.
Washington-Dulles International Airport
Ashburn
Chantilly
Arlington
Suitland
Lothian
Halfway
Manassas Nat'l. Battlefield Park
Catharpin
Annandale
Alexandria
Marlton
Croom
Bristol
Plains
Manassas Park
Mount Vernon
Brandywine
Owings
Chesapeake Beach
3 ew Baltimore
Gainesville
Manassas
Lorton
Cedarville
Sunderland
Bristow
Occoquan
Gunston Hall
Pinefield
Waldorf
Dares Beach
Catlett
Woodbridge
Dale City
Indian Head
Bryans Road
St. Charles
Prince Frederick
alverton
Independent Hill
Mason Springs
Hughesville
Battle Creek Cyp. Swamp
uantico Marine Corps ombat Dev. Command
Flying Circus Airport Museum
Marbury
Port Tobacco
Bryantown
Benedict
Wallville
Patterson S.P.
Lus
on Somerville
Morrisville
Garrisonville
Doncaster
Ironsides
La Plata
Dentsville
Helen
Goldvein
Roseville
Grayton
Faulkner
Budds Creek
Hollywood
Sotterly F
Richardsville
Hartwood
Stafford
Riverside
Popes Creek
Newburg
Tompkins-ville
Clements
Sol Californi
4 t Run Fredericksburg
Brooke
Falmouth
Fairview Beach
Maryland Point
Dahlgren
Rock Point
Leonardtown
Beauvue
Le
Run
Four Mile Fork
Weedonville
Edgehill
Colonial Beach
Cobb Island
White Point Beach
St. Inigo
232 ylvania Post Oak
Guinea
Massaponax
Jacks
S. 236
Port Royal
Leedstown
George Washington Birthplace Nat'l. Mon.
Oak Grove
Westmoreland
Stratford Hall
Coles

D WILMINGTON E Penns Grove F Glass

Newark New Castle Woodstown 45

273 Fair Hill Rising Sun 77 55 Williamstown 30
Port Deposit Pennsville 45 Franklinville 322 Folsom
Level Elk Neck Glasgow Salem Alloway Elmer Malaga National
Harve de Grace Chesapeake City St. Georges Quinton Bridge Battle Mon. Centerton Buena 1
Aberdeen Hancocks Bridge Seabrook Parvin S.P. Vineland Mays
Cayots Odessa Hancock House Shiloh Gouldtown Millville
Middletown Warwick Taylors Bridge Bridgeton Cedarville Reserve
Earleville Blackbird Woodland Beach NEW JERSEY Port Elizabeth
Galena Smyrna Port Norris Delmont
Kennedyville Bombay Hook Nat'l. Wildlife Refuge Maurice River Cove South Denni
Newtown Kenton Cape Ma Court Ho
Chestertown Crumpton Little Creek Green Creek
Sandy Bottom Sudlersville Dover Dickinson Mansion Delaware Bay Villas
Starkeys Corner Church Hill Willow Grove Bowers Beach Rio Grande
Centreville Price Marydel Ingleside South Bowers 47
Goldsboro Felton Frederica Thompsonville 9
Ruthsburg Hollandsville 12
Grasonville Tuckahoe S.P. Ridgely Harrington Lynch Heights Cape Mary Pt. S.P.
Vernon Slaughter Beach
Denton Milford Primehook Beach
Cordova Andersontown Oakley Broadkill Beach
Easton Bethlehem Greenwood Owens Lewes Cape Henlopen S.P.
Newscom Concord Ellendale S.F. Milton North Shores
Choptank Preston Bridgeville Redden Gravel Hill Harbeson Rehoboth Beach
Oxford Bruceville Hederalsburg Coverdale Crossroads Georgetown Dewey Beach
East New Market Seaford Reliance Delaware Seashore S.P.
Cambridge Hurlock Woodland Bryans Store Warwick Rehoboth Bay
Eldorado Rhodesdale Pepper Dagsboro Clarksville Bethany Beach
Church Creek Salem Sharptown Giant Oak Corner Selbyville Johnson
Old Tinity Church (1670) Columbia Laurel Bishop Fenwick Island
Bucktown Vienna Mason-Dixon Mon. Delmar Whaleyville
Blackwater Nat'l. Wildlife Refuge Athol Hebron Parsonsburg Pittsville Ocean City
Andrews Quantico Salisbury Berlin West Ocean City
Crapo Royal Oak Powellville Whiton Ironshire
Toddville Tyaskin Fruitland Newark
Bishops Head Allen Eden Longridge 354
City of Maryland Waterview 13 Whiteburg Assateague Island
Crocheron Monie Bay Dames Quarter Princess Anne Snow Hill Assateague
Chance Vanton Pocomoke S.F. Spence National Seas
Wenona Upper Hill Westover S. 237 Tree
Rumbley 413 113

233

Seneca S.F.

Campbelltown
Marlinton

A

Amore

S. 230

McDowell
Mustoe

Vanderpool

Head
Waters

B

Bridgewater

Natural Chimney ★

Mount Solon

a

Mount
Crawford

Laird

Moscow

Weyers
Cave

Port Re

Huntersville

Frost

Minnehaha
Springs

Williamsville

Deerfield

West Augusta

250

Fort Defiance
Churchville
Verona

42

C

Grottoe
★ Grand Cav
Harriston

New
Hope

Crimora

1

Mountain Grove

Bacova

Warm Springs

Mitchelltown

Millboro
Springs

Buffalo Gap

Elliot Knob ▲
1337 m

254

Woodrow Wilson's
Birthplace

Augusta Springs

Craigsville

Bells Valley

Middlebrook

Mint
Spring

★ Staunton

Fishers-
ville

Lyndhurst

Waynesbo

64

39

Lake
Moomaw

92

Natural Well

Carloover
Ashwood

Douthat
S.P.

42

Millboro

Goshen

Moffats Creek

Big Butte
1035 m

Goshen Pass
398 m

340

Afton

Stuarts
Draft

Devils Knob

Avon

Batesvil

64
81

Raphine
Steeles
Tavern

Montebello

Nellysford

Greenfield

1155 m

ing Spring

Natural Well

Clearwater
Park

Nicely-
town

Longdale
Furnace

East
Lexington

Rockbridge
Baths

60

11

Fairfield

6

Covington

60

Clifton Forge

Low Moor

Glen
Wilton

26

2

Lexington

Buena
Vista

Mt. Pleasant
1216 m

56

Massies Mill

Roseland

29

Schu

220

Sugarloaf Mtn.
1088 m

Gala

Eagle Rock

Salpetre

Natural Bridge

501

Oronoco

Forks of
Buffalo

Piney River

Clifford

Lovingston

Arrington

Norwood

Mtn

Oriskany

Natural
Bridge

James

Glasgow

Pedlar
Mills

High Peak
880 m

Amherst

New
Glasgow

Gladstone

Bent Cre

ew Castle

Fincastle

Buchanan

Appalachian Trail

Big Island

Five Oaks

Elon

Monroe

Oakville

Holliday
S

Daleville

11

Villamont

Montvale

Thaxton

43

Coleman
Falls
Boonsboro

122

Madison
Heights

Lynchburg

460

Appomattox

Evergreen

★

26

3

✈ Roanoke

Vinton

Cloverdale

221
460

221

Bedford

Goode

Forest

221

New
London

✈

24

460

Spout
Springs

Sherwill

Stewartsville
Chamblissburg

Booker T.
Boones Washington
Mill Nat'l. Mon.

Wirtz

Burnt
Chimney

24

Goodview

Roanoke
(Staunton)

Smith Mtn.

★ Smith Mtn.
Lake S.P.

Lake

Evington

43

Lanch
Station

Leesville

29

Rustburg

Winfall

Gladys

Red
House

4

Callaway

Glade Hill

122

Union Hall

40

Penhook

Leesville
Lake

Pittsville

Altavista
Hurt

Motley

Hodges

Long
Island

Naruna

501

Red Hill-Pa
★ Henry Nat'l

Brookneal

Ferrum

Sydnorsville

Henry

Figsboro

Sago

Sandy
Level

Callands

Gretna

Mount
Airy

40

Cody

Java

Volens

Meadville

Nathalie

Crystal
Hill

Mo
La

Clov

Philpott

Mountain
Valley

Chatham

Dry Fork

Ingram

Vernon Hill

Centervillen

Halifax

360

Sc

wn

llinsville

710 m

D

Pratts
Radiant
Lydia
Stanardsville
Rochelle
Locust Dale
Madison Mills
Unionville

E

Rapidan
Flat Run
Wilderness
S. 231
Fredericksburg

F

Fairview
Beach

Yarmouth

Four Mile
Fork

Weeder

Dyke
Nortonsville
Montpelier
Ruckersville
Somerset
Orange
Lahore
Mine Run
Paytes

Spotsylvania
Post Oak

208

Massaponax

Jackson Shrine
Fort

17

1

Free
Union
Barboursville
Gordonsville
Lake Anna S. P.
Belmont
Snell
Thornburg
Guinea
Villboro

30

A. F

Carrsbrook
Charlottesville
Boswells
Tavern
Wares
Crossroads
Lake Anna
Partlow
Lady
smith
Bowling
Green
Milford

Keswick
Louisa
Mineral
Chilesburg
Cedar
Creek
Ruther
Glen

nie Tavern
Monticello
Cuckoo
Bumpass
Beaverdam
Hewlett
Doswell
Dawn

sh Lawn-Highland
L. Monticello
Woodridge
Ferncliff
Locust
Creek
Beul

Keene
Cunningham
Palmyra
64
Montpelier
Scotchtown
Home of
Patrick Henry
Ashland
Elmont
Hanover

mont
Scottsville
6
Careysbrook
Dixie
Caledonia
Hadensville
Gum Spring
S. Anna
Rockville
33
301
Studley

2

ardsville
Centenary
Arvonia
Fork Union
New Canton
Fife
Georges
Tavern
Goochland
Oilville
Crozier
Manakin-
Sabot

Lakeside
Village
Cartersville
Jefferson
522
6

gham
Dillwyn
Bear Creek
Lake S. P.
Cumberland
S. P.
Trenholm
Powhatan
Macon
Flat
Rock
RICHMOND
295
S. 236

Sprouses
Corner
Cumberland
Ballsville
Moseley
Pocahontas
S. P. & S. P.
Chesterfield
Chester
Shirl

5

Andersonville
Buckingham-
Appomattox S. F.
Sunnyside
Tobaccoville
Clayville
788

Guinea
Mills
Morven
Winterham
Chula
Winterpock
L. Chesdin
Hopewell

45
Deatonville
Amelia
Court House
Scotts Fork
Mannboro
Petersburg
Peter
Nat'l

rk
Farmville
Rice
Jetersville
Earls
15

Kingsville
Hampden
Sydney
Twin Lakes
S. P.
Crewe
153
Five
Forks
Sutherland
85

Darlington
Heights
Meherrin
Green Bay
Burke-
ville
Nottoway
Wilsons
Dinwiddie
11

arlotte
urt House
Keysville
Nutbush
Blackstone
Darvills
DeWitt
Carson

47
40
49
Victoria
40
McKenney
Stony Creek
40

Lunenburg
46
85

Fort
Mitchell
15
360
Kenbridge
137
Danieltown
Warfield
Alberta
Dolphin
Purdy
Jarratt
301

Wylliesburg
Fairview
92
Chase City
47
North
View
Meherrin
Lawrenceville
Cochran
Callaville
Edgerton
Gray
95

Red Oak
49
92
South Hill
Brodnax
Griz

A **B** **C**

Flat Run
Fredericksburg
Falmouth
Fairview Point
Dahlgren
Clements
Solon
California
Lex
Tompkinsville
Wicomico
Rock Point
Cobb Island
Leonardtown
Beauvue
White Point Beach
Pa
S
St. Inigoe
Weedonville
Edgehill
Colonial Beach
George Washington Birthplace Nat'l. Mon.
Spotsylvania Post Oak
Messaponax
Oak Grove
Port Royal
Westmoreland S. P.
Stratford Hall
Coles Point
Potoma
Run
Four Mile Fork
1
Snell
Thornburg
Guinea
Villboro
Jackson Shrine
Fort A. P. Hill
Leedstown
Rappahannock
Montrose
Hague
Lake Anna
Partlow
Lady smith
Bowling Green
Milford
Supply
Hustle
Sparta
Newland
Templeman
Lyells
Callao
Village
Lottsburg
Heath
Chilesburg
Cedar Creek
Caret
Warsaw
Haynesville
pass
Beaverdam
Hewlett
Ruther Glen
Doswell
Newtown
Owenton
Beulahville
Millers Tavern
Tappahannock
Dunnsville
Farnham
Robley
Lively
Lanca
Locust Creek
Montpelier
Scotchtown Home of Patrick Henry
Dawn
St. Stephens Church
Bruington
Sharps
Center Cross
Bowlers Wharf
Morattico
Laneview
Mollusk
rozier
Rockville
Ashland
Elmont
Mangohick
Etna Mills
Aylett
Walkerton
Stevensville
Mattaponi
Water View
Millenbeck
Wee
2
Hanover
Manquin
King William
Truhart
Little Plymouth
Warner
Locust H
Manakin Sabot
Studley
Tunstall
Sweet Hall
West Point
Shackleford
Saluda
Hartfield
Dixi
Moseley
Tallysville
New Kent
Mattaponi
Adner
Dutton
ille
Richmond International Airport
Roxbury
Providence Forge
Lanexa
Barhamsville
York
Gloucest
Ark
V
RICHMOND
Pocahontas S. P.
Chesterfield
Chester
Evelynton
Berkeley
Charles City
Holdcroft
Norge
York River S. P.
White Marsh
Wicomico
3
Winterpock
L. Chesdin
Shirley
Westover
Sherwood Forest
Williamsburg
Busch Gardens
York
Hopewell
Prince George
Garysville
Brandon
Claremont
Jamestown
Five Forks
Newport News/Williamsburg International A
Petersburg
Petersburg Nat'l. Battlefield
Burrowsville
Cabin Point
Spring Grove
Chippokes Plantation S. P.
Surry
James
Ford
Sutherland
Five Forks
Dinwiddie
Disputanta
Savedge
Bacon's Castle
Fort Eustis
Kenney
DeWitt
Carson
Newville
Waverly
Dendron
Elberon
Lawson
NEWPO
NEW
4
Stony Creek
Homeville
Wakefield
Ivor
Raynor
Isle of Wight
PORTSM
Dolphin
Callaville
Edgerton
Purdy
Jarratt
Sussex
Litteton
Manry
Zuni
Windsor
4
Yale
Gray
Sebrell
Sedley
Walters
Suffolk
Grizzard
Drewryville
Courtland
Hunterdale
Great Dismal Swamp

D   Toddville   **E**   Whiton   Ironshire   **F**
oppersville   Bishops   Allen   Eden   S. 233   Newark
Head   Longridge
Crocheron   Waterview   Whiteburg   Snow Hill   Assateague Island
City   Dames Quarter   Vanton   Spence
al of Maryland   Chance   Princess   Pocomoke S. F.   Assateague Island
n   Anne   Girdletree   **National Seashore**
Wennona   Upper Hill   Westover
Rumbley   Goodwill   Stockton   **1**
Glen Martin Nat'l.   Smith Island   Pocomoke City   George Island
out   Wildlife Refuge   **MARYLAND**   George Island
t   Hopewell   **VIRGINIA**
out   **Crisfield**   Lawsonia   New Church
Saxis   Oak Hall
Smith Point   Temperanceville   Chincoteague
ilian   Hallwood   Atlantic
Reedville   Bloxom   **NASA Wallops**
ico Church   Parksley   Modest Town   Flight Center
Tangier   Assawoman Island
Island   Tasley   Metompkin Island
Onancock   Accomac
nock   Onley   **2**
ione   Harborton   Melfa   Cedar Island
Pungoteague   Keller   Wachapreague
Windmill   Painter
Point   Belle Haven   Quinby
Jamesville   Exmore   Parramore Island
Gwynn   Silver Beach
Nassawadox
udgins   Birdsnest   Hog Island
Diggs
Mathews   Eastville   Cobb Island   **A t l a n t i s c h e r**
Bavon   Cheriton   Wreck Island   **3**
New Point   Bay View   Ship Shoal Island
Comfort   Cape Charles   Myrtle Island   **O z e a n**
Plum Tree Island   Kiptopeke   Smith Island
Nat'l. Wildlife   S. P.   Kiptopeke
on   Refuge   Cape Charles
Cape Charles   **Lighthouse**

HAMPTON   **Chesapeake Bay**
Hampton   **Bridge Tunnel**
Roads   **Cape Henry**
NORFOLK   **Memorial**   Cape Henry
nal Airport   **4**
VIRGINIA BEACH
Oceana Naval Air Station
Chesapeake   **U. S. N. Fleet Combat**
Princess   **Training Center, Atlantic**
Great   Anne
Bridge   Pungo   **237**
Fentress   Back Bay Nat'l.

A   B   C

1

Nat'l. Cathedral
Davis St.
Calvert St.
Cleveland Ave.
Woodland Dr.
Woodley Park-Zoo
Woodley Rd.
Girard St.
Lanier Pl.
National Zoological Garden
COLUMBIA HEIGHTS
Fairme
Euc

Tunlaw Rd.
37th St.
U.S. Naval Observatory
WOODLEY PARK
Rock Creek Park
Cathedral Ave.
19th St.
18th St.
Euclid St.
15th St.
14th St.
13th St.
12th St.
11th St.

Massachusetts Ave.
Belmont Rd.
Kalorama Rd.
Columbia Rd.
Florida Ave.
W St.
V St.

"Embassy Row"
ADAMS MORGAN
U St.
U St.-Card

BURLEITH
T St.
S St.
R St.
Reservoir Rd.
Wisconsin Ave.
34th St.
32nd St.
31st St.
"Rock Creek and Potomac Parkway"
24th St.
California St.
S St.
R St.
Sheridan Circle
Florida Ave.
New Hampshire Ave.
U St.
T St.
S St.
R St.
Q St.
13th St.
Vermont Ave.

Oak Hill Cemetery
Q St.
P St.
O St.
N St.
Dumbarton St.
Old Stone House
P St.
O St.
28th St.
26th St.
Dupont Circle
P St.
O St.
N St.
Dupont Circle
Massachusetts Ave.
Rhode Island Ave.
17th St.
16th St.
Logan Circle
11th St.
10th St.

Georgetown University
GEORGETOWN
37th St.
35th St.
33rd St.
Prospect St.
M St.
Canal Rd.

Rock Creek
N St.
M St.
22nd St.
23rd St.
25th St.
New Hampshire Ave.
Thomas Circle
M St.
10th St.

2

Francis Scott Key Bridge
Whitehurst Freeway
Washington Circle
Foggy Bottom-GWU
Pennsylvania Ave.
Farragut West
FARRAGUT
Farragut North
Connecticut Ave.
Massachusetts Ave.
L St.
K St.
L St.
New York Ave.
Galler
Ch

George Washington Memorial Parkway
Custis Memorial Parkway
Theodore Roosevelt Memorial
Theodore Roosevelt Island
John F. Kennedy Center
George Washington University
FOGGY BOTTOM
H St.
G St.
F St.
E St.
Virginia Ave.
Executive Office Building
White House
McPherson Square
Pennsylv. Ave.
Treasury Dept.
Metro Center
I St.
G St.
F St.
E St.
Pennsylva
13th St.

3

Arlington Blvd
Lynn St.
Fort Myer Dr.
ROSSLYN
Rosslyn
Little River
Georgetown Channel
Rock Creek and Potomac Parkway
Theodore Roosevelt Bridge
Arlington Memorial Bridge
Constitution Ave.
Constitution Gardens
Reflecting Pool
Lincoln Memorial
Independence Ave.
Kutz Bridge
The Ellipse
15th St.
17th St.
Federal Triangle
Nat'l. Mus of Natural His
Washington Monument
Smithsonian
The
Fr
Ga

Marine Corps Memorial
Netherlands Carillon
Fort
Myer
Jefferson Davis Highway
Arlington Cemetery
Columbia Island
23rd St.
Ohio Dr.
West Potomac Parc
Tidal Basin
East Basin Dr.
C St.
D St.
12th St.
10th St.

Women in Mil. Service Mem.
Arlington House
Kennedy-Gräber
Jefferson Memorial
S. 97
Francis Case-Bridge

Boundary Drive
Potomac River
George Mason Bridge
Rochambeau Bridge
Arland D. Williams Jr. Br.
Ohio Dr.

4

Arlington National Cemetery
Washington Boulevard
Washington Memorial Parkway
Lagoon
East Potomac Parc

Tomb of the Unknowns
Pentagon
Pentagon
Navy Annex
Columbia Pike

Henry G. Shirley Memorial Highway

McMillian Reservoir

D ▲ Basilica **E** **F** Franklin St.

Howard University

Glenwood Cemetery

Evarts St.

12th St.
13th St.
10th St.

Lincoln Rd.
Edgewood St.

4th St.

North Capitol St.

Channing St.

Bryant St.

Rhode Island Ave.

Saratoga Ave.
Montana Ave.
14th St.
15th St.
17th St.

Bryant St.

22nd St.
Chapel Rd.

Bladensburg Rd.

Adams St.

W St.

V St.

U St.

T St.

Seaton Pl.

1st St.
2nd St.

W St.

V St.

U St.

Todd Pl.

T St.

9th St.

New York Ave.

Fenwick St.
West Virginia Ave.
Okie St.

Montana Ave.

Rand St.
24th St.

S St.
R St.

Eagle St.

1

SHAW

Howard University

U St.

T St.

Rhode Island Ave.

Randolph Pl.
R St.

Florida Ave.

Q St.

Bates St.

P St.

O St.

N St.

New Jersey Ave.

6th St.

Vernon Sq.

5th St.
4th St.

Massachusetts Ave.

H St.

S. 86/87

New York Ave.

1st St.

M St.

K St.

North Capitol Rd.

1st St.

ECKINGTON

Quincy Pl.

Loincoln Rd.

2nd St.
3rd St.

Florida Ave.

Rhode Island Ave.

Rhode Island Ave.

Brentwood Rd.

13th St.

W St.

Mt. Olivet Rd.

IVY CITY

Mt Olivet Cemetery

Azalea Rd.

National Arboretum

Penn St.

Brentwood Pkwy.

4th St.
5th St.

Gallaudet University

Montello Ave.

West Virginia Ave.

TRINIDAD

Trinidad Ave.

Holbrook St.

Bladensburg Rd.

17th St.

M St.

L St.

19th St.

Maryland Ave.
I St.

21st St.

26th St.

2

NORTH EAST

M St.
L St.
K St.

Oates St.

Neal St.

Morse St.

Florida Ave.

1st St.
2nd St.
3rd St.
4th St.
5th St.
6th St.

H St.

7th St.
8th St.
9th St.

11th St.
12th St.
13th St.

Benning Ave.

14th St.
15th St.
16th St.

Gales St.

H St.

S. 59

NATOWN

Nat'l. Museum of American Art Judiciary Square

G St.

F St.

E St.

Union Station

Columbus Circle

D St.

Maryland Ave.

North Carolina Ave.

Tennessee Ave.

C St.

E St.

C St.

Massachusetts Ave.

17th St.

19th St.

24th St.

chives- ry Mem.

Nat'l. Gallery of Arts

Nat'l. Air & Space Museum

Union Station Plaza

New Jersey Ave.
Louisiana Ave.
1st St.

D St.

S. 74/75

Constitution Ave.

A St.

Supreme Court

East Capitol St.

Library of Congress

Independence Ave.

Grant Statue

U.S. Capitol

Seward Square

Lincoln Park

East Capitol St.

A St.

Independence Ave.

North Carolina Ave.

12th St.

South Carolina Ave.

15th St.

Massachusetts Ave.

A St.

18th St.
19th St.

RFK Stadium

Stadium-Armory

3

CAPITOL HILL

D.C. General Hospital

yland Ave.

4th St.

D St.

Capitol South

D St.

E St.

South Capitol St.

New Jersey Ave.

Federal Center SW

C St.

Eastern Market

D St.

C St.

3rd St.
4th St.
5th St.
6th St.

SOUTH EAST

7th St.
8th St.
9th St.

11th St.

Pennsylvania Ave.

Potomac Ave.

Kentucky Ave.
13th St.

15th St.
G St.

17th St.

Congressional Cemetery

outhwest Freeway

Southeast Freeway

I St.

K St.

Potomac Ave.

Ives Pl.

L St.

John Phillip Sousa Bridge

America Dr.

SOUTH WEST

I St.

G St.

Delaware Ave.

Canal St.

2nd St.

M St.

K St.

L St.

M St.

Water St.

Anacostia River

Anacostia Freeway

Fairlawn Ave.

Waterfront

3rd St.
4th St.

South Capitol St.

Half St.
1st St.

Navy Yard

N St.
O St.

Navy Yard

P St.

Parson Ave.

Sicard St.

10th St.
11th St.

11th St. Bridge

Potomac Ave.

P St.

Q St.
R St.

16th St.
17th St.
18th St.
19th St.

Minnesota Ave.

22nd St.

Naylor St.
25th St.

Park Pl.

4

Navy Museum

Potomac Ave.

Canal St.

Q St.

S St.

T St.

Half St.

Frederick-Douglass-Bridge

Robbins Rd.

Anacostia Dr.

Ridge Pl.

Martin Luther King Ave.

Good Hope Rd.

T St.

ANACOSTIA

S St.

T Pl.
U Pl.

T St.

Rückgabe s……… …n

Fotonachweis
Archiv für Kunst und Geschichte,
   Berlin   S. 23, 118, 136
Bildarchiv Kiedrowski, Ratingen
   Rainer Kiedrowski   S. 179;
   Ute Schwarz   S. 169
Manfred Braunger, Freiburg   Titel-
   bild, Umschlagklappe vorn, Um-
   schlagrückseite Mitte, S. 2/3, 30,
   35, 40/41, 46, 54, 76, 92/93, 108,
   120, 127, 130/131, 149, 161, 177,
   191, 193
Christoph & Friends, Essen
   Ken Bennett   S. 184/185;
   Dennis Brack   S. 65, 102/103;
   Bob Krist   S. 162;
   Max Schmid   S. 204/205;
   Jochen Tack   S. 1, 60;
   John Troha   S. 42;
   Ron Watts   S. 135;
   Nik Wheeler   S. 164
Christian Heeb, Bend (USA)   Um-
   schlagklappe hinten, S. 15, 38, 99,
   175, 201

Look, München
   Christian Heeb   Umschlagrücksei-
   te oben, S. 28, 53, 56, 63, 67, 73,
   78/79, 81, 89, 90, 101, 106,
   110/111, 141, 154/155, 210;
   Karl Johaentges   S. 10, 208

Zitat S. 9: entnommen aus der Websi-
te der American Memory Historical
Collections, Washington D.C.

Abbildungen:
Titelbild: Kapitol bei Nacht
Umschlagklappe vorn: Inner Harbor
   von Baltimore
Umschlagklappe hinten: Lincoln Me-
   morial in Washington D.C.
S. 1: US-Nationalflagge
S. 2/3: Downtown von Baltimore

Kartographie
Berndtson & Berndtson
   Productions GmbH,
   Fürstenfeldbruck
   © DuMont Reiseverlag

Die Deutsche Bibliothek – CIP-Einheitsaufnahme

Pinck, Axel
Washington D.C., Maryland, Virginia / Axel Pinck.
– Köln: DuMont, 2002
DuMont Reise-Taschenbuch
ISBN 3-7701-5342-1

Graphisches Konzept: Groschwitz, Hamburg
© 2002 DuMont Reiseverlag, Köln
Alle Rechte vorbehalten
Druck: Rasch, Bramsche
Buchbinderische Verarbeitung: Bramscher Buchbinder Betriebe

Printed in Germany   ISBN 3-7701-5342-1